colección **biografías y documentos**

Banqueros

Adrián Murano

Banqueros
Los dueños del poder

GRUPO
EDITORIAL
norma

Buenos Aires, Bogotá, Barcelona, Caracas, Guatemala,
Lima, México, Miami, Panamá, Quito, San José, San Juan,
Santiago de Chile, Santo Domingo

www.norma.com

Murano, Adrián
Banqueros. Los dueños del poder - 1ª ed. -
Buenos Aires: Grupo Editorial Norma, 2004.
360 p.; 23 x 16 cm. - (Biografías y documentos)
ISBN 987-545-165-7

1. Investigación periodística - I. Título
CDD 070.44

Grupo Editorial Norma
San José 831 (C1076AAQ) Buenos Aires
República Argentina
Empresa adherida a la Cámara Argentina de Publicaciones
Diseño de tapa: Ariana Jenik y Eduardo Rey

Impreso en la Argentina
Printed in Argentina

Primera edición: abril de 2004

CC: 20652
ISBN: 987-545-165-7

Hecho el depósito que marca la ley 11.723
Libro de edición argentina

Índice

Índice

*A Joaquín, mi vida, con la esperanza
de que crezca en un país mejor.*

*A Laura, mi alma, por su amor
a prueba de ausencias. Por (ser) todo.*

Introducción

La imagen era perturbadora y brutal. Millares de hombres, mujeres y niños recorrían las calles clamando justicia, desanudaban años de bronca atragantada, lloraban la angustia del despojo y la desilusión. La imagen, instantánea de un país incandescente, mostraba a la Argentina golpeando su hastío contra las cacerolas, las puertas del Congreso, la Casa de Gobierno, las vallas, los comercios... y los bancos. Pequeños o voluminosos, modernos o históricos, austeros o glamorosos, los edificios de los bancos concentraron buena parte de la ira acumulada que aquel 19 y 20 de diciembre de 2001 explotó en las marquesinas de una nación que por una vez no se resignó a su suerte. Era, al fin y al cabo, una imagen que echaba luz sobre las sombras del poder.

Nacido en aquellas circunstancias humeantes, este trabajo intenta hurgar en los restos de un país devastado por la voracidad de una elite que hasta ahora permanecía inexpugnable. La cofradía de los banqueros tiene códigos, modales, sedes, reglamentos tácitos y hasta moral propia. Y también, claro, un estricto régimen de admisión: sólo pueden obtener una membresía aquellos que integren el directorio de alguna entidad financiera. Por cierto, el club no es numeroso. Los registros del Banco Central dan cuenta de que conviven en la Argentina menos de un centenar de entidades. Si bien algunas de ellas responden a los mismos dueños y otras se hallan en proceso de liquidación, el número puede resultar anémico o multitudinario, según los intereses de quien lo analice. Para el Fondo Monetario Internacional, el órgano multilateral encargado de custodiar las acreencias de los países ricos y controlar las economías de las naciones pobres, la cifra es desmesurada. Su razonamiento es sencillo: tras la crisis de 2001, el mercado estrechó sus márgenes de ganancia, reduciendo, claro, los ingresos de los grandes conglomerados financieros.

El reclamo de "saneamiento" del sistema –eufemismo de reducción–, vociferado a coro con los representantes de la banca extranjera, integra el menú básico con el que el Fondo dirigió la política argentina durante la última mitad del siglo. Pero ésa no fue la única forma de injerencia recurrente. En sus cincuenta años de historia el FMI impuso salmos y funcionarios que ayudaron a saquear las generosas arcas del Estado.

Si la omnipresencia del Fondo fue una endemia, la enfermedad que debilitó a la Argentina comenzó casi con su gestación como país: la conformación y consolidación de la deuda externa, abultada durante décadas de negociados privados y públicos, está adosada a la historia nacional como una sanguijuela influyente e inmortal.

Los manejos de la deuda prologaron el nacimiento de la cultura política a principios del siglo XX, explican el golpe de 1930, reflejan los tropiezos del primer y segundo peronismo, acompañan la formación del terrorismo de Estado, revelan la cocina pragmática del retorno democrático y la orgía privatizadora de los años 1990. En resumen, el análisis de la deuda y sus circunstancias ayuda a comprender cómo los banqueros obtuvieron y lograron manejar desde siempre los hilos de la política nacional.

A salvo de máculas electorales y ataviados con la impunidad del sigilo, los banqueros impusieron y depusieron gobiernos, marcaron conductas y realizaron magníficos negocios que empeñaron el futuro de varias generaciones de argentinos. Reinando detrás del trono, disfrutaron el extraño privilegio de robar sin delinquir, dictando leyes y decretos a medida que les permitieron apropiarse de fondos públicos y privados a golpe de teléfonos y bayonetas.

Lejos de la puntillosa enumeración contable de los tratados financieros, este trabajo –construido sobre la base de cincuenta entrevistas, diez cajas de documentos, decenas de textos y dos años de investigación–, intenta acercar una explicación de la Argentina reciente describiendo hechos, circunstancias, protagonistas y responsables de la erupción que dejó en evidencia al país que late cuando el país agoniza. Un relato que, buceando en el pasado, quizás oficie de advertencia sobre el futuro. Porque, como suelen repetir analistas y gurúes de la banca, toda nación requiere de algún tipo de sistema financiero. Sin embargo, no abundan los países en los que los bancos se transformaron en la clave que explica su historia. La Argentina es uno de ellos.

ADRIÁN MURANO
Buenos Aires, verano de 2004

Primera parte
La cena de los pícaros

Al anfitrión le costaba controlar su ansiedad. Apenas habían pasado minutos de las siete de la tarde, y ya era la tercera vez que se asomaba al vestíbulo. De algún modo, las furtivas inspecciones por la planta baja le devolvían cierta tranquilidad: el alboroto de policías y custodios que se agitaba al otro lado de la puerta de calle indicaba que todo transcurría según lo previsto.

En la vereda, en cambio, se percibía cualquier cosa menos calma. El estrecho empedrado que separaba al edificio de la sede de la Embajada de Gran Bretaña estaba sitiado por hombres de uniforme azul. Los patrulleros copaban buena parte de la cuadra, media docena de efectivos observaban los movimientos de los vecinos, y custodios de civil miraban todo con gesto desconfiado. Ajeno al operativo, un fotógrafo también esperaba su turno para entrar en acción.

Aldo Martínez había llegado hasta el lugar guiado por un dato impreciso. "Parece que va a haber una cena entre Menem y Bush", le había dicho su jefe, como todo detalle. Fotógrafo experimentado del diario *Clarín*, Martínez estaba acostumbrado a trabajar a tientas: por su oficio, era habitual que lo enviaran a cubrir notas sin más señas que una dirección. Martínez llegó al domicilio indicado unos minutos antes de las ocho de la noche, a tiempo para observar la cuarta inspección nerviosa del anfitrión.

–¿Y ése quién es? –consultó, un poco por aburrimiento y otro poco por curiosidad, a un agente menudo y de aspecto cómplice con funciones de *valet parking*. Pero el vigilante no le contestó. Estaba ocupado con otros asuntos: por el *handy*, el oficial a cargo del operativo le avisaba que uno de los invitados se acercaba a su posición a bordo de un Ford Mondeo Azul.

—Es el dueño de casa, un banquero –le explicó en cambio un joven de tez pálida y traje oscuro que estaba tan aburrido como el fotógrafo. Su función, por cierto, no daba para más: como empleado de la dirección de prensa de la Presidencia de la Nación debía aguardar la llegada de su jefe y lograr que los periodistas no enturbiaran la velada. Ésa era la parte sencilla de la tarea: el único motivo de preocupación era el fotógrafo Martínez, solitario representante de la prensa en ese atardecer templado del 1 de diciembre de 1999.

—Ya que estás solo, te pido que no te tires sobre los invitados. Arreglé con el dueño de casa para que puedas tomar unas fotos en el departamento –ofreció el joven, y puso una condición–. Lo único que me pidió es que no le dispares a nadie acá abajo.

Martínez aceptó el canje. Pero cuando estaba volviendo a su posición de guardián relajado, el agente menudo lo sacudió con un empujón:

—Necesito este corredor libre –dijo el hombre de la gorra, con descortesía entrenada.

Todo sucedió tan rápido que Martínez apenas pudo ver al presidente electo Fernando de La Rúa y a su acompañante, el futuro ministro de Infraestructura Nicolás Gallo, surcando los metros que iban del Mondeo al palier. "Menem, Bush y... ¿De la Rúa?", se intrigó el fotógrafo, mientras una nueva tanda de autos lujosos repetía la ceremonia de estacionar en doble fila. Del primer vehículo bajó el ex presidente estadounidense George Bush, rodeado por cuatro émulos de Mike Tyson asignados como custodios por el servicio secreto de su país. Del segundo auto descendió el presidente argentino, Carlos Menem, escudado por cinco agentes de físicos más modestos que los marines norteamericanos. Ante el espectáculo, Martínez acuñó una certeza:

todavía no sabía bien qué, pero algo importante iba a ocurrir esa noche en el cuarto piso del edificio de Gelly y Obes 2352.

Cuando De la Rúa estiró su mano, hacía rato que el ex mandatario uruguayo Luis Lacalle bromeaba con su compatriota Jorge Batlle, flamante presidente electo del Uruguay.

–Un gusto conocerlo, he oído hablar mucho sobre usted –lisonjeó Batlle, respondiendo el apretón. Pero De la Rúa no tuvo tiempo de devolver la gentileza. El arribo conjunto de Menem y Bush acaparó la atención de los invitados extranjeros.

Efusivo, Menem saludó con un abrazo a Lacalle, estrechó sus dos manos sobre la derecha de Batlle y le ofreció una mano floja, distante, a De la Rúa. Ambos conocían de sobra el porqué de esa violación protocolar: apenas quince días antes, el mandatario electo había rechazado en público una invitación oficial para compartir una cena en la residencia presidencial de Olivos. Con su saludo, Menem no sólo expresaba su disgusto por el plantón. El gesto era, sobre todo, una advertencia. El presidente quería dejar en claro que, aunque la sede del encuentro había cambiado, esa noche también jugaría de local.

A De la Rúa le bastó un rápido reconocimiento visual para confirmar el mensaje: reunidos en torno a Menem, los invitados parecían haberse olvidado de su presencia. Intentó esquivar el desplante improvisando una charla con su amigo Gallo, pero sus sentidos estaban en otro lado. Primero oyó las risotadas del trío Menem-Batlle-Lacalle. A dos pasos de distancia, era imposible no escuchar los chistes sobre políticos y mujeres pulposas que disparaba Lacalle. ¿Eran chistes o anécdotas? De la Rúa, herido en su amor propio, no tenía intenciones de averiguarlo. Probó entonces, sin disimulo, descifrar la charla en voz baja que mantenía con los ceños fruncidos a David Mulford, del Crédit Suisse First Boston, a Walter Shipley, segundo del Chase Manhattan Bank, y a Bush, quien se mostraba preocupado por las chances electorales de su hijo, George W., como candidato republicano a la presidencia de los Estados Unidos. A De la Rúa le hubiese encantado participar de la charla, pero nadie lo invitó. Es más: advertidos de que el argentino podía escucharlos, el trío pasó de la alta política a los debates sobre la pesca con mosca en los lagos de la Patagonia.

Mientras Gallo hacía malabares para sostener una conversación consigo mismo, las preguntas martillaban en el inconsciente del mandatario electo ¿Era posible que nadie le dirigiese una palabra amable? ¿Una palabra, al menos?

–Presidente, ¿puede sumarse al resto? –lo despabiló finalmente Martínez, el fotógrafo que en aquella noche cálida del 1 de diciembre de 1999 retrató una postal perfecta del poder. La foto se publicó dos días después, en página par. De izquierda a derecha: George Bush, Carlos Menem, Fernando de la Rúa, Luis Lacalle y Jorge Batlle. Dos ex presidentes, un presidente en ejercicio y dos presidentes electos posando con una biblioteca de fondo, trajes lustrosos y sonrisa de campaña.

Fuera de escena, los banqueros Mulford y Shipley contemplaban la pose sin solemnidad –ni demasiado interés– mientras degustaban montaditos de jabalí ahumado y aceitunas maceradas acompañados con vino blanco. Observaban la escena desde el living comedor, un salón enorme y espejado, íntegramente pintado de blanco, con toques de dorado sobre los ventanales, que por efecto de la luz parecían encastres de oro puro en la pared. En el centro, una araña de principios de siglo iluminaba cada rincón del ambiente, y la pinotea, teñida de roble oscuro por los años y la cera, era un remanso opaco frente al brillo de la mesa de algarrobo lustrado, los cubiertos de alpaca, la mantelería de seda, las copas de cristal grueso y los enseres de porcelana.

Solo, parado a un costado de la biblioteca, el banquero José Enrique Rohm, Puchi para casi todos los presentes, miraba la escena extasiado. Sus ojos verdes bien abiertos, exagerados por efecto de los lentes de carey, iban de la biblioteca al living con la satisfacción de los artistas que contemplan su obra maestra. Con mirada de anfitrión orgulloso confirmó a los comensales: "Bush, Menem, De la Rúa, Mulford, Lacalle, Shipley, Batlle… no falta nadie", pensó, y las comisuras de sus labios se ensancharon formando una media sonrisa discreta. Porque, como se estila, ningún jugador de póker pone en evidencia sus sentimientos. Y Rohm, tahúr experto, sabía de memoria cómo encarar las partidas de ese tipo. Lo sabía, literalmente, desde la cuna.

Las lecciones de don Ernesto

Ernesto Tornquist no era un hombre fácil de impresionar. Séptimo hijo de un matrimonio formado por un luterano y una católica, nacido en la Argentina y educado en las escuelas reales de Alemania, había construido un imperio que para 1900 incluía saladeros, frigoríficos, campos, ingenios e industrias pesadas. A las puertas del nuevo siglo, la sede de su compañía madre, Ernesto Tornquist y Cía., se había convertido en el oráculo financiero y político de la nación.

Su influencia en las cuestiones de Estado se remontaba a la primera presidencia de Julio Argentino Roca, época en la que protagonizó gestiones sensibles para el Gobierno, como la negociación de la deuda con los acreedores británicos de la Baring Brothers y la banca Rothschild, de quienes, además, Tornquist oficiaba como representante local. A cambio de sus favores, el empresario recibió una importante porción de territorio liberado durante las matanzas indígenas de Roca, extendiendo sus dominios a Santa Fe, San Luis, Misiones, Entre Ríos y el sur de la provincia de Buenos Aires.

Hombre de pocas palabras y espíritu inquieto, Tornquist profesaba en público su respaldo a Roca, pero en privado solía manifestar sus prevenciones sobre el general. Al empresario le disgustaba el estilo hosco y pendenciero del presidente, pero sobre todo lo irritaba su propensión a estimular el desarrollo agrícola antes que la industrialización. Tornquist se sentía más a gusto, en cambio, con la verba inflamada y brillante de un joven abogado nacido en Buenos Aires, pero apodado "el gringo" por su inconfundible acento inglés: Carlos Pellegrini.

Entre Tornquist y Pellegrini sobraban las coincidencias. Ambos estaban convencidos de las bondades de la industrialización, la obligación de honrar las deudas con los organismos extranjeros y la necesidad de crear un sistema financiero dinámico. Y no sólo eso. El empresario y el entonces legislador también impulsaban una educación diferenciada para las clases dirigentes, a imagen y semejanza del sistema educativo que por entonces se desarrollaba en la meca de los argentinos hacendados: los Estados Unidos de Norteamérica. Aficionados a las carreras de caballos, Tornquist y Pellegrini apoyaron con entusiasmo la creación del Jockey Club, un centro cultural y social que, según Pellegrini, "contribuiría a refinar los modales y los gustos de terratenientes y empresarios". Eso ocurrió en 1883. Tres años más tarde, la opinión de Tornquist sería fundamental para que Roca incluyera a Pellegrini como vicepresidente en la fórmula que consagró presidente de la nación a Miguel Juárez Celman.

Signado por denuncias de corrupción y una dura crisis financiera, Juárez Celman duró poco en el poder. El descalabro financiero, provocado por una bicicleta de préstamos ficticios a empresas de fantasía creadas para obtener rédito de las reservas de oro provenientes del creciente endeudamiento externo, provocaron una crisis económica histórica y la irrupción de la Unión Cívica, una agrupación opositora que crecía sobre la base de manifestaciones públicas y arengas prepopulistas. Finalmente Roca se cansó de su concuñado y le pidió la renuncia. Juárez Celman obedeció, pero Pellegrini puso una condición para reemplazarlo: que los banqueros, estancieros y comerciantes locales firmaran un empréstito por quince millones de pesos para hacer frente a los vencimientos externos.

El encargado de recaudar los fondos fue su amigo Tornquist quien, de ese modo, cumplía con un doble objetivo: por un lado permitir el acceso de Pellegrini al poder, y por otro, asegurar el pago a sus representados, los acreedores de la banca británica. La operación fue un éxito. El jueves 7 de agosto de 1890, el abogado de discurso imbatible ocupó el sillón más importante de la Casa de Gobierno. Pero el verdadero poder ya no estaba allí.

Ubicadas a media cuadra de la Plaza de Mayo, las oficinas de Ernesto Torquist y Cía. se transformaron en un criadero de leyes y decretos. Trabajando horas extras, gerentes y directores de la compañía diagramaron un programa económico con tres ejes: normalizar el servicio de la deuda externa, sembrar las bases para la conversión de billetes y auxiliar a los bancos oficiales, que se encontraban a un paso de la quiebra.

Para cumplir con las formas, el paquete de leyes que surgió de la Casa Tornquist fue girado al Congreso el 19 de agosto con la firma del ministro Vicente Fidel López. El programa incluía la emisión de 60 millones en billetes de Tesorería, la conversión de los billetes emitidos por los Bancos Nacionales Garantidos, un empréstito externo nacional, empréstitos externos provinciales, y la caducidad de las concesiones ferroviarias.

Atento al progreso de sus empresas, las iniciativas públicas de Tornquist coincidían con sus intereses privados. Dueño de tierras, frigoríficos, agropecuarias y metalúrgicas vinculadas a los ferrocarriles, el paquete de medidas se adecuaba a su proyecto exportador. La emisión de 60 millones de pesos en billetes de Tesorería servían para cubrir los huecos financieros provocados por la especulación, y el empréstito aprobado de 20 millones de pesos oro tenía por objeto, exclusivamente, atender al servicio de la deuda externa, un deseo expreso de los socios sajones del empresario. Todo marchaba bien, hasta que un imprevisto amenazó la estrategia de la dupla Tornquist-Pellegrini: la quiebra de la Baring Brothers.

El colapso financiero de los banqueros británicos, titulares de las principales obligaciones contraídas por el gobierno argentino, impactó sobre el programa de gobierno y cambió drásticamente las prioridades de la Casa Tornquist.

La deuda externa se convirtió en un tema nacional. Hacia 1890, el país debía pagar a Inglaterra, en concepto de intereses por diversos préstamos, 500.000 libras esterlinas en un plazo de diez días. A su vez, las inversiones de capital británico en la Argentina ascendían a 145 millones de libras esterlinas. Sin embargo, los inversores ingleses, pasado el momento de euforia que generó la caída de Juárez Celman, se negaban a aceptar títulos emitidos por el Estado argentino. Pellegrini estaba acorralado:

quería cumplir con los acreedores, pero no tenía con qué. Para Tornquist, en cambio, era una delicada cuestión de negocios.

En su oficina se acumulaban los mensajes enviados desde Londres. "Hay que salvar a la Baring", repetían las cartas y los enviados que circulaban por la compañía. Tornquist y los suyos diagramaron entonces el plan de salvataje que, una vez más, se presentó en público con la rúbrica del presidente. Por decreto, Pellegrini resolvió convertir en oro los 50 millones de pesos destinados a auxiliar a los bancos, y remitirlos a la Baring Brothers en pago de los servicios de la deuda externa, asumiendo, además, la suscripción de un nuevo empréstito con la Banca Rothschild –también británica– por 75 millones de pesos oro en títulos del 6 por ciento de interés y condiciones muy severas, que incluían la recaudación de la Aduana como garantía. El objetivo era sostener el valor de los papeles que permanecían en poder de la Baring. Pero el primer "megacanje" de la historia argentina también terminó mal.[1]

El virtual vaciamiento del sistema financiero local provocado por el desvío de fondos hacia la entidad inglesa detonaría el "marzo negro" de 1891. La cadena de quebrantos bancarios afectó primero al Banco Hipotecario, y luego al Banco Nacional y al Banco de la Provincia, que sufrieron una corrida en sus depósitos. El gobierno decretó un feriado financiero para auxiliarlos, pero la inquietud creció, se convirtió en pánico y la moneda se devaluó drásticamente. Con las operaciones comerciales paralizadas, Pellegrini convocó a una reunión de "notables" en la Casa de Gobierno. Al llegar a la sala de Situación, Wenceslao Escalante, José Benjamín Gorostiaga, Rufino Varela, José A. Terry, Francisco Uriburu, el general Lucio V. Mansilla, Manuel Quintana, Julián Balbín y el senador Aristóbulo del Valle no se sorprendieron al ver que Tornquist ya

---

1 Del mismo modo en que Pellegrini intentó garantizar el pago de la deuda con la recaudación aduanera, a comienzos del siglo XXI, el ministro de Economía Domingo Cavallo envió al Congreso un proyecto para garantizar el megacanje de deuda con la recaudación fiscal. El proyecto naufragó en el Parlamento. Tras el derrumbe del gobierno de Fernando de la Rúa, Cavallo escribiría desde los Estados Unidos que el fracaso de su programa se debió al rechazo de esa garantía fiscal.

estaba sentado a la derecha del Presidente. Del Valle aprovechó la circunstancia para fustigar con elegancia: "Si el pueblo anda por un lado y el gobierno anda por otro, todo lo que hablemos aquí serán remedios efímeros. Es necesario cambiar de sistema en todo lo que se relaciona con este gobierno".

Pellegrini esquivó la crítica con un concepto que la clase política argentina parece repetir desde siempre: "Lo que hoy sucede es hijo legítimo de los errores cometidos hace treinta años", respondió. Achacadas las responsabilidades a la "herencia recibida", los "notables" decidieron formar una comisión especial que esa misma noche presentó su veredicto: emitir un empréstito de 100 millones de pesos que debía ser entregado a la Caja de Conversión para ayudar a los bancos oficiales y evitarles la quiebra. En otras palabras, el Estado asumiría más deuda para salvar al sistema financiero.[2]

Pero el empréstito fracasó, debido a que el gobierno sólo logró reunir 28.522.145 de pesos oro. Y, sin efectivo a la vista, los bancos oficiales se derrumbaron. El 7 de abril cerraron el Banco Nacional y el Banco de la Provincia. Luego sufrieron corridas las entidades privadas, que tuvieron que suspender los pagos a sus clientes. Los Bancos Garantidos –entidades privadas con depósitos garantizados por el Estado– siguieron la suerte de los oficiales y el Estado tuvo que hacerse cargo de sus emisiones por más de 40 millones de pesos.

Las empresas agrícolas se presentaron como las más perjudicadas por la crisis: con la producción en aumento, la liquidación de los Bancos Garantidos creaba un serio vacío de crédito. Así las cosas, la Nación no sólo debía responder con fondos propios por las emisiones del Banco Nacional y de las instituciones bancarias de diversas provincias. Además, recibía presiones para cubrir la falta de financiación. Como de costumbre, Pellegrini recurrió a su amigo para salir del atolladero.

----

2 La Caja de Conversión creada por Tornquist ataba el valor del peso al precio del oro. El mecanismo inspiró la Ley de Convertibilidad implementada por el ministro Domingo Cavallo en la última década del siglo XX.

Para encontrar una solución a la crisis, Tornquist reunió en su oficina a Vicente Casáres, Juan Anchorena y Narciso Martínez de Hoz, tres terratenientes de peso aficionados a las finanzas. El trío tenía cierta experiencia en el asunto. Pocos años antes había participado de la creación del Banco Nacional, una entidad que se había derrumbado luego de otorgar créditos incobrables a directores y amigos, entre los que se encontraban los cuatro invitados a la cumbre. La mala experiencia, sin embargo, no había limado sus reputaciones. Durante el encuentro, los hacendados redactaron un borrador que luego Pellegrini envió al Congreso con forma de proyecto de ley. La propuesta preveía la creación de un banco organizado como sociedad anónima, con un capital de 30 millones de pesos papel y 20 millones de metálico. Bajo la excusa de promover el desarrollo económico a través de una política de créditos accesibles orientada a favorecer los emprendimientos agrícolas –la principal actividad de los creadores del plan–, la estructura del nuevo banco era similar a la del desaparecido Banco Nacional, pero sin la facultad de emitir billetes.

La iniciativa arrancó con escollos en la Cámara de Diputados. En acaloradas sesiones parlamentarias, la oposición cuestionó el escaso capital del banco y las pocas posibilidades de encontrar accionistas debido a la falta de confianza de los inversores. La providencial muñeca política de Pellegrini destrabó el debate, y el 26 de octubre de 1891 se inauguró el nuevo Banco Nación. Sin embargo, los opositores no tuvieron que esperar mucho para confirmar sus prevenciones.

Tal como habían anticipado los legisladores de la Unión Cívica, la suscripción de acciones resultó un fracaso y debió se anulada. El Estado, entonces, se constituyó como único accionista del nuevo Banco Nación, aumentando el capital para fondear los créditos con partidas oficiales. Lo único que parecía quedar en pie del proyecto original eran los beneficiarios: el cuarteto Tornquist, Casáres, Anchorena y Martínez de Hoz, quienes en tiempo récord reorganizaron el drenaje de fondos estatales en forma de créditos blandos y, a su vez, colocaron espadas propias en el directorio del nuevo Banco Nación.

Con créditos accesibles y leyes a medida, a la Casa Tornquist le resultó sencillo sortear la profunda recesión que marcó la época y sostener su prosperidad. En ese período, la compañía rehabilitó la firma Sansinena con su frigorífico La Negra, amplió el edificio del Hotel Bristol de Mar del Plata, explotó quebrachales en Santiago del Estero y aumentó su participación en José Conen y Cía. (fabrica de glicerina) y la Compañía de Productos Kammerich (saladero). Y todo sin descuidar sus contactos internacionales, que solían utilizar la influencia de don Ernesto para abrir las puertas de negocios bien remunerados. Una muestra de esa influencia había sido la promulgación de la ley que a comienzos de la administración Pellegrini enajenó la explotación de los ferrocarriles. Según esa ley, el Estado podía expropiar a aquellas empresas que no cumplían con sus pautas de inversión y le permitía readjudicar los tendidos nacionalizados. Así ocurrió con la línea del norte de Santa Fe, que gracias a los oficios de Tornquist quedó en manos de un consorcio de capitales belgas. En esos casos, la Casa solía alzarse con la representación local de las inversiones.

Con los negocios navegando viento en popa, Tornquist decidió desembarcar en un territorio que le parecía fascinante, el de los bancos, diagramando una de sus jugadas más audaces: disputar mercado con las representaciones de las entidades extranjeras.

El empresario sostenía que la caída escandalosa de los bancos oficiales había dejado el terreno fértil para la aparición de una banca privada nacional no especulativa, que fomentara la industria y la exportación. Sabía que Pellegrini pensaba lo mismo, pero el proyecto tenía sus complicaciones. Tornquist había cimentado su imperio gracias a los capitales belgas –sus principales compañías habían sido fundadas en el puerto de Amberes–, y sus representaciones incluían firmas financieras alemanas y británicas. La incógnita rebotaba por los pasillos de su imperio: ¿cómo haría para entrar en guerra con sus socios sin afectar los negocios que mantenía con ellos? Después de reconsiderar varias veces el asunto, el empresario y su amigo, el presidente, encontraron la solución: el Gobierno se haría cargo del trabajo sucio.

Como era habitual, el ministro López fue el encargado de efectuar el primer disparo. El 26 de enero de 1891, el titular de Hacienda envió al Congreso una ley de impuestos internos que gravaba los alcoholes, las cervezas y los fósforos. Y creaba un impuesto del siete por ciento sobre las utilidades y los dividendos de los bancos particulares y las sociedades anónimas cuya dirección y capital no se hallasen en el país, con excepción, claro, de frigoríficos, fábricas de carnes conservadas y ferrocarriles, las tres actividades fundamentales del grupo Tornquist. La ley ratificaba, además, la aplicación de un dos por ciento de impuesto a los depósitos en bancos extranjeros.

Lecciones de la historia: cuando el Senador Jerónimo Cortés se opuso a la aplicación del impuesto al que juzgaba hostil al capital extranjero, el ministro López contestó que era "necesario defender al país de los capitales británicos, belgas y alemanes que, manteniendo un mero consignatario en la Argentina, obtienen cuantiosos beneficios sin radicarse", y agregó que esas sociedades obtenían el 62 por ciento de beneficio anual. López no lo dijo, pero la Casa Tornquist integraba esa lista, en la cual también brillaban otros apellidos prósperos considerados "amigos" de su ministerio como los Bemberg, Portails, Bracht, Bunge & Born.

Como era previsible, la creación de esos impuestos deterioró la relación de Pellegrini con la banca y el comercio británico. Pero en las previsiones nunca imaginó que la furia llegaría a tanto. En una carta cargada de ira, el ministro británico en Buenos Aires, F. J. Pakenham, informó a su gobierno que en la ciudad reinaba "un intenso sentimiento antibritánico". Por su parte, el secretario comercial de la misión inglesa llegó a advertir que temía por su seguridad personal.

Con el clima enrarecido, la "guerra" llegó a su punto de máxima tensión cuando comerciantes y terratenientes locales –aconsejados por Tornquist– impulsaron una corrida contra los bancos británicos, una maniobra que casi provoca un desastre. Los británicos resistieron la sangría y, por efecto contagio, cinco bancos no ingleses debieron cerrar sus puertas. Humillado por la derrota, y temeroso de un nuevo crac financiero, el gobierno ofreció a los bancos extranjeros una moratoria que los ponía a resguardo de nuevas corridas. Orgulloso por el triunfo, el Banco de Londres y Río de la Plata –un estandarte de la Corona en estas pampas– rechazó la moratoria. Y sus colegas contraatacaron.

En representación de los intereses británicos en la Argentina, el señor Pitchard, gerente del Banco de Londres en Buenos Aires expuso su propuesta ante el subsecretario del *Foreign Office* -Cancillería británica–, James Ferguson: "La condición del país es tal que sólo la intervención de otras potencias puede determinar un buen gobierno, y lo más efectivo de todo sería que, de acuerdo con otras, alguna potencia interviniera y estableciera un gobierno provisional. Ninguna está interesada como Gran Bretaña, pues los súbditos británicos tienen invertidos 200 millones de libras en el país".

Menos beligerante, la firma Morton, Rose & Co. propuso la designación de un enviado especial a Buenos Aires, con potestad para vigilar la economía del país y aconsejar al gobierno sobre la medidas que convenía aplicar. La firma justificaba su injerencia argumentando que, debido al peso de su deuda con la banca de la Corona, la Argentina merecía un tratamiento colonial.

Los buenos oficios de Victorino de la Plaza –una especie de canciller en la sombras de Pellegrini– y el canciller inglés Robert Cecil descomprimieron la situación y evitaron que la "guerra" financiera se convirtiera en conflicto militar.

A pesar de que su intento fue un fracaso que le costó millones al Estado argentino, Tornquist siguió cultivando el sueño del banco propio. Y mientras esperaba que el tiempo le diera la revancha, el empresario se entregó de lleno a su otra pasión: la política.

En octubre de 1892, concluido el mandato de Pellegrini, Tornquist participó con entusiasmo de las intrigas que promovieron el retorno de Julio Argentino Roca al poder. Desde su casona de

Belgrano, u organizando tertulias pergeñadas en el Jockey Club, Tornquist colaboró con todas las conspiraciones que derrumbaron al gobierno de Luis Sáenz Peña, enfrentando incluso al ministro de Economía, Juan José Romero, que había sido uno de sus colaboradores más leales.

Tornquist sentía aprecio personal por Romero. Después de todo, el hombre se había formado en su Casa, y él mismo lo había recomendado para el cargo. Pero a poco de asumir, el ministro fustigó el acuerdo Pellegrini-Plaza mediante el cual el Estado se había comprometido a canjear la deuda vieja por deuda nueva, ligando los ingresos aduaneros como garantía de pago. Romero había cometido la imprudencia de decir en público lo que muchas veces había discutido con su ex jefe en privado. A su juicio, los términos del trato refrendado por Pellegrini "eran desmesurados", y encaró una nueva negociación con el Comité Rothschild, un organismo internacional que representaba a los acreedores externos de la Argentina. El ministro obtuvo una quita del 5 por ciento en los intereses y una postergación en la devolución del capital, que por entonces ascendía a 222 millones de pesos oro. El nuevo pacto salvaba los ingresos aduaneros, pero debilitó a Romero.

Pellegrini atacó el acuerdo desde su banca de senador: "Se declaró en quiebra a la Nación ¿No comprendía acaso el señor ministro que esa conducta, que era una vergüenza, mataba a la gallina de los huevos de oro? ¿Cómo puede tenerse el propósito de salvar el crédito de un país, o salvar el crédito de un individuo, proclamando *urbi et orbi* que no tiene recursos para cumplir con sus compromisos?"

El argumento de Pellegrini, repetido con insistencia en tribunas públicas y banquetes sociales, era sencillo: el pago puntual de la deuda externa resultaba un compromiso irrenunciable, más allá de que se empeñara al Estado, sus ingresos, y su decisión sobre los asuntos económicos del país. Para el ex presidente, evitar el *default* "era una obligación moral" de los argentinos.

El empeño de Pellegrini propició la caída de Romero, y poco tiempo después la de su jefe. Apenas despuntaba 1895 cuando

Sáenz Peña delegó el poder en su vice, José Evaristo Uriburu, un incondicional de Pellegrini y consuegro de Roca, cuyo trabajo fue completar el mandato mientras la dupla Roca-Pellegrini preparaba el terreno para su regreso formal al poder.

El 12 de octubre de 1898, Uriburu pasó el bastón de mando a su consuegro. En señal de júbilo, Tornquist hizo tronar el cañón que decoraba los jardines de su mansión porteña. Y para no dejar dudas de su compromiso con el nuevo Gobierno, cedió nuevamente a uno de sus directores, Enrique Berduc, para que se sumara al Gabinete.

Al igual que Romero, el flamante ministro de Hacienda había realizado toda su carrera en la Casa, pero a diferencia de su antecesor, Berduc representaba para Tornquist mucho más que un buen gerente. Berduc era uno de los hijos dilectos de la "familia germana", apelativo cariñoso que identificaba al grupo de gerentes, directores y colaboradores de apellido alemán que conformaban el "núcleo duro" de la compañía. Hacia 1900, Berduc, Theodoro de Bary, Jacobo Kade, Máximo Hogeman y Rudolf Funke eran los nombres fuertes de la Casa. Pero no serían los únicos que dejarían huellas en la historia del imperio. Con el nuevo siglo, la "familia germana" sumaría a un integrante fundamental. Por esos días convulsionados, en un hogar de clase media del centro porteño, nacía el hombre que finalmente cumpliría con el sueño bancario de don Ernesto: José Enrique Rohm.

Las lecciones de don José

José Enrique Rohm decía poseer antepasados alemanes y cristianos. Según su relato, sus padres habían llegado a la Argentina en la primera clase de un barco atestado de europeos entusiasmados con las posibilidades de prosperidad que ofrecía la tierra casi virgen de un país remoto de América del Sur. Si le preguntaban, Rohm solía contar que su padre era un comerciante inquieto que, a causa de sus frecuentes viajes a Europa, había decidido retornar a Alemania –llevándose consigo a su madre–, y que él, luego de meditar sus opciones, había decidido quedarse en Buenos Aires.

Rohm contaba su historia sin titubeos, pero la mayoría de sus compañeros de la Casa Tornquist desconfiaban. Los rumores sugerían que, en realidad, Rohm descendía de una familia judía de origen austríaco poco proclive a las prácticas religiosas. La procedencia y la religión no eran, por esos días del flamante siglo XX, asuntos menores. Y menos en la Casa Tornquist, donde los apellidos alemanes (y en especial los cristianos) gozaban de un status especial. Por celos, simple maledicencia o sospechas fundadas en la reserva con la que Rohm se refería a sus padres, los compañeros del joven administrativo difundían versiones que ponían en peligro su carrera dentro de la Casa. Pero por fortuna para Rohm, el hombre más importante de la compañía nunca las creyó.

El 17 de junio de 1908, don Ernesto Tornquist alcanzó a ver a su familia reunida junto a su lecho de enfermo poco antes de morir. El hombre que, según dijo el diario *La Nación* en su obituario, "había gobernado el país en el sentido más amplio y más útil de la palabra" dejaba un imperio, una esposa, y media docena de hijos de entre los cuales saldría su sucesor. Carlos Alfredo Tornquist asumió el control de la Casa a la semana de enterrar a su padre, y le imprimió un nuevo ritmo al legado familiar. Al igual que don Ernesto, Carlos Alfredo creía que la Argentina se encaminaba a convertirse en un vergel financiero. Pero a diferencia de su padre, estaba dispuesto a jugar sus fichas con mayor audacia.

Conocía el terreno donde pisaba. Como parte de su entrenamiento, Carlos Alfredo había trabajado en el primer emprendimiento puramente financiero auspiciado por la Casa, la "Compañía Industrial y Pastoril Belga Sudamericana", creada en 1894 con un capital inicial de 280.000 pesos oro y el objetivo de operar en el creciente negocio de los créditos hipotecarios. La experiencia dio buenos frutos. En 1906, la Compañía realizó un acuerdo con la firma Crédito Territorial Argentino, de capitales franceses, que le permitió alzarse con la representación en la Argentina de las dos entidades financieras más importantes de Francia: la Société Genérale y el Comptoir National d'Escompte.

Ante el éxito de la Industrial Pastoril (en apenas seis años la firma aumentó diez veces su capital), la Casa Tornquist fundó otras cuatro compañías similares –todas en Amberes–, y cuadruplicó sus ganancias.[3]

Pero el inicio de la Primera Guerra mundial paralizó la economía, y la actividad financiera se restringió de tal modo que la firma estandarte de la Casa en este rubro, el Crédito Territorial, debió ser liquidada.

Entre las secuelas bélicas, y con Europa convertida en un polvorín, el joven Rohm, con 18 años recién cumplidos, ingresó a la Casa para cumplir tareas administrativas en la firma principal del emporio: Ernesto Torquist y Cía. Robusto y callado, hábil para los números y capaz de trabajar dieciséis horas al día, a Rohm no le costó mucho llamar la atención de sus jefes. En menos de diez años, el muchacho comenzó a tutearse con la línea gerencial.

Pese a las esquirlas de la guerra y la depresión financiera, 1927 se perfilaba como un buen año para la Casa. Después de una década de crisis económica, y pasados los arranques prepopulistas de Hipólito Yrigoyen (que había alborotado a los obreros del emporio con sus iniciativas de regulación laboral), Carlos Alfredo celebró el retorno a escena de dos viejos conocidos de los Tornquist: la Caja de Conversión y el apellido Roca.

En el primer caso, se trataba de un mecanismo de convertibilidad que anclaba el valor del peso al patrón oro. La Caja de Conversión, repuesta en 1927 por el presidente Marcelo T. de Alvear, había sido creada por don Ernesto en 1899, y fue implementada durante la segunda presidencia de Roca con el objetivo de dominar la inflación y favorecer la inversión extranjera. Casualidad o destino, el otro retorno que estimulaba los buenos augurios de la Casa era precisamente la reaparición del apellido Roca en el escenario

---

3 Hacia comienzos de 1914, las cinco sociedades sumaban un capital de 20 millones de pesos oro. Con esos capitales, más los obtenidos por la emisión de obligaciones en el mercado europeo, las firmas llegaron a otorgar préstamos por 70 millones de pesos oro.

político local. Dignos hijos de sus padres, Carlos Alfredo Tornquist y Julio Argentino Roca hijo se prodigaban una diplomática amistad.[4] De hecho, la Casa auspició la creación de la Confederación de las Derechas, un foro creado por Roca que agrupaba a todas las fuerzas conservadoras del país. Si bien Tornquist se sentía a gusto con Alvear –el Presidente había dado muestras de su credo conservador–, al empresario le daba alergia todo lo que tuviese aroma a "radical".

Ajeno a la inflamación política de la Argentina, Rohm, con 30 años, le dedicaba toda su atención al trabajo. Y no era para menos. Aunque era uno de los gerentes más jóvenes de la Casa, acababa de ser nombrado al frente del nuevo intento financiero de la compañía: el Crédito Ferrocarrilero e Inmobiliario, la firma con la que Carlos Alfredo intentaba consolidar el sueño bancario de su padre.

A primera vista, las condiciones del país no eran alentadoras. Por esos días la Argentina arrastraba una recesión histórica que se había ahondado por el derrumbe de la economía europea y cierto clima de ebullición social, hechos que, según el análisis empresario, no favorecían a la toma de créditos. Atento a estos detalles, el nuevo emprendimiento de los Tornquist había nacido con dos cartas fuertes bajo la manga. Para la formación del Crédito Ferrocarrilero, fundado con un capital inicial de 1.500.000 pesos oro, Tornquist consiguió el respaldo de tres gigantes de las finanzas europeas: la Baring Brothers de Londres; el Disconto Gesellschaft, de Berlín;

---

4 Dueño de frigoríficos, Tornquist respaldó la firma del Tratado de Londres. Realizado el 1 de mayo de mayo de 1933, el pacto fue refrendado por el entonces vicepresidente Roca y el canciller del Reino Unido Walter Runciman, y garantizó la exportación de una cuota de carnes a Gran Bretaña a cambio de un trato preferencial para las empresas británicas radicadas en la Argentina. El acuerdo –conocido como Pacto Roca-Runciman– incluyó un control de cambios que resultó ruinoso para los pequeños productores locales. Tras la firma, el senador Lisandro de la Torre acusó al gobierno de "haber entregado nuestra economía a los intereses británicos", y denunció que los frigoríficos aprovechaban el control de cambios para evadir impuestos. El régimen cambiario también propició la creación del Banco Central, en cuya conformación participaron el Estado y los bancos privados. Según su constitución, la nueva institución tendría a su cargo el manejo monetario y crediticio del sistema financiero, y el control sobre el valor de la moneda.

y el Norddeusche Bank, de Hamburgo. Con estos socios, y el apoyo irrestricto de la "familia germana", Rohm tenía a su cargo la utilización de la segunda carta brava: colocar los fondos en el nuevo tendido de vías programado por el gobierno. Pero no todo ocurrió como se esperaba. La cercanía de las elecciones postergaron el plan de ampliación de los ferrocarriles impulsado por Alvear y puso en jaque al proyecto. Sin embargo, Rohm no se desmoralizó: ágil, el joven gerente se las ingenió para realizar pequeñas operaciones de transferencias de divisas que le permitieron sostener el capital inicial de la firma. Y a la espera de tiempos mejores, dedicó su tiempo a viajar por el mundo en busca de inversionistas, afilando sus contactos internacionales mientras su jefe, Carlos Alfredo, conspiraba contra el segundo gobierno de Yrigoyen.

Hacia 1930 Rohm se había convertido en un experto sobre el sistema financiero internacional y su palabra comenzaba a tener peso en la primera línea de la Casa. En febrero de ese año –a pedido de Carlos Alfredo, y con el aniversario de la fundación del emporio Tornquist como excusa–, el ejecutivo escribió un documento interno que analizaba los motivos del atraso bancario en la Argentina: "La obra desarrollada por la firma Ernesto Tornquist y Compañía es eminentemente nacionalista. En el orden de sus actividades industriales ha tenido, sin embargo, que luchar –y sigue luchando– con la fuerte competencia extranjera. Esta competencia extranjera es favorecida por nuestro deficiente régimen bancario. En los Estados Unidos de Norteamérica, y en la mayoría de los países europeos, los bancos extranjeros no pueden recibir depósitos. Aquí, en nuestro país, los bancos extranjeros no sólo pueden recibir, sino que reciben depósitos, y con este dinero argentino promueven el desarrollo de las industrias y fomentan el comercio de sus propios países, llevando así una fuerte competencia a nuestra industria nacional".

El documento expresaba el espíritu de la Casa, pero no reflejaba el pensamiento íntimo de Rohm. Si bien se sentía atraído por la retórica nacionalista de la época, su rechazo hacia la banca extranjera no era tan visceral como la que declamaba su jefe. Después de todo, él era una especie de socio local de tres entidades europeas y le gustaba codearse con el mundo flemático y distinguido de los banqueros internacionales. Ya había decidido: se iba a ganar un lugar propio en ese territorio plagado de cócteles, diplomacia y billetes.

La década infame de la política argentina enmarcó el ascenso final de Rohm, tanto en la Casa Tornquist como en la sociedad porteña. En ese lapso pasó de gerente a director del Crédito, y se sumó al directorio de otras dos firmas del grupo: las petroleras Refinería Argentina y Cóndor S.A. Con el cambio de status laboral llegó la membresía del Jockey Club, un imponente departamento en Barrio Norte y una silla en el directorio del Olivos Golf Club, cima de la Buenos Aires aristocrática de la época.

Considerado el primer barrio privado de la Argentina, el Olivos albergaba a la quintaesencia de la nueva aristocracia nacional. En su *club house*, comerciantes, empresarios y financistas criados en el nuevo siglo se diferenciaban de los herederos agroganaderos y compartían tertulias con acento sajón. En ese ambiente, Rohm se codeó con apellidos de orígenes tan diversos e influyentes como Berthet, Diesch, Fourcade y Escasany.[5]

Las nuevas responsabilidades y la expansión regional de la Casa redoblaron la frecuencia de viajes de Rohm, quien a los 40 años parecía tener destino de soltero irredimible. Pero al regreso de un viaje relámpago, el director sorprendió a propios y extraños al presentarse acompañado de una hermosa mujer de aires distinguidos y origen familiar incierto, un enigma que constituía casi una herejía para los círculos que el aspirante a banquero solía frecuentar.

Una vez más, la reserva de Rohm sobre su vida privada disparó las especulaciones. Hasta donde los vecinos del Olivos sabían, Hilda Conte, la flamante esposa de Rohm, no provenía de una familia tradicional, no poseía ancestros ganaderos ni financistas, y

---

5 Néstor, tío de uno de los fundadores del Banco Galicia, fue presidente del Olivos Golf Club.

ni siquiera tenía familiares de prosapia en Buenos Aires. El rumor más extendido afirmaba que la dama había nacido en Tucumán, y que había conocido a Rohm mientras veraneaba en el Uruguay. Otros, en cambio, afirmaban que la señora era hija de comerciantes textiles uruguayos. De allí, decían, provenía su "escandalosa" tendencia a opinar en voz alta y en presencia de su marido sobre política y economía, dos temas vedados para las damas porteñas según las normas de la "buena conducta social".

Por cierto, ni Hilda ni su esposo se mostraban preocupados por el asunto. A Rohm, en cambio, lo desvelaba otra cosa: el crecimiento político y popular de un teniente coronel llamado Juan Domingo Perón.

El aspirante a banquero sabía que su aprensión hacia el entonces vicepresidente, ministro de Guerra y secretario de Trabajo del gobierno de facto de Edelmiro Farrel, era una cuestión delicada. Su jefe, Carlos Tornquist, había demostrado cierta simpatía hacia Perón. Nada definitivo, pero en la Casa nadie se atrevía a expresar una posición propia en público hasta que el patriarca del emporio no definiera la suya. Rohm comprendía la situación, pero no estaba dispuesto a esperar de brazos cruzados.

En julio de 1945, casi todo era política en el Jockey Club. El país parecía, literalmente, partido en dos. Por un lado los opositores, financiados por la dirigencia conservadora y patrocinada en público por el embajador estadounidense Spruille Braden, tenían como arietes más revoltosos a una buena franja de alumnos universitarios y a un centenar de militares de rango medio. En la vereda opuesta se ubicaban los partidarios de Perón, quien gozaba de la simpatía de un puñado de empresarios nacionalistas y contaba con un fuerte ascendente entre obreros y asalariados de clase media. Eran días tensos: la puja entre ambos sectores había generado conspiraciones militares y refriegas callejeras. Una tarde, mientras Rohm degustaba su habitual copa vespertina de cognac, un socio del Jockey lo sacudió con una novedad:

—Parece que levantan el estado de sitio. ¿Se imaginan lo que va a pasar con las calles liberadas?

El banquero no lo pensó dos veces. Llegó a su casa y le ordenó a Hilda, embarazada de ocho meses, que viajara de inmediato al Uruguay.

—Mi hijo no va a nacer en medio de una guerra –dijo, y embarcó a su esposa hacia Montevideo. El 17 de agosto de 1945, mientras Farrel hacía equilibrio en el gobierno y la oposición pedía la renuncia de Perón, Hilda dio a luz al primer hijo del matrimonio. Como indicaba la tradición, el primogénito de Hilda y José fue bautizado con el mismo nombre que su padre. Era apenas un anticipo de la herencia que convertiría al niño en uno de los banqueros más influyentes de la Argentina.

El factor Perón

La llegada de Perón a la presidencia generó revuelo en el Jockey Club. La división entre los socios parecía irreversible. De un lado, los directores y los gerentes de las firmas nacionales. Del otro, los de las firmas extranjeras. En la mayoría de los casos, ambos bandos estaban integrados por ciudadanos argentinos, pero la discusiones eran por negocios, no por nacionalidad.

Los representantes de las compañías locales estaban maravillados con las propuestas del nuevo gobierno. En especial con la reforma financiera, que nacionalizaba al Banco Central y a los depósitos. La medida –una de las primeras de la era peronista– respondía a un antiguo reclamo de los empresarios locales, quienes propiciaban la creación de un mercado financiero con fuerte presencia de entidades nacionales. Al frente de estos pedidos había dos representantes de la banca: Carlos Tornquist y Manuel Escasany, dueño de una de las joyerías más importantes de Buenos Aires y director del Banco de Galicia de Buenos Aires.

La entidad, fundada por inmigrantes españoles en 1905, llevaba con orgullo el blasón de ser el primer banco privado de capital nacional. Manuel compartía acciones con su hermano Ramón, y ambos eran dueños de la joyería Casa Escasany. Pero las relaciones familiares eran tormentosas. A menudo, Ramón solía criticar a Manuel por su tendencia a dedicarle mayor atención al banco que a la orfebrería. La diferencia de criterios pronto se transformó en guerra, y Manuel se dedicó de lleno al Galicia.

Como era habitual, en la familia de Manuel Escasany se practicaba el mayorazgo, una costumbre que reserva la continuación de los negocios familiares al hijo mayor. Sin embargo, el heredero que mostraba más entusiasmo por la actividad bancaria era su hijo menor, Eduardo, ingeniero civil, y arrojado con los negocios. Como había sucedido con su padres, la diferencia de criterios entre los dos hijos de Manuel –Manuel y Eduardo– ya había generado recelos en el manejo de la joyería, de modo que Manuel decidió evitar nuevos trastornos familiares cediendo todas sus acciones a su hermano.[6]

En sus primeras cuatro décadas de vida el Galicia había sido un banco pequeño, formal y conservador. Se celebraban dos reuniones de directorio semanales que duraban una hora, y los accionistas delegaban en un gerente general las riendas del negocio. Pero en el momento de la reforma financiera de Perón, el banco ya había comenzado a sentir la impronta de Eduardo.

La reforma impuesta por Perón en 1946 modificó la estructura bancaria argentina, asignando a los bancos oficiales funciones específicas de promoción de las actividades productivas al nacionalizar los depósitos y crear una nueva carta orgánica del Banco Central. El Banco de Crédito Industrial Argentino, creado el 2 de septiembre de 1944, tenía a su cargo la columna del plan "industrializador". Entre 1944 y 1947, los préstamos bancarios a la industria se incrementaron del 34 al 42 por ciento de sus operaciones. Pero al mismo tiempo, también creció la inflación y la mora en las

6 La sociedad accionaria del Galicia terminó de conformarse cuando Eduardo Escasany, empleado jerárquico del banco, contrató a un abogado amigo, Hernán Ayerza, para que diagramara algunos cambios internos. El entonces gerente general del banco, ofendido, presentó su renuncia a la asamblea, convencido de que sería rechazada, pero los accionistas la aceptaron de manera que la dupla de jóvenes Escasany-Ayerza tomó el timón. Luego sumaron a un amigo común, Oscar Braun Menéndez. El trío compró las acciones de los hijos de los fundadores y se hizo de la mayoría del banco. Desde 1948 las tres familias dirigen el Galicia.

devoluciones. Incentivados por la generosidad de los bancos públicos, que otorgaban dinero fresco casi a discreción, los empresarios locales comenzaron a modificar el destino de los créditos. La política oficial de fomento se convirtió entonces en deliciosa savia para los parásitos de la industria, quienes rara vez utilizaban el capital para realizar nuevas inversiones. Como consecuencia de ese festival de préstamos, las reservas del Estado comenzaron a escurrirse.

Con la industria generando déficit, y presionado por los barones del agro y la ganadería, Perón intentó desviar el rumbo de los préstamos hacia el campo, elevando las tasas de los créditos a corto plazo al 62,8 por ciento y disminuyendo un 7,6 por ciento los créditos quinquenales. Pero la medida, además de resultar inocua, llegó tarde. Por esos días comenzaban a conocerse los casos de rapiña de fondos públicos que habían sido estimulados por la política oficial.

El Establecimiento Textil Oeste, inscripto como sociedad anónima en 1947, era uno de los mayores deudores del sistema bancario argentino. El mal uso del crédito había cuadruplicado su pasivo en un quinquenio (1950-1955), al tiempo que había decrecido su capital líquido y se deterioraron sus ventas, provocando un aumento en el endeudamiento con garantía hipotecaria. En un intento por salvar a la firma, en 1950 los Bancos de Crédito Industrial Argentino, de la Nación Argentina y de la Provincia de Buenos Aires adquirieron 53.000 acciones ordinarias para controlar la administración de la empresa. Y para unificar deudas, resolvieron otorgarle un nuevo crédito por 40 millones de pesos. Tras el salvataje, la fábrica volvió a funcionar y los bancos dispusieron su venta, pero no se presentaron compradores. En 1951, una Comisión Interbancaria decidió entonces transferir acciones a los empresarios Alejandro, Isaac y Carlos Levin, tres ejecutivos vinculados a la firma. Sin embargo, el traspaso de manos no frenó la sangría del sistema bancario. En 1954, una vez más, la firma recurrió al crédito para hacer frente "a importantes inversiones imprevistas", derivadas –en esa ocasión– del montaje de maquinaria importada de Italia.

El modelo de la firma textil se repitió por decenas. Mientras los empresarios fundaban su propia versión del Estado benefactor, la Argentina ampliaba la grieta política y comercial que la separaba de los Estados Unidos, originada por la neutralidad argentina durante la Segunda Guerra Mundial.

En 1944, el país no adhirió al Fondo Monetario Internacional creado en Breton Woods, y se mantuvo alejado de cualquier organismo multilateral de crédito. Perón rechazó las invitaciones luego de disminuir la deuda externa hasta extirparla de los registros. Si bien la relación entre el gobierno y los Estados Unidos nunca había sido auspiciosa, la cancelación de la deuda la tornó irrespirable. Con la Argentina despojada de compromisos financieros externos, Washington vio peligrar la consolidación de su flamante influencia continental. El país norteamericano dispuso entonces una estrategia para que el país volviera a endeudarse. El método: un bloqueo financiero. El objetivo: recuperar una herramienta de negociación política que había sido clave desde fines del siglo XIX.

Hacia 1946, la deuda de los Estados Unidos e Inglaterra con la Argentina era de 2.000 y 3.500 millones de dólares, respectivamente. Pero ambos países se negaban a pagar esos créditos y los intereses correspondientes, con la excusa de castigar al gobierno de Perón por su neutralidad en el conflicto mundial. Urgida por la necesidad de financiar su plan industrializador, la Argentina negoció un permiso para importar bienes desde los Estados Unidos con las libras bloqueadas en Gran Bretaña. El acuerdo permitió que el gobierno financiara sus importaciones industriales entregando pagarés respaldados por las libras depositadas en la banca británica. Pero cuando el país pretendió utilizar ese depósito para saldar las importaciones, Gran Bretaña decretó la inconvertibilidad de su moneda. Con sus divisas bloqueadas por los británicos, la Argentina se convirtió en deudor de los Estados Unidos, que en pocos meses logró neutralizar los arranques continentales del presidente argentino. Pero eso no fue todo. Mediante una hábil maniobra financiera, Inglaterra aprovechó la maniobras de su ex colonia para convertir su propia deuda en acreencias.

En un último esfuerzo por evitar los efectos políticos de la deuda, Perón intentó pagar las importaciones utilizando las reservas en efectivo del Estado. Tal como ocurría desde la década del treinta, los pagos por las importaciones eran depositados en una cuenta que el país poseía en el Banco de Inglaterra, y se convertían en oro cuando la Argentina necesitaba hacer uso de ellos. Pero el bloqueo de esos depósitos dio lugar a la emisión de bonos de congelación con los que se buscó evitar la emisión de moneda. Dichos bonos, que emitía el gobierno británico, devengaban intereses que la Argentina debía pagar religiosamente. Miguel Miranda, Ministro de Hacienda durante la primera presidencia de Perón, resumió la maniobra en una reunión del Consejo Económico y Social: "El país no cobraba un solo centavo de interés sobre el dinero bloqueado, pero para disimular su emisión, se emitían bonos de congelación sobre los que sí se pagaban intereses. Yo he sacado como conclusión que los ingleses, con gran habilidad, nos cobraban interés por el dinero que nos debían".[7]

La política oficial de créditos del gobierno de Perón repercutió con fuerza en el Jockey Club. Pese a los escarceos peronistas de su jefe, José Rohm ya no dudaba en hacer públicas sus críticas al gobierno. Pero los arranques independentistas de Rohm respecto de la Casa Tornquist no se restringían a las opiniones políticas. Aunque seguía siendo leal a don Carlos, por esos días el ejecutivo había obtenido además la representación en la Argentina de la helvética Crédit Suisse. Estimulado por sus nuevos emprendimientos, el próspero banquero solía repetir ante colegas y amigos que el peronismo, sencillamente, le daba "alergia". Ajeno a los enfados de su padre, José Enrique, el heredero, comenzaba a dar sus primeros pasos.

---

7 Tras el golpe de 1955, la Argentina se incorporó al Fondo Monetario Internacional, y los convenios bilaterales comenzaron a renegociarse con los países que se nucleaban en torno al llamado Club de París.

Un hombre llamado Puchi

A José Enrique Rohm II le duró poco el nombre de pila. A los seis años, su hermano menor (Carlos Alberto, nacido también en Montevideo el 21 de diciembre de 1946) lo rebautizó Puchi, y desde entonces todos –incluso él mismo– lo llamaron por su apodo.

Al niño Puchi le encantaban las clases de música, pero sufría con los deportes y la matemática. Sin embargo su padre no tomó en cuenta esos detalles cuando eligió el colegio secundario al que enviaría a su progenitor. En 1958, el banquero de la Casa Tornquist, ya consolidado en la cima de la compañía, con presencia en el directorio de las once empresas del grupo, obtuvo una vacante para su hijo en el exigente y exclusivo Saint George College de Quilmes.

A Hilda le partió el alma saber que su hijo concurriría a un colegio pupilo, pero no cuestionó la decisión de su marido. Después de todo, su vástago se educaría junto a los herederos de la elite social y económica de la Argentina, un entorno que, intuía, sería crucial para su futuro. Aunque el muchacho no demostraba aptitudes naturales con los números, su padre ya había decidido que su primer hijo heredaría no sólo su apellido y su fortuna, sino también su pasión por las finanzas.

Claro que para el niño Puchi las prioridades eran otras, y mucho más urgentes. Pese a su físico (un metro setenta a los 14 años), el muchacho sufría en las prácticas de rugby, pasión general entre sus compañeros y motor social dentro del college.

Aunque lo intentaba, a Puchi le desagradaba hasta el tercer tiempo –una muestra de camaradería entre rugbiers que sigue a los dos tiempos formales del partido–, donde los contrincantes disfrutaban dándose empujones, tacles y puñetazos. La mayoría de las veces, Puchi debía conformarse con observar los partidos desde el borde de la cancha. En el rectángulo de tierra y pasto, en cambio, algunos de sus compañeros se movían con entusiasmo. A Puchi le agradaba ver, en especial, las fintas rápidas y atrevidas de un muchacho que prometía. Su nombre era

Heriberto Ricardo Handley y, por entonces, los alumnos no imaginaban que el tiempo los reuniría en ámbitos menos polvorientos.[8]

Las clases de Educación Física eran una tortura que se reflejaba en las notas, donde Rohm arañaba el 6 de promedio. En cambio, el chico se sentía a gusto en las clases de Educación Musical (9,66 en el primer año, 10 en segundo y en tercero), y era bueno para el inglés, donde su promedio oscilaba entre 8 y 9,66 puntos. Pero los números seguían siendo un problema. En tercer año, al promediar el secundario, el joven presentó un boletín de calificaciones que terminó de alarmar a sus padres: 6,41 en Matemática y 5,50 en Contabilidad eran notas demasiado bajas para un hombre que, según las aspiraciones familiares, debería lidiar con sumas, promedios, coeficientes y porcentajes. Curiosidades de la historia: el futuro banquero –que ganaría fama por su versatilidad para flexibilizar los balances de su banco– apenas conseguía un promedio de 5,31 en Dibujo.

Con el boletín en la mano, Rohm padre decidió un cambio drástico: mudar la educación de su hijo a otro colegio inglés, bilingüe y católico –el Instituto Cardenal Newman– que si bien gozaba de prestigio en la elite porteña, representaba un retroceso en las ambiciones de la familia. El Newman era, al fin y al cabo, el colegio donde estudiaban los hijos de los ejecutivos que no conseguían una vacante en el Saint George. Don José tomó el cambio como una derrota, pero con la mudanza Puchi recuperó su cama en la casona de Arroyo 819 –ya no era pupilo– y, gracias a los programas menos exigentes, sus calificaciones anuales mejoraron: 7,91 de promedio en Matemática, 8 en Educación Física, 9,66 en Literatura y holgados 8,65 en Higiene. En el final del secundario, los proyectos familiares parecían reencaminados.

---

8 Hasta que se lo declaró prófugo de la justicia, Rohm fue vocal suplente de la Asociación de Beneficencia Dotal San Jorge, junto al ex banquero Richard Handley (Citibank) y el empresario Rodolfo Kirby, entre otros.

A los pocos meses de graduarse, Puchi completó su ficha de ingreso para estudiar Licenciatura en Economía Política en la Facultad de Ciencias Económicas de la Universidad de Buenos Aires. Tuvo un período de entusiasmo, pero su paso por la universidad pública también duró poco. El 13 de abril de 1965, el alumno solicitó un certificado de materias aprobadas para presentar ante la Facultad de Ciencias Económicas y Sociales de la Universidad Católica Argentina (UCA), un territorio que le resultaba más familiar.

Creada en 1958, la carrera de Administración de Empresas de la UCA se había convertido en poco tiempo en un imán para los herederos de la nueva burguesía argentina. Única en su especie –la UBA no la contemplaba entre sus programas– la carrera había sido impulsada por el presidente del Consejo Directivo de la Universidad, el próspero empresario Carlos Pérez Companc, con la intención de moldear a sus hijos y sucesores en el manejo empresario. Por este motivo, era frecuente que alumnos y profesores se conocieran de antemano: en muchos casos, los educadores eran colegas, socios y hasta empleados de los padres de los estudiantes. Y eso era, precisamente, lo que más entusiasmaba al joven Rohm: en la nómina de docentes de la carrera figuraban algunos viejos conocidos de su familia como Luis Basombrío, Carlos Coll Benegas y José María Dagnino Pastore. Nombres que, más allá de los estudios, serían claves en el futuro del errático estudiante.

Nace una estrella (de las finanzas)

La muerte de José Enrique Rohm I, el 10 de febrero de 1966, fue un golpe duro de asimilar. Pero Hilda se esforzó para que la ausencia del padre no paralizara el desarrollo de sus hijos. Fiel a su estilo, la dama tomó el control de la familia y distribuyó la herencia según los deseos de su marido. Hilda recibió la potestad sobre el patrimonio (que incluía propiedades en Barrio Norte, Olivos y San Isidro, y una cuenta millonaria en efectivo), y cedió a sus hijos el tesoro más preciado de José Enrique: sus contactos. Entre ellos figuraban varios de los profesores de la UCA, funcionarios de Hacienda, ex ministros de Economía, banqueros, empresarios y directivos de las entidades financieras más poderosas del planeta. En especial los de la banca suiza, a quienes Rohm padre representó hasta el día de su muerte.

Para terminar de sellar el destino de sus hijos, en 1968 Hilda logró que los amigos de la familia –entre ellos el entonces ministro de Economía Adalbert Krieger Vasena– les consiguieran dos puestos como trainers (aprendices de ejecutivos) en el poderoso Chemical Bank de Nueva York. Fundado en 1824, el Chemical era una de las entidades de banca privada y comercial más antiguas y extendidas en los Estados Unidos. Y los hermanos Rohm no podrían haber llegado al banco en un mejor momento. Con negocios por 15 billones de dólares anuales, el Chemical –que había crecido en suelo norteamerciano sobre la base de créditos comerciales y seguros– decidió que era tiempo de expandir sus negocios hacia la banca de inversión, y para eso desplegó una agresiva estrategia para conquistar los mercados europeos, asiáticos y latinoamericanos. El banco nutrió a su artillería de tres herramientas esenciales: la creación de un *holding* denominado Chemical New York Corporation, la dotación de tecnología de punta y un refuerzo en la capacitación del personal que cumpliría funciones en la División Internacional, donde tenían sus escritorios los hermanos recién llegados. A cargo de la División se encontraba un ejecutivo joven, ágil y brillante llamado Walter V. Shipley, un hombre que sería clave en el ascenso de los Rohm hacia el firmamento financiero.

Con dos años de experiencia a cuestas y la ambición a flor de piel, Puchi inauguró la década del setenta con un matrimonio, una mudanza y un nuevo trabajo. Su noviazgo con Susan Wallau, hija de un empresario textil de Manhattan, duró poco: para asumir como ejecutivo en el Kleinworth Benson, la firma requería que el joven se mudara a Londres, donde se encontraba la casa matriz de la poderosa firma europea. Aunque a regañadientes, la familia de Susan aceptó que el muchacho latino desposara a la muchacha y se la llevara consigo al Viejo Mundo.

En el Kleinworth –una histórica entidad especializada en banca de inversión– Puchi realizó una suerte de posgrado sobre colocaciones de bonos y obligaciones empresarias, líneas de créditos estatales y, quizá lo más importante para su futuro, conoció de cerca el rol que debía ocupar un banco durante un proceso de privatización de empresas públicas. Pero el joven ejecutivo no se sentía a gusto con el estilo almidonado y burocrático de los negocios londinenses. Puchi extrañaba el vértigo del Chemical y sentía que ya había aprendido todo lo que debía sobre el mundo de las finanzas. Sus cavilaciones concluyeron cuando un acontecimiento familiar terminó de moldear su destino: en el invierno frío del Londres de 1972, Susan alumbró a José Enrique Rohm III. Con 26 años recién cumplidos, convertido en padre y en banquero, Puchi decidió que ya era tiempo de volver a casa.

Susan sintió el impacto de Buenos Aires a primera vista. Era, decía, como una versión a escala de París, Londres y Nueva York. Puchi también quedó impactado, pero por otros motivos. La tensión política y social se percibía en todas partes, los relatos sobre las acciones de grupos guerrilleros –sobre todo del Ejército Revolucionario del Pueblo, de corte marxista, y de Montoneros, de origen peronista– eran temas obligados en el Olivos Golf Club. Y hasta su madre se mostraba preocupada por el inminente llamado a elecciones y el regreso de Perón al poder. La situación era delicada, pero el joven no estaba dispuesto a que la realidad modificara sus planes. Había vuelto para hacer negocios, y eso era, precisamente, lo que iba a hacer.

El primer trámite a cumplir era la división de la herencia. Los bienes se repartieron según los gustos: Puchi y su familia ocuparon la casona de la calle Arroyo; de regreso tras su paso por el Chemical, Charly se mudó a la casa de Sucre 1371 –una quinta lindera con el Golf Club de San Isidro– junto a su madre y su flamante esposa, Victoria Campos Malbrán. El enlace entre Charly y Victoria no sólo había sellado los antiguos lazos de amistad que unían a ambas familias, sino que además fue clave para que los hermanos Rohm concretaran su desembarco en la plaza financiera argentina.

Luego de distribuir la parte metálica de la herencia, y de evaluar varias opciones, finalmente los hermanos decidieron invertir en el proyecto que les había presentado Hernando Campos Menéndez, suegro de Charly y nexo entre los hermanos y la Compañía General de Inversiones (CGI), una financiera pequeña pero de buena reputación que se presentaba como la plataforma de lanzamiento ideal para sus aspiraciones.[9]

Fundada el 2 de mayo de 1960, la CGI reunía a la flor y nata de los negocios financieros de la Argentina e incluía, además, capitales de la banca suiza, alemana e italiana, abriendo el abanico de negocios con sus socios vinculados a nivel local. Según consta en los registros de la Inspección General de Justicia, su primer directorio era un resumen de la Guía Azul de la Argentina:

• Carlos Arturo Coll Benegas: economista, nacido el 16 de marzo de 1907, llevaba la voz cantante en los negocios y los contactos con los accionistas extranjeros. Cumplió funciones como ministro de Economía en el último tramo del gobierno de Arturo Frondizi y participó de la fundación de la Democracia Cristiana.

• Carlos Antonio Robirosa: comerciante, trabajaba para Siam Di Tella Limited y representaba al Sudamericanische Bank.

• Mario Robiola: abogado, cuñado de Torcuato Di Tella, dueño de Siam, y tío del futuro canciller Guido Di Tella y de Torcuato, rector de la universidad que lleva el apellido familiar.

• Alberto Eugenio Dodero: comerciante, argentino por opción y accionista de la naviera más importante de la Argentina. De inclinación peronista, solía mantener largas discusiones políticas con Coll Benegas.

---

9 Hernando Campos Menéndez era un prominente hombre de empresas, con participación en los directorios de firmas líderes como Atanor, Pirelli, Pinamar S.A., Insta, Editorial Emecé y Haynes (antigua propietaria del diario *El Mundo*). De profundas convicciones religiosas, en los años 1950 fundó junto a Enrique Shaw la Asociación Cristiana de Dirigentes de Empresas (ACDE). Fue vicepresidente del Banco Central, director del Banco de la Provincia de Buenos Aires y presidente del Banco General de Negocios. Su esposa, Mercedes, fundó y dirigió Casa FOA, una asociación de beneficencia integrada por mujeres de la aristocracia argentina.

• Torcuato Sozio: abogado, primo de Torcuato Di Tella padre y hombre de Siam.

• Roberto Gustavo Waller: argentino naturalizado, comerciante vinculado a la exportación de carnes.

• Carlo Balbi: italiano, banquero, representante de la Banca Nazionale del Lavoro. Nacido en 1906, estaba en el último tramo de su carrera. Solía amenizar los almuerzos de Directorio con chistes en cocoliche.

• Carlos Robirosa: comerciante, casado con Sara María Zorraquín Becú, heredera de campos, frigoríficos y refinerías de azúcar.

• Jorge Eduardo O'Farrell: argentino y abogado. En 1938 se asoció al estudio fundado por los hermanos, J. A. y E. de Marval, dedicado a la propiedad industrial e intelectual. Así se formó el departamento jurídico de Marval & O'Farrell, nombre con el cual adquirió su fama internacional. La última denominación del Estudio (Marval, O'Farrell & Mairal) fue adoptada en 1991 con la incorporación de Héctor A. Mairal. En su *dossier* de presentación, el estudio solía alardear de su "amplia cartera de clientes integrada por bancos comerciales y de inversión locales y extranjeros; destacadas empresas locales y multinacionales, muchas de ellas incluidas en la revista *Fortune 500*; el gobierno nacional y el Banco Central de la República Argentina; organismos de crédito internacionales como el Banco Mundial, la Corporación Financiera Internacional (IFC) y el Banco Interamericano de Desarrollo".

Si bien la financiera tenía como objetivo operar con el patrimonio comercial y personal de los accionistas, la CGI logró su minuto de fama cuando –por iniciativa de su gerente, el banquero estadounidense Jack Berger– protagonizó la colocación de acciones ordinarias de Finan-Ford. La exitosa venta de los papeles de la financiera automotriz constituyó un hito para la época que no sólo distribuyó dividendos entre los directores en concepto de comisiones, sino que además sirvió para duplicar el capital de la financiera y consolidar una óptima reputación en el mercado.

Aunque todavía no habían cumplido los treinta años de edad, a los Rohm no los impresionaba asociarse con personalidades de semejante porte. Es más: antes de suscribir las 200.915 acciones que los convertirían en socios mayoritarios de la CGI, los hermanos impusieron sus condiciones. Las mismas se reflejaron en el acta que detalló la reunión de accionistas del 28 de abril de 1972.

"En este momento, el Presidente le otorga la palabra a José Enrique Rohm, quien propone modificar el artículo 3º del estatuto, que quedaría así: La sociedad tiene por objeto dedicarse a realizar por cuenta propia y/o ajena, o asociada con terceros, en cualquier parte de la república o del extranjero, las siguientes operaciones:

• Proveer con capital a estados nacionales, provinciales o municipales.

• Proveer de capitales a sociedades y empresas en general.

• Proveer a estados extranjeros.

• Prestar asesoramiento técnico-financiero a las personas o entidades señaladas.

• Comprar y vender títulos de cualquier naturaleza.

• Otorgamiento de créditos en general.

• Invertir capitales en empresas.

• Constitución y transferencia de hipotecas."

Aceptadas las modificaciones –orientadas a ampliar la gama de negocios que la compañía podía realizar con el Estado–, Carlos suscribió 50.000 acciones, José firmó por 50.915 y la madre de ambos, Hilda, adquirió 100.000 acciones que dejó en custodia de su hijo mayor. Y para completar un desembarco ruidoso, los hermanos poblaron el directorio con tropa propia: el suegro Hernando Campos Menéndez; el abogado Carlos Alberto Juni (63 años, amigo de José Enrique I); y Arturo Eugenio Lauro Lisdero, un joven contador de 32 años que había compartido pasillos con Puchi en la UBA. Aunque Coll Benegas y O'Farrell seguían ostentando la presidencia y la vicepresidencia respectivamente, en septiembre de ese año, la *troupe* Rohm sumaría al directorio a otros dos escuderos (los aristócratas Rodolfo Maschwitz y Emilio Basavilbaso de Alvear), reforzando el poder de los hermanos dentro del grupo.

En primera instancia el entusiasmo de los Rohm y su gente contagió los espíritus naturalmente conservadores de los sobrevivientes de la vieja CGI, quienes respaldaron sus iniciativas para transformar a la compañía en un banco comercial. En las oficinas de Esmeralda 320, sede de la entidad, todos sabían que debían trabajar contra reloj. El régimen de Alejandro Lanusse había anunciado su retirada, y su último ministro de Economía, Jorge Wehbe, había alertado sobre el regreso del peronismo: el nuevo gobierno tenía planeado limitar la tenencia de acciones en manos de extranjeros, bajar la tasa de interés de los créditos, elevar los requisitos de capitales mínimos y aumentar los controles sobre las financieras parabancarias.

Los pronósticos de Wehbe no se basaban en una especulación. Así como se descontaba el triunfo de la fórmula peronista encabezada por Héctor Cámpora, también se daba como un hecho que la cartera de Hacienda sería ocupada por el empresario José Ber Gelbard, quien desde hacía tiempo venía trabajando en un programa económico que incluía la restricción a la libre entrada y salida de capitales extranjeros y la nacionalización de los depósitos. Con el tiempo pisándole los talones, Puchi desplegó su abanico de contactos para obtener la autorización que le permitiera operar como compañía financiera antes de que el nuevo Gobierno renovara la cúpula del Banco Central.

La persistencia del joven banquero y los buenos oficios de O'Farrell –había reemplazado a Coll Benegas en la presidencia de la CGI–, finalmente lograron que el Central les otorgara la licencia el 24 de mayo de 1973, un día antes del recambio presidencial. Pero el permiso venía acompañado de una condición de hierro: los socios extranjeros debían reducir su participación accionaria al 20 por ciento. Ese tramo de las gestiones quedó a cargo de Charly, quien en el acta de directorio de la compañía del 26 de julio de 1973 se refirió al éxito de sus tratativas:

–Los socios extranjeros me manifestaron en mi reciente viaje a Europa su plena conformidad en renunciar y ceder a favor de accionistas y nuevos inversores argentinos sus derechos de acciones, tendiente a adecuar sus tenencias actuales a lo establecido por el BCRA. Lo mismo corre para la participación en el directorio.

De este modo, los Rohm ampliaron su poder en la CGI, asumiendo la representación de los socios extranjeros.

Pero la autorización para transferir tenencias no era lo único que Charly traía en sus valijas. Durante su recorrida europea, el financista recibió instrucciones precisas sobre el rumbo que adoptarían los negocios de la firma. La misión: convertir una financiera anquilosada en una moderna y vertiginosa mesa de dinero.

La mesa está servida

Hacia fines de la década del sesenta, las mesas de dinero eran el último grito de la moda europea. Por causa de la crisis de liquidez que afectaba a los mercados occidentales, y la alta volatilidad de los negocios, las operaciones cortas y de alta rentabilidad propuestas por las mesas habían sido una efectiva tabla de salvación para los bancos en crisis.

Las entidades financieras que operaban mesas de dinero prestaban un servicio a los inversores y a los tomadores de dinero a plazos cortos, posibilitando a los primeros la obtención de un crédito por la colocación de saldos transitoriamente ociosos de sus disponibilidades, y a los segundos, la captación de fondos para cubrir déficit accidentales de liquidez. Por la mediación, los operadores de la mesa ganaban una alícuota proporcional a la cantidad de dinero transada con el atractivo agregado de que, a menudo, ese tipo de intermediaciones no comprometía obligaciones de ningún tipo a las entidades que posibilitaban la operación. Dicho de otro modo: las mesas de dinero cobraban por operar con dinero ajeno, sin que se comprometiera el patrimonio del operador.

En la CGI ya conocían los rudimentos de ese negocio mucho tiempo antes de que Charly transmitiera el deseo de los socios extranjeros. De hecho, la compañía ya intervenía en el mercado de "aceptaciones bancarias" (mediación de transacciones financieras entre terceros residentes en el país) desde 1971, época en la que se reglamentó la participación de las entidades financieras en la mediación de fondos entre privados. Sin embargo, la recomendación de los accionistas extranjeros dio un nuevo impulso al negocio.

Claro que no era un trabajo sencillo. En la Argentina, los primeros en importar el modelo habían sido las sucursales de los bancos extranjeros. Y si bien operar en ese rubro no requería de una gran estructura –sólo se necesitaba una central telefónica para coordinar las operaciones– los empresarios locales se mostraban reacios a tercerizar sus operaciones. Pero el cambio de gobierno y la sucesión de leyes, decretos y circulares dispuestas por el nuevo ministro Ber Gelbard aceleró la transformación.

Para cumplir con las expectativas generadas por el regreso del peronismo al poder, Ber Gelbard impulsó una ráfaga de medidas que intentaban golpear en tres frentes sensibles de la economía argentina: la recuperación de la industria local, la mejora de los salarios y el saneamiento del sistema financiero.

Con estos objetivos, el ministro aceleró una serie de reformas entre las que se incluía la restricción al ingreso de capitales extranjeros, la ampliación de líneas de créditos con tasas reducidas y la recomposición de los salarios sobre la base de líneas crediticias especiales subsidiadas por el Estado. Para asegurar el éxito de su estrategia, el ministro repitió una de las medidas claves del primer gobierno peronista: la nacionalización de la banca, medida que en teoría le permitiría al Estado monopolizar el sistema financiero orientando sus actividades según la estrategia dispuesta por el Banco Central.

Los banqueros aceptaron la decisión del ministro a regañadientes, pero a cambio impusieron una condición: que el gobierno no regulara las operaciones parabancarias, mesas de dinero e intermediaciones. Un reino donde los Rohm comenzaban a brillar.

Con las operaciones de crédito y depósito controladas por el Estado, los bancos se lanzaron a conquistar un mercado cuyo único límite era la imaginación. La falta de controles y la necesidad de motorizar negocios bien remunerados que compensaran la baja en los intereses de los préstamos tradicionales inseminaron el rápido crecimiento de las mesas de dinero. Y la crisis económica hizo el resto.

La difusión generalizada y el auge operativo de las mesas constituyeron dos hechos simultáneos dentro del proceso de deterioro de la economía argentina iniciado a partir de 1973, una de cuyas principales consecuencias fue la extendida situación de inestabilidad monetaria que casi a diario sacudía a la City. El crecimiento de la espiral inflacionaria a un ritmo de tasas de escasos precedentes mundiales, la profusa emisión de títulos de la deuda pública de capital ajustable por moneda extranjera, y la ausencia de normas reglamentarias específicas fueron decisivos en el desarrollo de las operaciones que se llevaban a cabo en las mesas.

Con la velocidad de los negocios bien remunerados, los operadores incorporaron nuevos rubros al ya extendido mercado de "aceptaciones": la negociación secundaria de títulos públicos con cláusulas de ajustes (más conocidos como "pases" o "cauciones"), y las operaciones con Certificados de Depósitos Transferibles (CDT), un tipo de documento creado por Ber Gelbard para inmovilizar los depósitos en los bancos y asegurar su liquidez.

La expansión de las operaciones multiplicó las ganancias de las mesas, promoviendo su importancia dentro de la estructura del sistema financiero. Gigantes como el Citibank o el Banco de Londres dieron prioridad a las actividades de sus mesas de dinero, nutriéndolas de jóvenes entusiastas dispuestos a gastar adrenalina frente a una central telefónica. Entre esos operadores brillaban algunos nombres que con el tiempo se convertirían en referentes ineludibles de la economía nacional: Javier González Fraga (Citibank) y Manuel Sacerdote (BankBoston) solían competir desde las mesas de sus bancos con financistas de estructuras más pequeñas como la de los hermanos Rohm.

Lo que había comenzado como una necesidad pronto se convirtió en glotonería. Hombres de traje gris surcaban las calles del microcentro con sus maletines de cuero repletos de papeles que iban de una empresa a otra, multiplicando las ganancias de las mesas. Y mientras el programa industrialista de Ber Gelbard se hacía trizas por efecto de la recesión mundial y el aumento de insumos devenidos de la crisis petrolera – sumado a una serie de errores programáticos que derivaron en un aumento sostenido de la inflación–, buena parte de las empresas exportadoras se arrojó a la especulación, esquivando la liquidación de divisas y negociando esos fondos a través de mesas y financieras.

Mientras la Argentina política de 1974 combinaba caos y violencia, la City porteña era una fiesta. En julio, al tiempo que una porción importante de la sociedad argentina lloraba la muerte del presidente Perón, los hermanos Rohm descorchaban champagne importado para festejar la inauguración de sus nuevas oficinas en Esmeralda 138, en pleno corazón del microcentro porteño.

Pese a la euforia, en la sede donde los Rohm construían su imperio comenzaba a percibirse cierta preocupación. El nuevo presidente de la compañía, Hernando Campos Menéndez, analizaba el futuro con pesimismo.

–Mis amigos me dicen que el Gobierno no llega a las elecciones –repetía, alternando la profecía con la información calificada: los "amigos" del suegro de Charly solían vestir pantalones caqui y sacos verde oliva con insignias doradas sobre sus hombros:

–Muchachos, háganme caso: no inviertan más de lo necesario porque esta burbuja no va a durar mucho.

Los hermanos respetaban los contactos de su pariente político, pero estaban demasiado ocupados ganando dinero como para preocuparse por el futuro. Según la "filosofía Puchi", "el mañana es sólo una continuidad del hoy". El mayor de los Rohm había aprendido la frase de sus jefes europeos, y solía utilizarla cada vez que una nueva catarata de rumores inquietaba a la City. Para Puchi, todos los cambios traían aparejados la posibilidad de nuevos negocios. Sólo había que estar atento para subirse a la ola. Claro que su optimismo no se basaba en meras especulaciones: desde su regreso a Buenos Aires, el joven había consolidado una sólida red de relaciones que le permitían anticipar casi con precisión el devenir financiero de la Argentina.

Para 1975, la crisis económica había terminado de llevarse los jirones de Gelbard, y la muerte de Perón había dejado el poder en manos de su ex secretario, un policía aficionado a la brujería llamado José López Rega. Dispuesto a pelear la herencia peronista con los gremios, López Rega nombró a Celestino Rodrigo al frente del Ministerio de Economía. Circunspecto y de aire belicoso, el 2 de junio de ese año el ministro viajó en subte desde su hogar hasta la Casa Rosada para jurar en su nuevo cargo. Por supuesto, Rodrigo no asumió solo. A su lado, con rango de asesores, lo secundaba un economista ultraliberal con espíritu de banquero, Ricardo Zinn –autor del programa–, y un joven ortodoxo con ambiciones que solía compartir tertulias con los hermanos Rohm: Pedro Pou.

Gracias a Pou, Puchi conocía al detalle los planes del nuevo ministro. Sabía, como muchos de sus colegas, que Rodrigo devaluaría violentamente la moneda con la esperanza de acabar con la especulación y recuperar competitividad. Por eso, durante los días previos a la devaluación, la CGI se preocupó por reunir –y poner a resguardo– la mayor cantidad de dólares posibles. El 4 de junio de 1975, el esfuerzo de los Rohm dio sus frutos: Rodrigo anunció una devaluación del 150 por ciento.

Con los precios volando por encima de la estratosfera (las naftas se duplicaron, el cospel del subte que tomaba Rodrigo pasó de 1 peso a 2,50), los gremios en pie de guerra por la caída del salario (se anularon las paritarias y se convocó a un paro nacional) y las mesas de dinero funcionando al tope de sus posibilidades –el Central reajustó los préstamos oficiales, potenciando las operaciones marginales–, los hermanos ampliaron el directorio, incorporando directores gerentes que reforzaron su relación con el poder.

Con la renovación de los representantes de los accionistas extranjeros se sumaron dos banqueros con experiencia –el italiano Giovanni Vicinelli, hombre de la BNL y el alemán Helmut Göackal del Deutsche–; el abogado Carlos Alberto Miguel; el empresario francés Felipe Juan Adam; Julio César Tielens (un contador de 28 años que decía ser el "mejor amigo" de los hermanos); el terrateniente César Urien y el embajador José María Álvarez de Toledo –ambos, ex integrantes del gabinete de Arturo Frondizi–. Junto a ellos, arribó el abogado Julio Eduardo Oscar Campos. De todas, la incorporación que más entusiasmaba a los Rohm.

Norío

Campos, de 47 años, era un hombre de la Ferretería Francesa, la imponente tienda de ramos generales liderada por Norberto Cafiero, hermano de Antonio, un militante peronista de la primera hora que había sido ministro de Trabajo durante la primera presidencia de Perón. Aunque intrincada, la relación entre un director de la compañía y un hombre fuerte del peronismo era, para los Rohm, la confirmación de que su ascenso no era un espejismo. La sensación se potenció cuando en agosto de 1975 Antonio Cafiero ocupó el Ministerio de Economía.

—Tenés que conseguirme una reunión con el ministro —le rogó el financista a Campos, con la esperanza de que el abogado se lo transmitiese a su jefe, y éste a su hermano. Con 30 años recién cumplidos, Puchi nunca había sentido tan cerca la posibilidad de exponer sus puntos de vista ante un representante directo del poder formal. Por eso, cuando su director le avisó que el encuentro con Cafiero estaba confirmado, el mayor de los Rohm sintió una emoción parecida al pánico. Sabía lo que quería decir, pero el problema era cómo decirlo en menos de quince minutos, el lapso pactado para la audiencia.

Tenía apenas tres días para preparar una exposición. Después de dar vueltas al asunto, Puchi decidió que lo mejor sería decir las cosas sin preámbulos. El día de la cita, Puchi y Campos salieron caminando desde las oficinas de la calle Esmeralda, cruzaron la Plaza de Mayo, doblaron por Balcarce y presentaron credenciales en la entrada del Ministerio.

—El ministro nos espera —dijo Campos, rompiendo el silencio que había acompañado a los caminantes. El soldado que oficiaba de recepcionista confirmó la cita y los invitó a pasar. Campos impresionó a Rohm por su manejo del terreno. Seguro, el abogado guió al banquero por los intrincados pasillos de Economía hasta plantarse frente a una puerta de vidrio grueso y chapa de bronce lustrado con nombre equivocado.

—Es acá. Parece que no llegaron a cambiar a Rodrigo —bromeó Campos. Pero Puchi no estaba para bromas. La ansiedad le había provocado un ligero dolor de estómago.

–Aguarden un momento, el ministro ya los va a atender –les avisó la secretaria.

Rohm aprovechó para repasar su exposición. En una carpeta tamaño oficio, el banquero llevaba el detalle de su propuesta, definida por el propio Puchi como "las cuatro patas de la mesa". Según su autor, el programa permitiría ordenar al país en cuatro frentes básicos: el fiscal, el impositivo, el financiero y el productivo. El proyecto planteaba frenar la inflación para reformular la presión impositiva –"Con estos niveles de inflación es más fácil evadir impuestos que pagarlos" –solía decir–; generar un presupuesto serio que contemplara el pago a los acreedores para recuperar el crédito y que obligara a las empresas públicas a un ajuste; posibilitar las inversiones extranjeras para permitir que las empresas con crisis de liquidez encontraran inversores; y estabilizar el valor de la moneda, atarla al dólar como forma de terminar con la especulación monetaria. Todo estaba allí, en esa carpeta de tapas negras que el propio Rohm había escrito con la intención de ponerla en manos del flamante ministro de Economía. Pero tras media hora de espera en la antesala del despacho, Puchi comenzó a percibir que algo andaba mal.

–Creo que se está demorando demasiado –le dijo el banquero a su director. Contrariado, Campos respondió con una mentira piadosa:

–Es normal, las cosas están complicadas. Hay que tener paciencia.

Una hora más tarde, la paciencia del banquero se había agotado. Sin decir una palabra, con el ceño fruncido al límite del desgarro, Rohm se levantó del sillón y apoyó la carpeta sobre el escritorio de la secretaria.

–Por favor, dígale al ministro que no pudimos esperarlo más –explicó–. Aquí le dejo el motivo de esta entrevista. Supongo que no les será difícil ubicarme.

Puchi salió del despacho sin mirar a Campos, esquivando con un silencio profundo toda mención al plantón. Pero a los cien metros, una voz desconocida lo detuvo:

–¡Señor Rohm, señor Rohm! –dijo el hombre de la voz–. Por favor, disculpe al ministro, anda con mucha presión por estos días. Le prometo que haremos una nueva cita.

El banquero recorrió con la mirada al muchacho robusto, verborrágico y de castaño tupido que había interrumpido su retirada. Era el mismo que, unos minutos antes, había pasado delante de él sin reparar en su presencia.

–Mire –respondió finalmente Puchi–, yo sé que ustedes ahora creen que se las saben todas. Pero tarde o temprano nos van a venir a buscar para que les demos una mano. Recuerde esto –le dijo–.

–No lo dudo –reconoció, gentil, el hombre robusto. Y antes de despedirse le entregó su tarjeta: "Aldo Pignanelli, Gerente, Ferretería Francesa", decía la cartulina. Era un hecho: tarde o temprano, el banquero y el muchacho volverían a encontrarse.[10]

Plata sucia

"Me corresponde asumir la responsabilidad del Ministerio de Economía de la Nación en el curso de una de las peores crisis económicas que ha padecido nuestro país. Quizá la peor. Las circunstancias especiales que han motivado la asunción del poder por las Fuerzas Armadas de la Nación han hecho que yo haya respondido a la convocatoria que se me ha formulado de tomar esta responsabilidad como un deber patriótico ineludible que hace poner de lado cualquier consideración de orden personal". El 3 de abril de 1976, acodado sobre el escritorio de su oficina, Rohm leyó palabra por palabra la copia del discurso que un día antes había realizado el flamante ministro de Economía de la Nación, José Alfredo Martínez de Hoz. Presentado como un "Programa de recuperación, saneamiento y expansión de la economía", el texto, impreso y distribuido por el Ministerio, rápidamente se había convertido en el *best seller* de la City. Esa mañana, todo operador, financista y banquero que se preciara tenía en su despacho un ejemplar del discurso con el que Martínez de Hoz despuntaba los ejes que guiarían

---

10 Dos décadas más tarde, Cafiero presionó para que Pignanelli fuese nombrado director del Banco Central. El primer llamado de felicitaciones que recibió en su flamante despacho fue el de José Puchi Rohm.

su gestión. Continuó leyendo Rohm: "[Los argentinos] no hemos acertado en lograr la estabilidad política, que es base indispensable para la adopción de cualquier plan económico y su continuidad en el tiempo. Debemos poder afrontar programas progresistas y modernos, adaptados a las circunstancias del mundo actual y no a esquemas viejos, ni a *slogans* antiguos que pueden haber tenido vigencia hace treinta o cincuenta años, pero que hoy ya están pasados de moda. (...) La Argentina se ha visto sumida en un estéril debate ideológico de "ismos" con etiquetas estereotipadas, con las cuales algunos sectores han tratado de descalificar a otros. (...) Por otra parte, ningún programa económico puede tener éxito si no está respaldado por la plena autoridad política de un gobierno coherente y estable que asegure la posibilidad y credibilidad del mismo".

Por cierto, no era la primera vez que Rohm leía o escuchaba un diagnóstico presentado en términos similares. El banquero ya conocía desde hacía tiempo al orador y, sobre todo, al autor intelectual del discurso: Jaime Luis Enrique Perriaux, un abogado ultraconservador que desde su sobrio *buffet* había motorizado el golpe que derrocó al gobierno de Isabel Perón.

Rohm y Perriaux —a quien le gustaba que lo llamaran Jaques— se habían conocido a través de uno de los directores de la CGI, el banquero alemán Karl Schmidt, representante de la Deutsche Sudamerikanische Bank en la Argentina. Sexagenario y refinado, Schmidt cultivaba el bajo perfil en los círculos sociales de Buenos Aires, pero gozaba de cierto prestigio entre los emigrados alemanes relacionados con la política y las finanzas, el círculo donde sobresalía el enigmático doctor Perriaux.

Los vínculos entre el abogado y los negocios alemanes se remontaban a mediados del siglo XX, cuando Perriaux condujo desde las sombras la estrategia judicial de Staudt & Cía, el grupo económico alemán más poderoso del país. Propiedad de Ricardo W. Staudt, la firma había crecido tras asociarse con la compañía Siemens en un emprendimiento destinado a representar a la fábrica de armas Bofors ante el gobierno argentino.

Según una investigación del periodista Rogelio García Lupo, en la década del treinta el empresario Staudt se había convertido en un contribuyente importante de las campañas de recolección de fondos organizadas por los nazis en la Argentina. Su desempeño era tan apasionado, que en 1938 fue orador en un acto organizado en el Luna Park para celebrar la anexión de Austria. Allí, Staudt proclamó su adhesión a Adolf Hitler ante varios miles de alemanes emigrados.

Entre los negocios con armamentos y sus convicciones, a Staudt no le costó obtener la simpatía del gobierno. La dictadura del general Uriburu lo designó delegado argentino en las negociaciones sobre intercambio comercial con Alemania. Para entonces, el empresario ya contaba con la protección antiextradiciones de la carta de ciudadanía que había obtenido en 1921. Pero este doble papel de alemán convertido en delegado argentino desagradó a algunos negociadores de Berlín y a otros socios de la Cámara de Comercio Alemana de Buenos Aires, donde Staudt recogía una opinión poco favorable sobre su persona y su forma de hacer negocios. Sin embargo, cuando el Barón von Thermann –el diplomático nazi que había sido embajador en suelo argentino– declaró ante los tribunales de los aliados, recordó a Staudt como "el hombre que más hizo por Alemania en la Argentina" durante los años del nazismo.

Staudt hizo valer sus relaciones con militares locales, su amistad con el mismo Perón y su influencia en el Ministerio de Relaciones Exteriores para permanecer invulnerable ante los reclamos de los Estados Unidos, cuyo gobierno exigió su deportación durante años. En los informes de inteligencia de los aliados, Staudt era considerado como uno de los dos cerebros de las finanzas nazis en la Argentina. El segundo nombre de esa nómina era el de Rodolfo "Rudi" Freude.

Rudi era hijo de Ludwig Freude, un empresario alemán de fuertes nexos con la embajada de Hitler y los agentes nazis que operaban en el país. La historia de Freude padre ha sido documentada por Ronald Newton, profesor de Historia Latinoamericana en la Simon Fraser University de Vancouver. Basado en los interrogatorios desclasificados de cerca de 50 espías y diplomáticos alemanes, Newton reconstruyó el rol de Freude en la recolección de fondos nazis.

–Yo he leído el interrogatorio del agregado militar de la embajada, General Friedrich Wolf –explicó Newton– quién declaró ante los ingleses que había dejado 200.000 pesos de la embajada en manos de Freude cuando se vio obligado a abandonar el país en 1944, conformando la base de un fondo de retaguardia para continuar con tales actividades en beneficio de Alemania y del partido Nazi. Inclusive otro diplomático de la embajada, Wilhelm von Pochhammer, le entregó otros 48.000 pesos a Ludwig Freude para su resguardo.[11]

En su trabajo, Newton concluyó que Freude habría sido el representante local de la Oficina Tres de Inteligencia Secreta del Canciller alemán Joachim von Ribbentrop, quien exhibía más influencia en la Argentina que el propio embajador Edmund Von Thermann.

Nacido en Alemania en 1895, Ludwig Freude había amasado una fortuna durante la década del treinta, época en que conoció al entonces joven militar Juan Perón en la provincia de Mendoza, donde el futuro presidente se desempeñaba como jefe de la Agrupación de Montaña Cuyo mientras la Compañía General de Construcciones de Freude construía una ruta entre San Juan y Mendoza.

Según el historiador alemán Holger Meding, Freude –que nunca se afilió al partido Nazi–, consiguió abogados para defender a los espías de Hitler detenidos, y actuó como síndico de la Embajada mientras se convertía en amigo inseparable de Perón: "El empresario Ludwig Freude, por muchos años presidente del Club Alemán y uno de los alemanes más ricos de la Argentina, ya desde los años treinta había mantenido una relación de estrecha confianza

---

11 Entrevista realizada por el periodista argentino Uki Goñi publicada en febrero de 1997 en el suplemento "Enfoques" del diario *La Nación*. Los periodistas Juan Salinas y Carlos De Nápoli también detallaron las actividades de Freude en su libro *Ultramar Sur*.

con Perón –sostuvo el historiador–. Como dirigente de la colectividad alemana había sido el hombre de confianza de la embajada del Tercer Reich, y después de la ruptura de las relaciones diplomáticas, junto con otras personas, administró a título fiduciario el fondo de espionaje que había dejado el general Wolf como último agregado militar".

Para Meding, Freude cumplió un rol decisivo en los días previos al 17 de octubre de 1945. Por la incesante presión de los Estados Unidos, el 11 de septiembre el presidente Farrel había dispuesto por decreto el arresto y la expulsión de Ludwig Freude, pero el empresario se defendió con una solicitud urgente de naturalización. Como fue rechazada, Freude interpuso un recurso de casación. En medio de ese tironeo legal, Freude y Perón terminaron de estrechar su amistad.

Cuando el general Farrell relevó a Perón de sus cargos como ministro de Guerra y vicepresidente, Rudi Freude, por iniciativa de su padre, le ofreció como refugio la casa de verano de la familia, bautizada Ostende y ubicada en una isla del Delta del Tigre. Alejado de la persecución de sus detractores, Perón se hospedó allí en compañía de su pareja, Eva Duarte, y un sirviente de nombre Otto. Tiempo más tarde, ya como primer mandatario, Perón compensó el gesto de amistad de Freude pasando por alto las demandas de extradición británicas y norteamericanas, y empantanando las investigaciones sobre las actividades del contacto alemán.

Al blanqueo le sucedieron otras muestras recíprocas de cariño: en mayo de 1946, Ludwig Freude organizó una pomposa fiesta de cumpleaños para Eva Perón. En abril, su hijo Rudi ascendió a secretario del Presidente, desde donde creó la Secretaría de Informaciones del Estado y organizó, junto con otros germano-argentinos, la emigración ilegal de nazis al Río de la Plata a través de Italia. Desde la secretaría Freude coordinaba al grupo de allegados que desde la Dirección de Migraciones asesoraba a la presidencia en el rescate de fugitivos de los tribunales de guerra en Europa. De acuerdo con la documentación hallada por el Centro de Estudios Sociales, el grupo incluía a Pierre Daye, un belga que había sido

condenado a muerte por colaboracionista en Bruselas el 18 de junio
de 1947; a Jacques Marie de Mahieu, un "antropólogo" de las Waffen
SS francesa que escribía libros sobre "bio-política" y teoría ra-
cial; y a Branko Benzon, el ex embajador de Croacia en Berlín,
quien pasó de amigo personal de Adolf Hitler a médico de Perón,
acompañando al general en su exilio a partir de 1955.[12]

Según el historiador Meding, uno de los enlaces entre Freude
y los nazis habría sido Guillermo Staudt, hijo y heredero de Ricardo Staudt, quien continuó con las empresas de su padre y mantuvo las relaciones sociales y comerciales con el inquieto –y cada
vez más influyente– doctor Perriaux.

La investigación de Meding provocó una amarga desmentida
de Staudt, quien negó todas las afirmaciones del investigador alemán. En cambio Freude, único sobreviviente de la historia, nunca
desmintió nada. En 2002, a los 80 años de edad, el ex secretario
de Perón aún ocupaba su tiempo en los negocios. Desde sus oficinas del 19º piso del edificio porteño de Corrientes 327, Freude
manejaba los negocios de su empresa agropecuaria, Araya S.A., y
organizaba sus viajes relámpago a Panamá, donde participaba del
directorio del Banco Alemán Platina, una entidad *offshore* de
propiedad compartida entre los bancos suizos MM Warburg AG,
Platina Finanz AG, y la Federación Nacional de Cafeteros de
Bogotá, Colombia.

Como en un juego de espejos, los personajes de esta historia se
entremezclan en una rueda de relaciones que combina negocios,
diplomacia y poder:

• Meding descubrió que para ciertos "rescates" de nazis europeos –que luego eran trasladados clandestinamente a la Argentina– Freude contrató barcos de la línea Dodero, propiedad del

---

12 El nexo entre los allegados en Migraciones y la oficina de Rodolfo Freude en Presidencia era Carlos Horst Fuldner, un germano-argentino que había sido capitán de las SS en
Alemania. De vuelta en la Argentina, Fuldner fundó la empresa CAPRI, donde consiguió empleo Adolf Eichmann, el arquitecto del Holocausto judío. Eichmann fue raptado de la
Argentina por un comando israelí en 1960, juzgado en Jerusalén y ejecutado en 1962.

empresario naviero amigo del matrimonio Perón, y uno de los accionistas fundadores de la CGI de los hermanos Rohm.

• Las oficinas de Freude sobre la avenida Corrientes compartían edificio con la influyente Cámara de Industria y Comercio Argentino-Germana, donde el ex secretario de Perón poseía membresía junto a tres ex directores del Banco General de Negocios: el consultor financiero Jörg Dreher, el contador Carlos Schenzle y el banquero Pedro Nowald, ex representante del Dresdner Bank Lateinamerika AG y Dresdner Bank AG.

• Como resultado de esas relaciones, en los ochenta Freude se interesó en la creación de la Compañía Argentino Germana de Negocios S.A., una firma creada por los hermanos Rohm para atraer clientes de origen alemán. Si bien nunca mostró gran actividad, la firma sirvió durante años para intermediar fondos entre capitalistas alemanes y sus inversiones en la Argentina, en muchas de las cuales Freude oficiaba como representante local.

• Entre sus múltiples representaciones Freude administraba la Estancia San Ramón, un paraíso terrenal ubicado a 15 kilómetros de Bariloche que había pertenecido al príncipe Bernardo de Holanda. Aunque luego fue cambiando de titulares –uno de sus propietarios más notorios fue la firma Lahusen & Co., cuyos dueños fueron relacionados con la emigración de jerarcas nazis–, la estancia siempre mantuvo lazos con el III Reich, el principado de Holanda y su patriarca Bernardo, abuelo del príncipe Guillermo, quien a mediados de 2000 desposó a la plebeya argentina Máxima Zorreguieta.

• Criada en Buenos Aires y educada en Europa, hasta el momento de su boda Máxima trabajaba en la filial neoyorkina del Klainworth Benson Dresdner Bank, la misma entidad que entrenó al mayor de los hermanos Rohm. Por su parte, el padre de la novia, Jorge Zorreguieta, no fue autorizado a asistir al casamiento de Máxima porque los súbditos de Holanda cuestionaron su paso por la Secretaría de Agricultura durante la dictadura militar.

• Zorreguieta, ungido secretario por el entonces ministro Martínez de Hoz, había llegado al cargo tras una breve pero activa militancia en el grupo Perriaux.

Casualidad o destino, este juego de espejos aún guarda una imagen más: el estudio de abogados que cuidaba las espaldas del Banco Alemán Platina en el Uruguay era Posadas, Posadas y Vecino, un poderoso *buffet* de Montevideo relacionado con los ruidosos emprendimientos uruguayos de los hermanos Rohm.

Hacer la tabla

El fastuoso piso de la calle Gelly y Obes del abogado Perriaux, y más tarde sus oficinas de la calle Austria, fueron los ámbitos donde hacia fines de los años sesenta se conocieron personalmente quienes parecían destinados a quedarse con el poder. Durante encuentros celosamente programados por Perriaux, directores de bancos, representantes de compañías extranjeras y grandes propietarios rurales se vieron por primera vez las caras con algunos generales retirados y, sobre todo, con coroneles que ambicionaban ascensos y prestigio social. La amalgama de unos y otros, finalmente, se repartió los espacios del nuevo gobierno. Al mando formal del Ejecutivo quedaron los de uniforme; el Ministerio de Hacienda quedó en manos de los civiles que abonaron la conspiración militar.

José Alfredo Martínez de Hoz, el primer titular de Economía de la dictadura, reunía todos los requisitos que agradaban en la City: hijo de una antigua familia de terratenientes, integrante de la Sociedad Rural, director del Chase Manhattan Bank, asesor de la petrolera Esso –ambas empresas patrimonio del magnate David Rockefeller– y formado en la monetarista escuela de Chicago, el hombre de lentes gruesos y calvicie incipiente lucía el perfil adecuado para inaugurar la nueva era del discurso económico argentino. Su primer aporte a ese discurso fue un concepto que desde entonces no falta en ningún programa que se precie de liberal: el ajuste.

El primer apretón económico de Martínez de Hoz no se hizo esperar. "El salario real ha llegado a un nivel excesivamente alto en relación con la productividad de la economía", afirmó el ministro, en su discurso inaugural, anticipando el congelamiento de los salarios que derrumbó los ingresos en más del 40 por ciento. Inflexible con los asalariados, el ministro no se mostró tan riguroso con el déficit fiscal.

Al mismo tiempo que Martínez de Hoz recortaba los ingresos el país se convertía en una esponja: en apenas un año de gestión, la nueva administración incrementó la deuda pública en 1.707 millones de dólares.[13] Con fondos frescos –y los salarios congelados– Martínez de Hoz intentó hacer frente entonces a lo que presentaba como su peor enemigo: la inflación.

El país que violentó la dictadura estaba acosado por una creciente inflación que devoraba la capacidad de consumo. Hacia 1975 la inflación había llegado a superar el 300 por ciento, mientras el PBI había descendido un 1,4 por ciento y el PBI per cápita disminuyó el 3 por ciento con respecto al año anterior. Al mismo tiempo, los precios al consumidor subieron el 566,3 por ciento entre marzo de 1975 y enero de 1976. La respuesta de Martínez de Hoz para una inflación desbocada –que entre otras cosas derrumbó la producción industrial en más del 25 por ciento–, fue un experimento monetario: la "tablita". Pero ese sistema de devaluaciones preanunciadas, especie de calendario de la devaluación, no llegó solo. El programa iba acompañado de una ley que inauguraría una época empalagosa conocida como la era de la "plata dulce".

Ejecutada desde el 1 de junio de 1977, la denominada Ley de Entidades Financieras fue, en realidad, un paquete de tres leyes y una decena de circulares que cambió para siempre al sistema financiero argentino. Instrumentada mediante las leyes 21.495, 21.526 y 21.572, Martínez de Hoz fundó lo que más tarde se conocería bajo el nombre de "patria financiera", cuyos lineamientos generales estaban llamados a perdurar. La ley 21.495, punta de lanza de la reforma, derogó el régimen de nacionalización y garantía de los depósitos y dispuso que, a partir de ese momento, las entidades

---

13 Al final de su gestión, Martínez de Hoz dejó una deuda publica de 20.024 millones, tres veces mayor a la que recibió.

financieras recibirían depósitos por su cuenta y orden. La nueva disposición implicaba un cambio drástico, ya que las entidades dejaban de actuar como mandatarias del BCRA y pasaban a manejar con libertad los ahorros del público. A su vez el Central perdía su carácter de mandante de las entidades, o dicho de otro modo, el Estado ya no regiría la política crediticia nacional, que quedaba en manos de la banca.

Las presiones de los deudores –la mayoría de ellos industriales y ganaderos de fuerte llegada a la cúpula militar, que temían una disparada de sus deudas– lograron que la ley 21.526 mantuviera la facultad del BCRA de fijar la tasa de interés, pero no pudieron evitar que el mismo BCRA, como autoridad de aplicación, recortara esas funciones consagrando el "principio de libertad de tasas", puntualizando que cada banco podría "concretar las tasas de interés con sus clientes, tanto en las operaciones activas (préstamos) como pasivas (depósitos)". De esta manera, lo que el Gabinete Económico no había logrado plasmar en la ley, lo hacía por vía reglamentaria, consagrando por la ventana el principio operativo más importante de la reforma.

Como consecuencia de esta norma el crédito efectivamente se encareció, una consecuencia que estaba en los planes de Martínez de Hoz: según su criterio, la reducción al acceso del dinero permitía "terminar con una política de subsidios financieros" y favorecía la "reasignación de recursos hacia las unidades económicas más eficientes". Por cierto, esto condenaba a muerte a buena parte de los pequeños empresarios, quienes se veían obligados a pagar fortunas en tasas usurarias que sólo favorecían a la banca.

Pese al fundamentalista discurso oficial, la tercera norma de la reforma impuesta implicaba, precisamente, un subsidio destinado a beneficiar al sector financiero: la llamada Cuenta de Regulación Monetaria (CRM). Por intermedio de esta cuenta, el Banco Central premiaba con dinero fresco a las entidades que inmovilizaran sus depósitos a plazo fijo y los integraran a sus reservas de efectivo mínimo, hecho que redujo la oferta de créditos, que sólo se obtenían a tasas intergalácticas. De uno u otro modo, en la "timba" implementada por el gobierno siempre ganaba la banca, casi sin correr riesgo alguno. Pero eso no era todo: pese a que el ministro sostenía en público que las medidas formaban parte de su estrategia para incentivar un economía de libre mercado y riesgo privado, la reforma mantuvo el generoso rol del Estado como garante integral y gratuito de los depósitos, bajo la excusa de sostener "un sistema que ya es tradicional en nuestro mercado financiero". Por último, el paquete de medidas propició, además, el proceso de concentración bancaria (permitiendo que las entidades "fuertes" absorbieran a las débiles); la aplicación de penas pecuniarias por transgresión a las relaciones técnicas; y dos modificaciones que harían historia: la creación de un impuesto a las cuentas a la vista y la autorización para que los bancos realizaran depósitos a corto plazo.

La primera norma desalentaba el ahorro tradicional, mientras que la segunda fomentaba un boom de depósitos cortoplacistas. La combinación de ambas, sumada a la especulación monetaria promovida por "la tablita", produjo ese fenómeno que, con el tiempo, se eternizaría bajo el mote de "bicicleta financiera".

Hasta la sanción de la Ley de Entidades Financieras la tasa de interés había sido controlada por el Banco Central, que históricamente la mantuvo por debajo de la tasa de inflación, creando un efectivo mecanismo de licuación de deudas. Martínez de Hoz intentó corregir ese proceso con un gesto ortodoxo: al liberar las tasas por ley, cada banco podía ofrecer a los ahorristas la tasa de interés que creyera conveniente. La competencia entre entidades por captar depósitos provocó que la tasa se elevara hasta salirse de cauce. En octubre de 1977, el interés ofrecido por los bancos alcanzó el récord del 135 por ciento anual. Como contrapartida, las empresas que requerían financiación comenzaron a endeudarse en el exterior, única vía para evitar los efectos de la distorsión del mercado local.

El tiro de gracia para quienes tomaron créditos hipotecarios en esos días fue una circular emitida desde el Banco Central, eternizada como "circular 1050", que determinó que miles de deudores se viesen en la disyuntiva de pagar tasas usurarias o tener que entregar sus viviendas al banco, ya que los intereses, en un mercado de tasas libres que llegaron a más del 100 por ciento al año, tornaban impagables los préstamos.

El nivel de perversión al que había llegado el sistema financiero se hizo difícil de dominar para el gobierno que había creado el monstruo. En 1979, los precios minoristas crecieron el 139,7 por ciento, y la capacidad de consumo se redujo vertiginosamente. Al final, la distorsión del sistema terminó por perforar a muchas entidades financieras que no pudieron hacer frente a sus obligaciones.

El 28 de marzo de 1980 el Banco Central ordenó la liquidación del Banco de Intercambio Regional (BIR).[14] Para evitar la caída de bancos en cadena –a fines de ese año, cerca de 25 entidades financieras habían quebrado–, el BCRA creó un novedoso sistema de redescuentos: lo denominó Cuenta de Regulación Monetaria, a través del cual el Central abonaba un interés por el efectivo mínimo que los bancos declaraban en su poder, conforme a los encajes que exigía. El sistema se transformó rápidamente en un subsidio del Estado, que pagaba a los bancos una renta para no prestar dinero, lo que provocó que buena parte de las entidades financieras realizara una sideral falsificación de depósitos y préstamos profundizando el desfalco a las cuentas públicas.

Un informe oficial de la época ilustra hasta qué punto las leyes del gobierno de facto parecían haber nacido con un antídoto bajo el brazo. El trabajo lleva la firma del propio Fiscal Nacional de Investigaciones Administrativas de la dictadura, Conrado Sadi Massüe, quien en pleno apogeo de Martínez de Hoz

---

14 El BIR había crecido rápidamente ofreciendo altas tasas de interés. Uno de sus propietarios, Raúl Piñeiro Pacheco, fue a prisión acusado de estafas y vaciamiento a través de autopréstamos, bajo la figura de subversión económica. En su descargo, Pacheco acusó al Gobierno y a Martínez de Hoz de provocar su caída para "sacarlo del sistema", a pedido de los bancos extranjeros. Entre los integrantes del directorio estaban el abogado y periodista Mariano Grondona y Wenceslao Bunge, el futuro vocero de Alfredo Yabrán. El cierre del BIR perjudicó a 350.000 ahorristas.

reseñó las maniobras que bancos, financieras y mesas de dinero efectuaban con Certificados de Depósitos Transferibles (CDT) aprovechando las grietas de la legislación.

El informe del fiscal –elevado en enero de 1979– se basó en los certificados emitidos desde la mesa de dinero del Banco Nación, y configura un elocuente testimonio sobre la Patria Financiera. Según el fiscal, el desarrollo de la intermediación contra garantía de CDT se originó en las propias entidades bancarias y parabancarias, ya que mediante ese mecanismo lograban forzar el incremento de sus carteras de depósitos a plazo (lo que implicaba el acceso al "premio" del Central en la Cuenta de Regulación Monetaria), además de obtener buenos rendimientos en concepto de comisiones por la mediación. De este modo, los fondos captados por las mesas de dinero –recibidos por períodos breves que no superaban los treinta .días–, estaban orientados por las mismas entidades a la constitución, en bancos y compañías financieras, de depósitos a plazo fijo transferibles.

En su presentación, Masüe detalló los casos en los que basaba sus conclusiones:

• Caso Exprinter S.A. Compañía Financiera: se tomaron como referencia sólo las operaciones que mantuvo con el Banco Nación durante 1977. Las maniobras consistían en constituir CDT en otras entidades financieras, sin contar con los fondos necesarios –en la jerga se llamaban "operaciones en el aire"–. De este modo comenzaba lo que en el mercado de dinero se denominaba "bicicleta de CDT", que consistía en aprovechar la diferencia de tasas entre operaciones de menos de siete días y en las de más de treinta días. Una vez vencida la primera operación, que servía para constituir el depósito, se renovaban los mismos certificados todas las veces que fuera necesario, hasta el vencimiento del CDT.

• Arfina S.A. Compañía Financiera: esta firma constituía CDT con fondos provenientes del Banco Nación en la propia Arfina, pero a nombre de Dicaz S.A., empresa vinculada a la financiera a través de directores y accionistas comunes. De esta forma se incrementaban artificialmente los depósitos a plazo de Arfina, aumentando su capacidad prestable, y se perjudicaba al Estado por los mayores cargos que el Central debía abonar a través de la Cuenta de Regulación Monetaria. En su informe sobre este caso, Massüe anotó un dato que no era menor: la firma controlante de Arfina durante el período investigado era Solfina S.A. de Inversiones y Finanzas, una empresa propiedad de la familia Soldati. La firma estaba presidida por Francisco P. Soldati, quien además cumplía funciones como Director del Banco Central.

• Banco del Interior y Buenos Aires (BIBA): durante 1977, esta entidad tomó 4,56 por ciento del total de fondos intermediados por el Banco de la Nación Argentina. Del total de fondos recibidos por el BIBA a través de su mesa de dinero correspondientes a bancos y financieras, el 22,5 por ciento fueron suministrados por el Banco Nación. De los fondos recibidos, el 18 por ciento se canalizaba hacia Nufripro S.A., mandataria vinculada al BIBA a través de accionistas y directores gerentes. Por otro lado, el 80 por ciento de los fondos que captaba Nufimpro eran suministrados por el BIBA. Para triangular la circulación del dinero se constituyeron CDT en el Banco de Hurlingham en forma artificial a nombre de Juan Claudio Chavanne –un socio gerente–. Al derivar a su mandatario gran parte de los fondos recibidos vía Banco Nación, se cargaban en cada paso las correspondientes comisiones por intermediación, que en el caso del BIBA llegaron al 12 por ciento, y para Nufimpro al 5 por ciento, encareciendo artificialmente el precio del dinero. De ese modo el Banco de Hurlingham aumentó artificialmente sus depósitos, beneficiándose con una mayor retribución por parte del Banco Central a través de la Cuenta de Regulación Monetaria.[15]

• Banco Ganadero Argentino: si bien esta entidad operó con el Banco Nación solamente entre enero y mayo de 1977, su partici-

15 En 1990, el Banco Central dispuso la liquidación del BIBA en medio de un escándalo por el otorgamiento de redescuentos millonarios. Su presidente, el ex Citibank Carlos Correa, fue a prisión, acusado de fraude al BCRA y autopréstamos con empresas fantasmas. El dueño de la entidad era Carlos Bulgheroni, quien mantiene una disputa con el Estado por 500 millones de dólares.

pación sobre el total de los fondos intermediados por el Banco de la Nación fue mayor a la del resto de las entidades. Durante marzo y abril absorbió el 56 por ciento y el 58 por ciento de los fondos lanzados por la mesa del Nación. Según se constató a través de informes del Banco Central, el 90 por ciento de las operaciones realizadas por el Ganadero fueron cursadas a la firma Hamburgo S.A., una financiera clandestina que fue intimada a cesar sus operaciones de intermediación por orden del BCRA. La complejidad de la maniobra, plasmada en el informe de Massüe, constituye un cuadro de la época. El Banco Nación suministraba al Banco Ganadero fondos contra garantía de títulos públicos con el aforo del 60 por ciento. A su vez, esta garantía se instrumentaba mediante un certificado de Custodia emitido por el Banco Ganadero, donde constaba que los títulos permanecían en su poder a disposición del Nación por un valor correspondiente al capital e intereses más el aforo legal. Dichos fondos eran traspasados por el Banco Ganadero a Hamburgo S.A., contra entrega de títulos públicos que cubrían solamente el capital más los intereses de la operación. Por el resto –es decir, la parte correspondiente al aforo de 60 por ciento– se entregaba un simple certificado de custodia que manifestaba que dichos títulos estaban en Hamburgo S.A. a disposición del Banco Ganadero. Por su parte, Hamburgo transfería los fondos tomados del Banco Ganadero a la mandataria Surfin S.A, que repetía la operación. Así, mediante sucesivos traspasos de títulos y certificados de custodia falsos, se burlaban las disposiciones que establecían que la negociación de pesos contra bonos sólo era posible cuando los bonos tuviesen un aforo del 60 por ciento. ¿Por qué el Nación, responsable de entregar dinero al mercado, no comprobó el respaldo de títulos? La explicación, desliza Massüe, puede encontrarse en otro caso de triangulación detectado a la firma Hamburgo.

La investigación comprobó que Hamburgo realizaba operaciones similares con las firmas Repique S.A. y Pecunia S.A. La controlante de Repique S.A. era Emblema S.A., una firma que a su vez mantenía vasos comunicantes con el Banco Ganadero y Pecunia a través de un director común: Juan María Ocampo, el hombre que había sido designado por Martínez de Hoz al frente del Banco Nación.

Hacia la fecha de la realización del informe, sin embargo, buena parte de los investigados ya había caído en desgracia por la propia inercia de la crisis financiera. El Banco Ganadero, orgullo de la familia Ocampo, cayó víctima de la burbuja especulativa que sus propios accionistas habían alimentado desde la mesa de dinero del Banco Nación. A la financiera Hamburgo le fue aún peor. Por orden del Banco Central, el 10 de enero de 1978 fue allanada y obligada a cesar en sus funciones, acusada de varias violaciones a las normas que regulaban la actividad parabancaria, entre las que se citaba la falta de contabilización de operaciones, la ausencia de garantías y la emisión de certificados de custodias falsos. Claro que, como era usual, el derrumbe de la firma no implicaba necesariamente una calamidad para sus directivos: el presidente de Hamburgo, Delfín Jorge Ezequiel Carballo, prosiguió su carrera dentro del sistema financiero. Tras la caída de su financiera, Carballo obtuvo la representación del Deutsche Sudamerikanische Bank, cargo que le otorgó una silla en la larga mesa de la financiera dirigida por los hermanos Rohm.[16]

La sucesión de estafas y quiebras fraudulentas aportó un toque agridulce a los tiempos de dinero empalagoso, durante los cuales un sector de la clase media argentina solía llenar sus maletas con artículos comprados de a dos en Miami. Las caricaturas de Martínez de Hoz, y la plata dulce, habían logrado suavizar la imagen naturalmente hosca del ministro hasta convertirlo en un personaje casi simpático para las familias de clase media que, en paralelo, no registraban los secuestros y las matanzas clandestinas perpetradas por las fuerzas armadas. Del mismo modo, entre imperceptible y

---

16 Tras su paso por el BGN, Carballo asumió la vicepresidencia del Banco Macro, desde donde operó la compra del Banco Bansud, convirtiendo a la entidad nacida de una mesa de dinero en uno de los bancos más importantes del sistema tras la crisis del "corralito".

festiva, la City comenzó a desmoronarse mientras la mayoría de los ejecutivos gritaba los goles del "Matador" Kempes frente a las flamantes pantallas de tevé a color.

El jurista argentino Carlos Villegas, uno de los especialistas en derecho financiero más respetados de la Argentina, condensó en un trabajo las "consecuencias objetivas de la aplicación de la reforma financiera de 1977". Secuelas que podrían sintetizarse así:

• Desmesurado encarecimiento del crédito: la aplicación de la política de tasas libres y la búsqueda del fortalecimiento del ahorro interno mediante tasas reales positivas produjo un agudo incremento de las tasas de interés para préstamos, que rápidamente se tornaron altamente positivas, restando rentabilidad a las unidades económicas y erosionando su patrimonio. La política tendiente a la reasignación de recursos comenzó por dejar sin asistencia crediticia a la pequeña y mediana empresa, y terminó por enviar a la quiebra a algunos de los más importantes emporios económicos nacionales. Otras, en cambio, lograron capear la falta de crédito interno recurriendo a préstamos en el extranjero, operando con divisas a precio "controlado" y deliberadamente bajo, y a tasas internacionales. Sin embargo, al producirse la ruptura de esa política económica –en 1981 el gobierno destruyó la tablita– los costos financieros de esos créditos pasaron a constituir el principal factor del "costo empresario", incidencia que se trasladó a los precios y, por consiguiente, alimentó el proceso inflacionario que enmarcó la gestión de Martínez de Hoz. Los daños colaterales del encarecimiento del crédito se percibieron, finalmente, en la calle, cuando cientos de empresas y fábricas debieron cerrar sus puertas dejando un tendal de desocupados.

• Expansión monetaria desmesurada y sin control: el subsidio a través de la Cuenta de Regulación Monetaria primero, y la devolución de depósitos de entidades liquidadas después, derivó en un enorme drenaje de recursos del Estado hacia el sistema financiero. Por otra parte, la repercusión de la liquidación de bancos provocó que el Central sancionara la circular 1.051, conocida como "red de seguridad", que si bien evitó la caída estrepitosa del sistema, obligó a una expansión monetaria incontrolada, ya que el colapso sólo pudo evitarse mediante préstamos indiscriminados. Pero pasado el sofocón, los préstamos no disminuyeron. Por el contrario, fueron creciendo al punto de que al 31 de julio de 1981 las entidades adeudaban cerca de 24 billones de pesos al Central, cifra que se duplicó a 72 billones en 1982.

• Deterioro del sistema financiero de capital nacional: la liquidación de numerosas entidades pequeñas –casi todas cajas de crédito cooperativas–; luego de una financiera importante (La Agrícola); y finalmente la caída de dos bancos de trayectoria (el Banco Cooperativo Agrario, con más de 80 años en el mercado, y el Banco de Río Negro y Neuquén S.A.), terminó arrastrando a dos gigantes (el BIR y el Oddone), que en su derrumbe traccionaron a un centenar de entidades. Al mismo tiempo, la banca extranjera se expandió al adquirir entidades de capital nacional. Así, bancos como el Internacional, propiedad del caído grupo Sasetru, pasó a manos del Bank of America; o el Banco Tornquist (del Grupo Capozzolo) fue absorbido por el Banque Crédit Lyonnais. Como en una cacería de buena temporada, las entidades extranjeras, hasta entonces relegadas por leyes que no las favorrecían, se movieron en el mercado argentino con voracidad: los grandes bancos extranjeros se instalaron en el país como sucursales o asociados a una firma local –caso Banco Arfina, que vendió el 25 por ciento de sus tenencias al First Chicago International Corporation–; y los ya existentes ampliaron sus dominios comprando sucursales de bancos en liquidación. Aprovechando los beneficios de la ley 22.051, que les permitía no adherir al régimen de garantía de depósitos, los bancos extranjeros obtuvieron un ahorro clave. Esto no sólo los colocó en mejores condiciones de competitividad respecto de los locales, sino que provocó un profundo bache de fondeo en el régimen de garantías que debió ser cubierto con emisión de moneda, inflación y una nueva crisis de la economía argentina.[17]

---

17 1980 fue un año de escándalos financieros: a la caída del BIR le siguió la intervención de varios bancos, entre ellos Los Andes, Oddone, Sidera, Unido de Inversión y Hurlingham. Casi todas estas entidades eran de creación relativamente reciente y de rápido crecimiento, logrado sobre la oferta de altísimas tasas de interés para la captación de ahorristas.

Ejecutor de un modelo diagramado entre Chicago, Londres y Nueva York, Martínez de Hoz concluyó su gestión sentando las bases de un modelo que desde entonces se mantendría vigente como salmo de los economistas nacionales. Si bien el plan original no contemplaba que la reforma haría estallar por los aires a su creador, el hombre del Chase consideró que el balance de su gestión había sido positivo. Aunque el primer ministro de Economía de la dictadura se quedó con gusto a poco. Entrevistado por el historiador argentino Felipe Pigna a veinte años de su reinado, Martínez de Hoz decía:

–Fueron cinco años muy intensos, de muchas realizaciones. Pero tuvieron el gran impedimento de la falta de continuidad. [El plan] Estaba pensado para tener diez años de continuidad, que es lo que yo creo necesario para hacer una transformación tan profunda. En cambio, cuando el presidente Videla deja el poder, el presidente que lo sustituye hace un viraje de 180 grados. Se deja sin efecto toda la gran orientación de nuestro programa y su instrumentación.

En ese mismo reportaje, concedido en medio de otra crisis de proporciones históricas, Martínez de Hoz aseguró que la caída de bancos y el caos financiero durante su gestión no había sido obra suya, sino de "aventureros" que habían aprovechado "sus esfuerzos" para saquear la nación. El ex ministro se cuidó de dar la nómina, pero informes oficiales y expedientes judiciales posteriores demostrarían que la lista incluía algunos de los apellidos que habían patrocinado su paso por el Ministerio de Economía. Entre los "aventureros" brillaron los Macri (Banco de Italia), Soldati (Solfina), Grondona (Banco BIR), Bulgheroni (Banco BIBA), y hasta los futuros socios del ex ministro, los hermanos Rohm, quienes en medio de la crisis realizaron dos de los pasos más importantes de su historia: transformar su financiera en banco comercial y abrir oficinas en el Uruguay.

El mago de Hoz

Aunque la nueva ley que regulaba el sistema financiero había instalado un clima caribeño en plena City, los hermanos Rohm sabían que la temperatura política de la Argentina era oscilante.

–Hay que aprovechar ahora, porque acá nunca se sabe lo que puede pasar –había graficado Charly, sin medias palabras, durante una reunión de directorio con temario único: la transformación de la Compañía General de Inversiones en banco comercial.

Si bien los hermanos confiaban en la estructura de contactos y amistades que habían construido en los últimos dos años, ambos sabían que la conversión no era un trámite sencillo: la "fiebre financiera" había entusiasmado a gran cantidad de mesadineristas, y en el Banco Central se acumulaba medio millar de pedidos de financieras deseosas de cambiar de status. Pero el problema de los Rohm no era la competencia, sino la demora. El tumulto de solicitudes había generado cierto recelo en el otorgamiento de licencias. En la City, era un secreto a voces la resistencia del Central a sembrar la plaza financiera de entidades pequeñas.[18]

Aunque en algunos casos los aspirantes a banqueros habían salvado ese recelo anexando sobornos a sus propuestas, la aprobación no estaba exenta de tironeos políticos ni de demoras burocráticas, por lo cual los hermanos Rohm decidieron tomar un atajo: obtener la bendición directa de Martínez de Hoz.

Una vez más los hermanos recurrirían a los oficios de uno de sus socios para agilizar los contactos. En este caso, el encargado de tramitar la reunión con el ministro fue César Ignacio Urien, un accionista minoritario de la CGI que se había incorporado a la financiera en 1975, luego de cumplir funciones públicas como ministro de Agricultura del gobierno de Arturo Frondizi. De su paso por la función pública, Urien, de 77 años, conservaba dos cosas: el recuerdo minucioso del golpe contra Frondizi –las negociaciones con los militares en las horas previas al golpe se realizaron desde su despacho–, y una pródiga amistad con dos ex compañeros de gabinete: Arturo Coll Benegas –socio fundador de la CGI– y Roberto T. Alemann, un economista de convicciones ortodoxas de consulta

---

18 Si bien la nueva ley propiciaba la fundación de bancos comerciales, tanto el Central como Economía habían tomado nota de las quejas de las entidades extranjeras, que no veían con agrado el florecimiento de nuevas firmas.

obligada en el *establishment* financiero, quien además oficiaba de asesor informal de los generales en el poder. Claro que, hombre de campo al fin, Urien no necesitaba contactos oblicuos para llegar a Martínez de Hoz. Entre asados e inversiones, el hombre era considerado un amigo de la familia del ministro, propietaria de miles de hectáreas fértiles en el partido costero de General Pueyrredón. A Urien le bastó un llamado para que el ministro recibiera a los hermanos Rohm.

Martínez de Hoz y los dueños de la CGI se prodigaron confianza a primera vista. Si bien hacía tiempo que Puchi coincidía con los postulados económicos del ministro, el encuentro ratificó sus presunciones. Para el mayor de los Rohm, el ministro estaba llamado a ser el fundador de una nueva era económica en la Argentina basada en la liberalización del sistema financiero, la apertura irrestricta a las inversiones privadas y la supremacía del mercado, tres de los postulados básicos de la denominada Escuela de Chicago, una suerte de *think tank* académico norteamericano que proponía dureza monetaria y el fin del Estado empresario, dos principios que los hermanos habían absorbido durante su paso por Nueva York.

La reunión tuvo efectos inmediatos, pero la corriente de coincidencias programáticas y simpatía personal estaba destinada a perdurar.

–Muchachos, yo les voy a dar una mano con la aprobación, pero sería bueno que ustedes vayan buscando a un buen accionista extranjero –disparó sin preámbulos Martínez de Hoz, casi en el ocaso de la reunión. Por unos segundos, los hermanos se sintieron desconcertados:

–Quizá no lo sepa, pero entre nuestros accionistas están el Crédit Suisse, el Deutsche y la banca italiana.

–Claro que los sé, pero también veo que les está faltando un socio americano... Y nunca viene mal tener uno ¿no? –concluyó el ministro, poco proclive a las sugerencias elegantes.

Los hermanos comprendieron el mensaje: si querían fundar un banco, debían incluir socios estadounidenses en su directorio.

Puchi sintió que la fortuna estaba de su lado: la idea de incorporar socios norteamericanos venía dando vueltas en su cabeza desde hacía tiempo, pero las restricciones de la legislación por un lado, y cierta reticencia de sus socios locales por otro, habían postergado esa intención. De modo que Puchi no tuvo que pensar demasiado para ofrecer una respuesta instantánea ante la propuesta del ministro.

–¿Qué le parece el Chemical Bank? –consultó el mayor de los Rohm como al pasar, mientras se calzaba su sobretodo.

La reacción del ministro confirmó su apuesta. Con una sonrisa relajada, Martínez de Hoz extendió su mano y festejó la elección:

–Eso sería fantástico.

El 31 de octubre de 1977, la financiera pidió formalmente ante el Banco Central la autorización para funcionar como entidad bancaria. Seis meses más tarde, concluidos los pasos legales de rigor, por resolución 131 fechada el 19 de abril de 1978 el Central aprobó el cambio y los Rohm convocaron a un asamblea de accionistas para comunicar la novedad. En esa asamblea Carlos propuso aportes irrevocables de los accionistas hasta cubrir los 2.198 millones de pesos necesarios para capitalizar el nuevo banco, y se discutió el nombre de la nueva entidad. Por fin, la resolución 152 del Central, fechada el 15 de mayo de 1978, autorizó la fundación del Banco General de Negocios.

Para cumplir con las exigencias de la nueva gama de negocios se aumentó a 3 mil millones de pesos el capital de la flamante entidad, cuya nómina de accionistas estaba compuesta por las sociedades extranjeras Crédit Suisse, Banca Nazionale del Lavoro Holding e Italian Economic Corp.; la firma local Accioninver S.A. (integrante del Grupo Ferretería Francesa); y César Urien, Luis de Corral, la familia Dodero, y José y Carlos Rohm como accionistas individuales.

Por cierto, desde su fundación la nueva entidad ya contaba con un patrimonio digno de ligas mayores. En el cuestionario de Ley por cierre de ejercicio, al 31 de diciembre de 1977 la CGI había declarado poseer:

- Un avión valuado en 4.068.000 pesos.
- Rodados por 763.375 pesos.
- Un terreno de 15.251.332 pesos.
- Edificios por 2.667.146 pesos (con mejoras valuadas en 13.202.619 pesos).
- Patrimonio total: 121.086.476 pesos.

En esa declaración, la financiera aseguró disponer, además, de 60.000 acciones de la Cía. Exportadora de los Andes y 5.449.770 acciones de Alpargatas S.A. Pero para los hermanos el juego fuerte recién estaba comenzando. Dispuestos a transformarse en socios locales de una poderosa amalgama de firmas extranjeras, los Rohm habían encontrado en el ministro de Economía a un aliado dispuesto a cimentar sus ambiciones.

Enredado en la maraña de su propio plan antiinflacionario, Martínez de Hoz decidió recostar su programa sobre los dos pilares que sostenían su poder: el campo y el sistema financiero internacional. En el primero de los casos, el ministro contribuyó a abultar las ganancias de los agroexportadores con su "tablita", que permitía conocer de antemano el cronograma de las devaluaciones. A ese ritmo, no era difícil multiplicar los ingresos de las empresas: sólo bastaba retrasar la liquidación de exportaciones y esperar a que el aumento del dólar hiciera el resto. Claro que, hombres de negocios entrenados, el dinero "retrasado" también debía rendir frutos. Y la manera más sencilla era depositando los fondos no liquidados en entidades financieras externas libres de controles fiscales. En otras palabras: el sistema inventado por Martínez de Hoz promovió la creación de una dinámica estructura de operaciones *offshore*.

En esencia, se identifica como banca *offshore* a todas aquellas entidades que reciben depósitos a baja tasa, pero con el atractivo de funcionar en países de escasa (o nula) presión fiscal. Por cierto, este tipo de mecanismo de "elusión" no es un invento de la economía moderna. Las áreas *offshore* –literalmente "fuera de la costa"– datan de fines del siglo XVII, época en la que la Corona Británica autorizó a sus corsarios a hacer uso de sus riquezas y a no pagar impuestos, siempre y cuando éstas permanecieran fuera del territorio de la metrópoli. Debido a que, en buena medida, sus "ingresos" provenían de asaltos en el Atlántico, los corsarios británicos eligieron como refugio a las islas del Caribe. Así nacieron, entre otros, los territorios fiscales de las Islas Caimán y Antigua, dos áreas predilectas del dinero negro de todos los tiempos.

Hacia fines de la década del setenta los corsarios se habían extinguido, pero los paraísos fiscales gozaban de buena salud. Y trabajaban al límite de sus posibilidades: por esos días, el mundo nadaba en dinero gracias a la inundación de "petrodólares", un mecanismo de pago patrocinado por los Estados Unidos que afectaría para siempre las finanzas públicas de la Argentina.

La historia de los "petrodólares" había comenzado poco tiempo antes del arribo de la dictadura al poder, cuando los países miembros de la Organización de Países Productores de Petróleo (OPEP) aumentaron conjuntamente la cotización del crudo por barril. Compuesta por países naturalmente ricos, pero política y socialmente empobrecidos, la OPEP logró duplicar el precio del petróleo. Aunque los países consumidores impusieron una condición: con el pretexto de que el nuevo costo consumiría rápidamente sus reservas, pagarían el crudo con un tipo de dólar que sólo se podría utilizar en los países industrializados. A este tipo de divisas se la denominó "petrodólares".

A los gobiernos occidentales no les costó demasiado convencer a los productores de Medio Oriente: en pocos meses, las ciudades europeas de la Costa Azul rebalsaron de jeques adictos a la ruleta y a los yates lujosos, hombres de túnica y turbante proclives a la compra de rascacielos construidos en tiempo récord en pleno corazón de Manhattan y a la creación de guerras de guerrillas promovidas por la Agencia Central de Inteligencia (CIA) estadounidense con el objetivo de alinear a los gobiernos que pretendían cobrar en una moneda que les permitiera invertir en su país.

En sintonía con la política del Departamento de Estado, los bancos de los Estados Unidos libraron su propia guerra. Dispuestas a acumular tantos dólares como sus bóvedas lo permitieran, las entidades norteamericanas ofrecían altas tasas de interés para recuperar los dólares del oro negro. Pero la estrategia pronto se desbordó: si bien la acumulación de dinero trepó a límites históricos, los tradicionales mercados tomadores de dinero no habían crecido al mismo ritmo que la acumulación. Los bancos se hallaban ante una contradicción capitalista: les sobraba dinero, pero la ausencia de inversiones los ponía frente al riesgo de que esos dólares no se convirtiesen en algo más que papel pintado. Para salir del atolladero, el gobierno de los Estados Unidos posó su mirada sobre América Latina.[19]

Alentados por la conformación de gobiernos dictatoriales auspiciados por Washington, la comunidad bancaria estadounidense promovió el flujo de capitales hacia América Latina en forma de créditos sindicados, un mecanismo mediante el cual los bancos se suscribían al paquete de préstamos para diversificar el riesgo individual mientras se incrementaba el tamaño total del crédito. Para reducir el riesgo, la denominación de los préstamos se hacía en dólares con el objetivo de impedir que los prestatarios los devolvieran en sus devaluadas monedas nacionales.

En la Argentina, sin embargo, la experiencia inflacionaria había inoculado cierta reticencia al endeudamiento privado en el extranjero. Para conjurar ese hechizo, Martínez de Hoz ajustó las clavijas financieras –encareció el crédito interno mediante una nueva

19 Tras el *shock* petrolero de 1973-1974, las bancas comerciales occidentales buscaron la forma de reciclar los excedentes financieros acumulados por los países petroleros, volcándolos en los países en vías de desarrollo. El endeudamiento creciente se convirtió en un síntoma de fragilidad por la gran volatilidad del precio de las materias primas. En 1979 se desató la segunda crisis petrolera, y se agravó la inflación mundial con la apertura a los mercados internacionales y la caída de los precios de las materias primas, exportadas por los países en vías de desarrollo. En 1982 explotó la primera gran crisis de la deuda, sobre todo en América Latina, cuando México declaró la imposibilidad de afrontar el pago de su deuda externa.

suba en los encajes– y dispuso que las empresas del Estado mostraran el camino, obligándolas a tomar los créditos que ofrecían las entidades norteamericanas.

Mientras la Argentina incrementaba su deuda externa, los banqueros se mostraban eufóricos. El presidente del Citibank, Walter Wriston, declaró incluso que de todas las inversiones posibles, los préstamos de los Estados representaban las opciones más "seguras", ya que "los países no pueden quebrar". Por cierto, el diagnóstico de Wriston no se basaba sólo en su intuición: la "seguridad" de los banqueros contaba con una red de contención dispuesta por los propios gobiernos nacionales y hasta por el Fondo Monetario Internacional, que se había comprometido a jugar como prestamista de última instancia en caso de que las cosas salieran mal.

La competencia entre bancos se volvió tan encarnizada que, en ocasiones, el *spread* –la ganancia– cayó al 0,5 por ciento por cada operación. Sin embargo los aviones no paraban de despegar desde Nueva York hacia América Latina, repletos de jóvenes con contratos de préstamos prácticamente listos para firmar.

Aunque ya no era tan joven, y desde hacía tiempo no utilizaba vuelos de línea, David Rockefeller fue uno de los tantos banqueros que aterrizó en Buenos Aires durante la fiebre de la deuda. Pero su maletín no cargaba préstamos. Traía, a su entender, "noticias preocupantes".

Hacia mediados de 1979, el ministro Martínez de Hoz estaba en el centro de un huracán doméstico que inquietaba a los hombres de Wall Street: según los reportes que llegaban al centro financiero de Nueva York, el gobierno encabezado Jorge Rafael Videla se estaba impacientando, y analizaba la destitución de su ministro estrella debido a los magros resultados de su plan. Durante su audiencia con el dictador, Rockefeller no se anduvo con rodeos:

–Quiero expresarle nuestra profunda preocupación por estos rumores que no le hacen nada bien a la imagen de su país –dijo, sin guardar las formas. Videla intentó esquivar la descortesía con su habitual impavidez, pero al magnate no le gustaban las medias tintas:

–Quiero que me asegure que el señor Martínez de Hoz está confirmado en su cargo, y que tiene todo el apoyo político de su gobierno –insistió. Finalmente, Videla le dio su palabra. En silencio, sentado a la derecha de su mentor, testigo directo de la conversación que lo tuvo como protagonista excluyente, el ministro de Economía no pudo contener una mueca de satisfacción.

Aunque se conocían desde hacía al menos una década, Rockefeller y Martínez de Hoz se prodigaban un trato formal y respetuoso idéntico al que se estila tener entre empleado y empleador. Claro que la relación estaba lejos de ser distante: casi a diario, la oficina del ministro se poblaba de enviados y mensajes del magnate. Según pudo probar la justicia veinte años más tarde, la corriente de confianza y consejos generó buenos resultados en las finanzas del Chase Manhattan Bank.

El 13 de julio de 2000, el juez Jorge Ballesteros dictó sentencia en la causa 14.467, caratulada "Olmos, Alejandro S/denuncia", instruida en el expediente 7.723/98. Iniciada por el periodista Alejandro Olmos en 1972, la investigación demoró casi dos décadas en determinar algunos de los factores que propiciaron la escalada de la deuda externa durante la última dictadura militar. Entre otros hechos, la pesquisa probó que, si bien a principios de 1976 cada habitante de la Argentina debía al exterior un promedio de 320 dólares, a fines de 1983, cuando los militares dejaron el gobierno, el endeudamiento había trepado a 1.500 dólares por argentino. En números macro, la deuda había crecido de 8 a 45 mil millones de dólares en seis años.

Según la investigación, una de las causas que más contribuyó a abultar el endeudamiento externo fue la colocación de reservas internacionales (RI) del Banco Central en entidades privadas del extranjero. En este sentido, el fallo sostuvo que:

• "De la información requerida al BCRA, la SIGEP e YPF surge que se han efectuado operaciones de colocaciones a plazos superiores a los tres meses, mayores a los convenientes para satisfacer condiciones de disponibilidad de la moneda extranjera."

• "En la selección de la contraparte para efectuar las colocaciones no se seleccionaron entidades de primera línea, ni se aprovechó para negociar en mejores condiciones la calidad de ente rector financiero del BCRA, [por lo cual] la continuidad de las colocaciones que pretendían obtener algún rendimiento en realidad favoreció los intereses de la banca privada internacional."

• "También se advierten errores de administración financiera en el endeudamiento de YPF, que tomó 153 préstamos entre febrero de 1979 y marzo de 1980, en su mayoría con plazos menores a los seis meses, casi todos correlativos con la colocación de reservas internacionales en el exterior".

• "Asimismo existe un número variado de situaciones referidas a las consecuencias directas de efectuar colocaciones en el exterior, que terminan por financiar al tesoro de los Estados Unidos, cuando el sistema de la Reserva Federal adquiere automáticamente sus letras o participa en las aceptaciones bancarias a deudores del sector privado".

En este sentido, el fallo probó que el uso indebido de los créditos contribuyó a abultar el endeudamiento externo argentino. Según cálculos estimativos, los investigadores determinaron que entre 1978 y 1981 se habrían enviado al extranjero, de manera "excesiva o injustificada", remesas por más de 38.528 millones de dólares: "Aproximadamente el 90 por ciento de los recursos provenientes del exterior vía endeudamiento de empresas (privadas y públicas) y del gobierno fueron transferidos al extranjero en operaciones financieras especulativas".

Como ejemplo, el fallo citó un episodio concreto: "Entre julio y noviembre de 1976 –en plena fiebre de los petrodólares– el Chase Manhattan Bank de Rockefeller recibió mensualmente colocaciones del Estado argentino por 22 millones de dólares a tasas del 5,5 por ciento de interés. Sin embargo, en el mismo lapso, el BCRA recibió un préstamo de 30 millones a 90 días al 8,4 por ciento de interés, por lo que el país se comprometió a pagar intereses por una suma que se colocaba casi en sus tres cuartas partes en el mismo banco que emitía el préstamo".

Un detalle: los pesquisas de la causa Olmos comprobaron que al frente de esas negociaciones se encontraba Dante Simone, un enviado del FMI que a mediados de los setenta había revistado como director de Investigaciones y Análisis Fiscal de la Nación. Durante su paso por la administración pública, Simone se rodeó de algunas jóvenes promesas de la consultoría económica argentina: los futuros ultraortodoxos Jorge Ávila (CEMA), Daniel Artana y Ricardo López Murphy –fundador de FIEL y candidato a presidente en las elecciones de 2002–. Tres hombres que comulgaban casi sin matices con los postulados que impulsaba Rockefeller desde su emporio neoyorkino.

El rey David

Nacido en 1915, David Rockefeller pasó su infancia en el departamento de mayores dimensiones de la ciudad de Nueva York. Asistido por un ejército de criados y mucamas, tanto él como sus hermanos solían llegar patinando hasta una escuela sobre la Quinta Avenida, seguidos lentamente por una *limousine* a la que podían subir si se cansaban. Cuando el pequeño David iba casa por casa entregando canastas de alimentos a los pobres en el día de Acción de Gracias, un chofer de uniforme lo acompañaba para asistirlo. La familia respetaba las viejas costumbres. Cada noche, a la hora de la cena, su padre usaba traje de etiqueta y su madre vestía con cuidada elegancia.

Aunque el dinero de los Rockefeller era más reciente que el de la mayoría de sus vecinos, David fue educado según los modales de la sociedad selecta de la Costa Este. David estudió, como correspondía, en la Universidad de Harvard. En su autobiografía, el magnate se recuerda a sí mismo como un alumno de presencia callada en las aulas, y de mirada tímida en los bailes. Nunca logró una nota máxima en la Universidad pero, según su relato, era un joven serio, empeñoso y aplicado. Llegó a doctorarse en Economía antes de emprender su carrera en el Chase Manhattan, un banco con el que su familia mantenía vínculos comerciales, y que sería el pilar de uno de los imperios económicos más influyentes en la historia del siglo XX.

Luego de confirmar que Martínez de Hoz continuaría en su cargo, Rockefeller llamó a una conferencia de prensa para cantar su victoria: "Debo reconocer que estoy admirado por el ministro. Lo admiro como ser humano, como economista y como persona dedicada plenamente a su labor pública", lisonjeó. Y antes de trepar la escalerilla del avión, alcanzó a decir a su mimado: "Lamento no haber podido comer una de sus famosas carnes asadas que hacen ustedes. Espero que, la próxima vez, tenga la oportunidad de agasajarme con una buena barbecue".

Un año más tarde Martínez de Hoz pudo cumplir con el compromiso. En noviembre de 1980, el Chase realizó su convención anual en Iguazú. Pero en su escala porteña, Rockefeller tuvo la oportunidad de degustar costillas y otros manjares en un pomposo asado organizado por el ministro en el Yacht Club de San Isidro. Si bien la reunión estaba pactada como un encuentro íntimo, la avidez de los banqueros locales por codearse con una de las leyendas de las finanzas internacionales había desatado una verdadera histeria. En los días previos al encuentro, las disputas por conseguir un pase al banquete se había convertido en una batalla sin cuartel.

–Tengo que estar ahí, cueste lo que cueste –sentenció Puchi Rohm, en medio de uno de sus habituales almuerzos de directorio. La frase, por cierto, llevaba un dardo endosado: uno de los comensales, el suizo Max Lutz –representante del Crédit Suisse– era uno de los pocos privilegiados que contaba con una tarjeta de invitación.

–Voy a hacer todo lo posible –respondió el suizo, con cordialidad diplomática, ante la estocada de su socio.

A Puchi le llevó varias horas convencer a Lutz, pero finalmente el suizo cayó rendido ante la insistencia. El día del banquete, Puchi, Charly y Lutz llegaron a la entrada del Yacht Club justo cuando Rockefeller repetía elogios ante la prensa: "En los Estados Unidos se asigna una importancia trascendente a los objetivos logrados por la gestión del ministro Martínez de Hoz", llegó a escuchar el financista argentino, mientras hacía la cola frente al cordón de soldados que cumplía tareas de recepción y custodia. Vestido de traje oscuro y corbata, la mirada fija en una de las personalidades del siglo, y la frente humedecida por los nervios y el calor anticipado del verano, Puchi decidió que ése sería su gran día: el día en que sus sueños de grandeza comenzarían a hacerse realidad.

–Señor ministro, le agradezco que nos haya invitado a este evento –exageró Rohm, con voz convencida.

A Martínez de Hoz no le quedó más que sonreír:

–No agradezca, que a la mitad de la gente que está acá no la invité yo.

Puchi se rió con ganas, enfatizando que había tomado la frase como una humorada. Y continuó:

–Quería agradecerle, además, por las gestiones que hizo para acelerar el trámite en el Banco Central.

–Por ese tema sí le acepto el agradecimiento –respondió el ministro–. Pero tengo entendido que todavía queda un asuntito pendiente.

Rohm no necesitaba que Martínez de Hoz fuese más explícito. Desde que la CGI había obtenido la autorización para funcionar como banco, los hermanos se habían abocado a la tarea de incorporar a un representante norteamericano en su directorio.

–Ya está casi lista la incorporación del Chemical –dijo, con ánimo conciliador.

–Lo sé, lo sé –concilió Martínez de Hoz–. Hace un rato estuve hablando del asunto con nuestro invitado. A propósito, ¿Ya conoce al doctor Rockefeller?

Puchi no tuvo tiempo para secarse el sudor de las manos en el pantalón. En segundos, su palma húmeda estrechó el pulso firme del banquero norteamericano:

–Rohm, Puchi Rohm. Nice to meet you –balbuceó, antes de que el invitado le diese la espalda y partiera junto al anfitrión rumbo a los costillares. El primer contacto con el magnate –el único en esa jornada– había dejado a Puchi con una extraña sensación de deber cumplido: el novel banquero argentino se fue del Yacht convencido de que, más temprano que tarde, su camino y el de Rockefeller volverían a cruzarse.[20]

Cruzando el charco

Aunque apenas llevaba un año viviendo en Montevideo, Rufino Basavilbaso de Alvear conocía los mejores rincones gastronómicos de la Ciudad Vieja como si hubiese nacido allí. Es que, si bien eran días atareados, el ritmo naturalmente relajado de la City uruguaya le permitía combinar los buenos almuerzos con sus tareas al frente de Italsud, una financiera oriental que integraba la voluminosa red de servicios ofrecidos por el Banco de Italia de Buenos Aires.

Con 33 años recién cumplidos, un apellido de prosapia y una sólida formación en bancos ingleses, Basavilbaso gozaba de buena reputación entre sus jefes porteños. Rufino, según lo llamaban todos, era considerado por sus clientes "un mago" capaz de ocultar grandes sumas de dinero sin que el fisco argentino siquiera lo sospechara. Una cualidad que, a mediados de 1979, cotizaba más alto que el dólar.

En esos días la fuga de divisas se había convertido en deporte nacional. En su trabajo "La fuga de capitales en la Argentina", los economistas Eduardo M. Basualdo y Matías Kulfas sostuvieron que, si bien la salida de capitales al exterior fue poco significativa

---

20 Durante la década de 1990, José Rohm integró el *advisory board* del Chase Mahattan Bank, la entidad madre del imperio Rockefeller. Entre los miembros del directorio también se encontraba Henry Kissinger, el ex secretario de Estado norteamericano que solía recorrer la Patagonia argentina escudado por el principal accionista del BGN. Kissinger y Rohm integraban, además, el comité directivo de la American Society, un *think tank* fundado por Rockefeller para influir sobre la política latinoamericana. Puchi compartía esa membresía con un puñado de argentinos, entre los que se hallaban la empresaria cementera Amalia Lacroze de Fortabat (Loma Negra), Octavio Caraballo (Bunge & Born), Arnaldo Musich (Techint) y el ex embajador argentino Eduardo Amadeo. Bajo la presidencia de William Rhodes (Citibank), la American Society fue uno de los principales respaldos intelectuales y políticos de la primera gestión de Domingo Cavallo en el Ministerio de Economía.

entre 1970 y 1977, la huida comenzó a acelerarse entre 1978 y 1986, con epicentro en los tres años finales de la dictadura. El estudio confirmó la estrecha relación entre la salida de capitales y el proceso de endeudamiento externo patrocinado por Martínez de Hoz: "La fuga de capitales es la contracara de la deuda externa, porque esta última operó como una masa de capital líquido que se valorizó en el mercado interno debido a las notables diferencias que registraban las tasas de interés internas [a las cuales colocaban los fondos las empresas] respecto de las vigentes en el mercado internacional [a las que se endeudan], lo cual generó una renta financiera que luego se remitía al exterior".[21]

Claro que, para remitir esa renta al extranjero, los especuladores de la Argentina necesitaban de una estructura que hiciera posible la fuga ágil y silenciosa de su dinero. En ese contexto, el próximo paso en la estrategia de crecimiento de los hermanos Rohm los llevaría de vuelta a su tierra natal: el Uruguay.

Basavilbaso había conocido a los principales accionistas del Banco General de Negocios por intermedio de su hermano Emilio, un ex compañero de estudios de Puchi que se había

---

21 El informe concluye que: "En este contexto, la evolución de la fuga de capitales también indica que el período de mayor expansión se registra en el momento en que se genera el endeudamiento externo para luego aminorar su significación a partir de la moratoria de la deuda externa mexicana (1982), momento en que los países latinoamericanos pierden el acceso al crédito internacional. La estimación propia permite observar la acentuada reactivación de la fuga de los capitales locales al exterior que se registra a partir del agotamiento del Plan Austral –entre 1987 y 1989 salen más de nueve mil millones de dólares– y especialmente durante la crisis hiperinflacionaria que se despliega a partir de las contradicciones existentes entre el capital concentrado interno y los acreedores externos.

En efecto, mientras que el promedio de la deuda externa y la fuga entre 1977 y 1983 arriban a 11.175 y 9.086 millones de dólares por año, en el último período considerado alcanzan a 13.534 y 11.975 millones de dólares anuales, respectivamente.

Esta primera etapa de endeudamiento externo es decisiva, porque señala el momento en que se interrumpe el modelo de industrialización sustitutiva y se configuran las características básicas que rigen actualmente el funcionamiento de la economía argentina".

incorporado al directorio durante la conformación del BGN.
Además de la pasión por los negocios, los hermanos Basavilbaso solían compartir otras actividades con los Rohm: los cuatro
disfrutaban de los atardeceres en el campo de la familia Alvear,
y solían departir varias horas sobre los secretos de la crianza de
caballos de polo.

Rufino no se sorprendió cuando Emilio le dijo que Puchi estaba
interesado en conversar con él. La propuesta, formalizada en una
almuerzo días después, era sencilla:

—Queremos que organices la apertura de nuestra financiera en el
Uruguay —explicó el mayor de los Rohm. Sin pensarlo demasiado,
Rufino se sumó al clan.

Hacia fines de 1979, el Estado uruguayo aprobó la fundación de
la Compañía General de Negocios Casa Bancaria Uruguay (CGN).
Tal como ocurría en el BGN, al frente de la compañía asumió Luis
de Corral, mientras que Charly firmó como director. Para Basavilbaso quedó el cargo formal de gerente general, aunque en los
hechos el emprendimiento quedaría en sus manos. Y sabía de sobra
qué debía hacer.

La fiebre de fuga de capitales que contagiaba a los especuladores porteños había reflotado una vieja ley uruguaya de sociedades anónimas financieras de inversión (SAFI). Promulgada en
1948 como Ley 11.073, establecía que las sociedades *offshore*
creadas en los estudios uruguayos sólo podían operar en el exterior, y que debían pagar, como único impuesto, el 3 por mil de su
patrimonio neto. Pero el Estado uruguayo rara vez controlaba
esos balances, por lo cual, en los hechos, las sociedades gozaban
de una suerte de inmunidad fiscal que, combinada al sacrosanto
respeto al secreto bancario, convirtieron a la plaza financiera
oriental en un paraíso de la elusión.

Mientras tanto, en Buenos Aires, la "tablita" ya no pudo mantenerse a flote. La gestión de Martínez de Hoz terminó de fra-
casar tras una resolución drástica: el 3 de febrero de 1981 el peso
fue devaluado el 10 por ciento.

Los ruidos políticos que acompañaron la salida de la primera junta militar determinaron que el 29 de marzo de 1981 asumiera un nuevo ministro de Economía, Lorenzo Sigaut, quien pasaría a la historia por una frase patéticamente falaz: "Esta vez, el que apuesta al dólar pierde".

Un mes después Sigaut asistió a una nueva devaluación del peso. La moneda local perdió más del 35 por ciento de su valor frente al dólar: se pagaban 8.800 pesos nuevos por unidad. El salario real cayó y se indexaron los créditos hipotecarios más del 11 por ciento. Al mismo tiempo, la desocupación llegó al 5 por ciento y afectó a un millón de trabajadores. El PBI cayó cerca del 6 por ciento.[22]

Una vez más, mientras el país se derrumbaba, en las oficinas del BGN se vivían días de fiesta. Si bien la apertura de una sucursal bancaria en Montevideo implicaba un paso importante, el mapa de expansión diagramado por Puchi iba mucho más allá de las costas rioplatenses. Tras la fundación del BGN, los hermanos obtuvieron una de sus preceas más codiciadas: la incorporación del Chemical Bank.

El antiguo paso de Puchi por las oficinas centrales del banco norteamericano facilitó las negociaciones, pero fue un definitivo golpe de suerte el que terminó de consolidar el trato.

---

22 La cronología de la debacle económica de la dictadura comenzó en 1982, cuando los Estados Unidos subieron las tasas de interés. Esto empeoró aún más la situación de las empresas argentinas que buscaban financiamiento externo. Además, con el aumento de tasas, los capitales golondrina que habían llegado a la Argentina por los altos rendimientos, regresaron a los Estados Unidos. Ese mismo año la guerra de Malvinas acentuó la crisis, y el PBI cayó el 5,7 por ciento. A pesar de que el nuevo ministro de Economía, Roberto Alemann, redujo el gasto público, el país sólo creció el 3,1 por ciento. Los dos últimos ministros de Economía de la dictadura fueron casi decorativos: José María Dagnino Pastore y Jorge Wehbe intentaron, sin lograrlo, ordenar las cuentas fiscales, a la espera de que el gobierno civil se hiciera cargo del desastre fiscal. En el balance, el proceso económico del gobierno de facto lesionó la distribución del ingreso y aumentó la concentración de la riqueza: entre 1976 y 1983, la brecha entre ricos y pobres creció el 50 por ciento.

Walter Shipley, su antiguo jefe en Manhattan, se había convertido en uno de los hombres fuertes de la entidad.

Con De Corral como presidente y José Rohm como director gerente, la cúpula del BGN terminó conformar un *dream team* de las finanzas nacionales e internacionales. A saber:

• Luis De Corral, presidente. Argentino, casado, domiciliado en Esmeralda 1180, Capital Federal, nacido el 30 de diciembre 1905, C.I. 172.536, comerciante y banquero.

• Alberto Eugenio Dodero, vicepresidente. Argentino por opción, casado, domiciliado en Av. Del Libertador 2234, Capital Federal, nacido el 20 de enero de 1920, C.I. 1.786.856, comerciante y banquero.

• Carlos Alberto Rohm, director gerente. Uruguayo, casado, domiciliado en Mansilla 1663, Boulogne, nacido el 21 de diciembre de 1946, C.I. 5.552.922, banquero.

• José Enrique Rohm, director gerente. Uruguayo, casado, domiciliado en Av. Alvear 1800, Capital Federal, nacido el 17 agosto de 1945, C.I. 3.249.727, banquero.

• Armando Mauricio Braun, director titular. Argentino, casado, domiciliado en Av. Alvear 1552, Capital Federal, nacido el 6 de enero de 1933, C.I 2.382.720, abogado y empresario. Presidente de la Cámara Argentina de Comercio.

• Carlos Alberto Juni, director titular. Argentino, casado, domiciliado en Guido 1530, Capital Federal, nacido el 25 de junio de 1908, C.I. 706.373, abogado.

• Luciano Laguardia, director titular. Italiano, casado, banquero, nacido el 22 de enero de 1932 en Gorizia, Italia, domiciliado en Vía Baccari 6, Roma, pasaporte N° B/504907. Representante de la Banca Nazionale del Lavoro.

• Albrecht C. Raedecke, director titular. Alemán, casado, banquero, nacido el 9 de febrero de 1932, domiciliado en Lindenstrasse 9, Hamburgo. Representante del Deutsche Sudamerikanische Bank.

• Carlos Schenzle, director titular. Argentino, casado, abogado, domiciliado en Eduardo Madero 2850, Martínez, C.I. 679.720. Representante del Deutsche Sudamerikanische Bank.

• Héctor Edmundo Puppo, director titular. Argentino, soltero, domiciliado en Goya 740, Capital Federal, C.I 2.627.523. Antiguo amigo de la familia Rohm.

• Robert J. Callander, director titular. Norteamericano, casado, banquero, domiciliado en Still Hollow Road, Lebanon, New Jersey. Representante del Chemical Bank.

• Terence C. Canavan, director suplente. Norteamericano, casado, banquero, domiciliado en 26 Tanglewood Lane, New Jersey. Pasaporte J 2999938. Representante del Chemical Bank.

• Julio Domingo Barroero, director suplente. Argentino, casado, contador, domiciliado en Rubens 405, Barrio Güemes, Haedo, C.I. 6.293.425. Amigo de los Rohm.

• Emilio Basavilbaso de Alvear, director suplente. Argentino, casado, empleado, domiciliado en Av. Del Libertador 1174, Capital Federal, C.I. 5.229.717. Amigo de los Rohm.

• Alfredo Orelli, director suplente. Suizo, casado, banquero, domiciliado en 8 IM Ahorn 8125 Zollikerberg, Zurich, C.I. 1.689.664. Representante del Crédit Suisse.

• Fernando Adolfo Polledo Olivera, director suplente. Argentino, casado, empleado, domiciliado en Pueyrredón 2395, Capital Federal, C.I. 5.033.979. Terrateniente.

• Jorg Dreher, director suplente. Alemán, casado, banquero, domiciliado en Chiclana 274, Beccar, C.I. 8.007.614.

• Juan Enrique Riveros Izquierdo, director suplente. Chileno, casado, domiciliado en Maestro Suárez Sánchez 545, San Isidro, D.N.I. 92.316.017.

• Julio César Tielens, director suplente. Argentino, casado, C.I. 6.045.396, domiciliado en Fray Justo Sarmiento 2057, Olivos. Contador y criador de caballos de polo.

• Arturo Eugenio Lauro Lisdero, titular comisión fiscalizadora. Argentino, casado, domiciliado en Barrientos 1534, Capital Federal, C.I. 3.784.492. Contador.

En el directorio alternaban, además, ex funcionarios y embajadores como Hernando Campos Menéndez (Suegro de Charly), César Ignacio Urien y José María Álvarez de Toledo (ex embajador argentino ante Brasil). Aunque en algunos casos la inclusión en el directorio de estos nombres sólo ofrecía una contraprestación estética –no cumplían roles ejecutivos–, los hermanos supieron aprovechar esa suma de apellidos con llegada directa a los círculos políticos y económicos del país. A menudo, las relaciones de estos directores no sólo les permitía anticipar (y esquivar) los cimbronazos de la economía con precisión de relojería, sino que además acercaba clientes de peso a la entidad. Sin embargo, fue la casualidad la que quiso que en esos primeros días de la década del ochenta una mudanza acercara un cliente vip a las puertas BGN. Aunque por entonces los Rohm no lo sabían, esa mudanza contribuiría a cambiar su historia.

Pepe
Refinado y elegante, el hombre ofreció su mano y una sonrisa franca:

–Un gusto conocerlo, me han hablado mucho de usted. Mi nombre es José Estenssoro, pero todos me conocen como Pepe.

–A mí también me hablaron de usted –devolvió Puchi, cerrando la gentileza sin faltar a la verdad.

De hecho, desde que Pepe había llegado al edificio de Esmeralda los vecinos casi no hablaban de otra cosa. Decían que era un banquero que trabajaba para el gobierno, un magnate petrolero boliviano que venía a trabajar a YPF, un socio de Martínez de Hoz. Esos rumores circulaban por los pasillos del edificio con el sigilo de los chismes, y todos, aunque incompletos, reflejaban parte de la realidad.

Adicto a los trajes sobrios y las corbatas bien combinadas, Estenssoro había nacido en Bolivia pero creció (en la vida y en los negocios) en la Argentina. Aunque tenía facilidad con las finanzas, lo suyo era el petróleo. Ex gerente de ventas de Esso, su primer contacto por la función pública había sido durante la presidencia de Isabel Perón como asesor de Ricardo Zinn, a quien había conocido durante las tertulias de la fundación Jaques Pierraux. Hasta ese momento, su currículum incluía la dirección de Litho Formas Sacif, una firma dedicada a las artes gráficas, y su paso por la Hughes Tool Company, dedicada a la fabricación y comercialización de herramientas e implementos para la industria petrolera. Trabajando para esa compañía, Estenssoro inició su larga y fructífera relación con la empresa que, finalmente, llevaría su nombre a la primera plana de los diarios: YPF.[23]

Siempre ávido por ampliar su agenda de contactos, Puchi interpretó la mudanza de Estenssoro como una señal de la providencia. Si el primer encuentro había dejado una estela de simpatía recíproca, el segundo terminaría de afianzar la relación:

–Mirá, estoy creando una compañía con buenas perspectivas y necesito un banco de confianza para moverme –propuso Estenssoro.

Por prudencia de tahúr Rohm apenas esbozó una sonrisa, pero dispuso celeridad para complacer los deseos del nuevo vecino. Aunque el banquero ya ocupaba un espacio propio en el segundo anillo de la elite financiera argentina, la inclusión del petrolero en su lista de clientes reforzaba la reputación del BGN como captador de clientes vip, un status que, lejos de debilitarse, se reforzaría tras la caída de la dictadura.

Mientras la guerra de Malvinas, las marchas sindicales y las internas cruzadas entre las tres fuerzas armadas hacían trizas al gobierno militar, los hermanos Rohm se divertían en el cine. A los

---

23 Según una denuncia presentada a principios de la década de 1990 por el sindicato de trabajadores petroleros –el SUPE–, Estenssoro consiguió para Hughes la provisión monopólica de trépanos a la petrolera estatal. La denuncia indicaba que el 95 por ciento de la producción de Hughes era adquirida por YPF, que se habría endeudado en 800 millones de dólares para pagar precios 250 por ciento mayores que los internacionales. El SUPE sostuvo, además, que Estenssoro habría iniciado juicios contra las empresas Trépanos S.A. de Mendoza y la norteamericana Kove Reed, que aspiraban a disputarle el negocio. Cuando la matriz de Hughes vendió su filial argentina a Kove Reed, Estenssoro comprendió que sus días en la compañía habían terminado. Era tiempo de independizarse, y su primer gesto en esa dirección fue crear su propia petrolera: EPP S.A., un supuesto anagrama (Estenssoro PePe) destinado a grabar su nombre en el mundo de los grandes negocios.

dueños del BGN les causaban gracia las peripecias del ejecutivo financiero interpretado por Federico Luppi en *Plata dulce*, la película de Fernando Ayala que por primera vez expuso en público las consecuencias del programa económico implementado por Martínez de Hoz.

–No será como las que hacen en Hollywood, pero la verdad es que está bastante bien –solía comentar Puchi en las reuniones con sus gerentes, a quienes fustigaba con una pregunta:

–¿Quién será nuestro Luppi?

Aunque dicho en clave de humor, los gerentes se sentían incómodos con el chiste: en la película, el ejecutivo de la financiera terminaba preso luego de que los dueños de la compañía se fugaran con los depósitos, dejando un tendal de ahorristas y acreedores en bancarrota. Una práctica que, en esos días cargados de 1982, ocurría más a menudo de lo que sugería la ficción.

La crisis política y financiera del ocaso de la dictadura incentivó el vaciamiento de entidades financieras y creó una multitud de negociados que terminaron horadando las arcas del Banco Central. Mientras la situación económica tendía a la catástrofe, el ministro de Economía, José M. Dagnino Pastore, declaró al país en "estado de emergencia" al tiempo que la inflación trepaba al 209 por ciento y el salario real perdía, sólo en el primer semestre, el 34 por ciento de su valor.

Presentado como un antídoto contra la crisis, un joven economista egresado de Harvard que cumplía funciones al frente del Central presentó un programa destinado a amortiguar el impacto de la inflación en las finanzas de las empresas que habían tomado fondos en el extranjero durante el apogeo de la "tablita". El plan, implementado por resolución A137 del 5 de julio de 1982, reformulaba el sistema de seguros de cambio impuesto en 1981, concediendo gracias y subsidios a las firmas endeudadas y, más tarde, transfiriendo buena parte de sus deudas al Estado. Auspiciado por empresarios y entidades financieras, el proyecto marcaba el ingreso a la historia argentina de su creador: Domingo Felipe Cavallo.

Los seguros de cambio eran compromisos a término contraídos por el Banco Central con el sector privado para cubrir préstamos financieros en moneda extranjera. Mediante este mecanismo, el BCRA aseguraba la venta de divisas para cancelar préstamos a un tipo de cambio predeterminado a un valor fijo, o como resultado de una fórmula de actualización. La empresa que contrataba un seguro de cambio debía abonar una prima. Según la norma, el nivel de subsidios otorgados a los beneficiarios de seguros dependía de la diferencia a su favor entre la evolución del tipo de cambio y las primas del seguro.

A su turno, tanto Siagut como Dagnino Pastore reformaron ese mecanismo en función de dos objetivos: mejorar el perfil de la deuda externa –la acumulación de vencimientos en el corto plazo permitía que los deudores refinanciaran sus deudas en períodos más prolongados–; y atenuar los perjuicios de las devaluaciones sobre las empresas, ya que el seguro les aseguraba un tipo de cambio más ventajoso. Pero los beneficios no se tradujeron en mayor producción o en nuevas fuentes de trabajo. Como resulta habitual en la Argentina, las ventajas de unos pocos terminaron cargando más deuda sobre las castigadas espaldas de los argentinos.

La historia de los seguros de cambio comenzó con la resolución A31 del 5 de junio de 1981 dictada luego de la segunda devaluación del 30 por ciento dispuesta por Lorenzo Sigaut. Según esa norma, el requisito básico para obtener un tipo de cambio asegurado consistía en extender el vencimiento de una deuda a un plazo no menor a 540 días. Más adelante, el régimen implementado por la resolución A137 durante la gestión de Cavallo dilató los plazos, permitiendo prolongar la deuda de uno a cinco años, e incorporó a ese beneficio a las empresas que contrajeron deudas aseguradas por regímenes anteriores como el dispuesto por la A31.

Pero la combinación que eternizaría a Cavallo recién se completaría el 17 de noviembre de 1982: ese día se publicó la comunicación A251, a través de la cual se permitía transformar en deuda pública la deuda privada asegurada mediante la entrega al acreedor

de un *promisory note* –pagaré– o un BONOD –bono del gobierno
nacional–. En resumen: a medida que iban venciendo los seguros
de cambio concertados por la A31 de Sigaut, las empresas deposi-
taban los pesos al tipo de cambio asegurado, mientras la responsabilidad del pago en dólares a los acreedores externos pasaba al
Estado. Como tantas otras veces, el mecanismo aliviaba los balances de los deudores privados argentinos a costa de los generosos
fondos del Estado Nacional.[24]

La estatización de la deuda y las distorsiones derivadas del seguro de cambio promovieron que, en el tramo final de la dictadura, la
City se transformara en un paraíso del fraude. Distintos informes
realizados durante la presidencia de Raúl Alfonsín dieron cuenta
de la magnitud de esas operaciones. Uno de ellos, elaborado a fines
de 1989 por los economistas Eduardo Halliburton, José Mauro
Bianco y Carlos Villalba para la revista *Realidad Económica* sobre
la base de investigaciones del Banco Central, resumió con ejemplos
concretos la trama fraudulenta de las operaciones propiciadas por
la Ley Cavallo. Y expuso la débil vocación política de la gestión
alfonsinista para determinar responsabilidades.

La resolución 340 dictada por el gobierno de Alfonsín indicaba que la deuda privada a investigar por los inspectores del BCRA
alcanzaba a 17.000 millones de dólares, atribuidos a 8.562 deudores,
quienes a su vez fueron divididos en tres segmentos:

• El grupo de las 19 empresas más endeudadas del país. La primera de ellas, con un pasivo de 1.000 millones de dólares, y las 18
restantes con deudas no inferiores a los 96 millones. El conjunto
de este grupo "privilegiado" sumaba el 37 por ciento de la deuda
total del sector privado argentino.

---

24 En el BCRA recuerdan que nadie conoció las 55 resoluciones de Cavallo hasta que
se publicaron en el *Boletín Oficial*. Los mejor intencionados atribuyen esa reserva a su
proverbial desconfianza: trabajaba casi todo el día encerrado en su despacho, y apenas salía por razones –o reuniones– de fuerza mayor. Otros colegas de esa época, en cambio,
deslizan una teoría alternativa: el celo de Cavallo no era atribuible a su desconfianza, sino a que debía estudiar los proyectos de resolución, que venían redactados en hojas con
el membrete de la consultora Pistrelli, Díaz y asociados. Allí trabajaba un hombre que
sería clave en su futuro: Horacio Liendo.

• El grupo de las 495 empresas, cuyo pasivo externo oscilaba entre 4 y 96 millones de dólares, representaba el 43 por ciento de la deuda a investigar.

• El grupo de las 8.048 restantes, con deudas de entre 15.000 dólares y 4 millones, conformaba el 20 por ciento del total de la deuda privada.

A su vez, el tipo de endeudamiento subdividió el trabajo en tres grupos:

a) Deuda comercial: originada como consecuencia de importaciones.

b) Deuda financiera: producto de préstamos obtenidos en el exterior.

c) Otras deudas: abarcaba todas las demás obligaciones contraídas en el exterior, como servicios, pago de regalías y asistencia técnica.

El objetivo último del trabajo era separar la deuda legal de la fraudulenta. Los inspectores del BCRA iniciaron su tarea incentivados por una mezcla de curiosidad histórica y espíritu patriótico. Pero a poco de empezar, la investigación chocó con la permeabilidad al *lobby* de los legisladores argentinos. Como prueba de esta porosidad legislativa bastaba un ejemplo: durante el debate sobre la deuda externa en el Congreso, la oposición propuso la formación de una comisión bicameral que colaborase con las investigaciones. Pero el radicalismo se opuso, aduciendo que el propio BCRA estaba llevando a cabo esa tarea "a través de un cuerpo de técnicos especializados". El argumento, cierto en su aspecto formal –efectivamente se estaba investigando–, ocultaba buena parte de la realidad: durante su tarea, los inspectores del Central no obtuvieron más infraestructura ni apoyo que el que consiguieron con su propio esfuerzo, y el aporte de las dependencias orgánicas del BCRA fue menos que escaso.

Así las cosas, la pretendida investigación ordenada por la resolución 340 no fue demasiado exhaustiva. Si lo que pretendía era aclarar hasta el origen y las consecuencias de cada centavo de la deuda, la investigación del organismo rector se limitó a inspeccionar menos del 50 por ciento de la deuda financiera, apenas pesquisó un porcentaje menor del rubro "Otras deudas", y obvió por completo la llamada Deuda comercial. Respecto de las empresas deudoras sólo se investigó a la totalidad del primer grupo, 175 del segundo y aproximadamente 300 del tercero. En síntesis: sobre un total de 43.006 millones de dólares sólo se relevaron efectivamente 5.080 millones, apenas el 11,8 por ciento del total de los compromisos externos del país.

De todos modos, el trabajo alcanzó a detectar algunas maniobras realizadas bajo el amparo del seguro de cambio. El informe de los inspectores puntualizó el caso del Citibank de Buenos Aires, entidad que ofrecía a sus clientes una línea de crédito del Citibank de Nueva York a través de la cual podían cancelar préstamos locales y obtener un seguro de cambio por fondos provenientes del exterior.

Los pesquisas detallaron el caso de la Selva Oil Inc., una supuesta sociedad que a principios de los años ochenta había establecido domicilio en Hipólito Yrigoyen al 800, en una modestísima oficina que no coincidía con la imagen de una gran empresa petrolera. Hasta allí se trasladaron una mañana los inspectores del BCRA para investigar el endeudamiento contraído por la firma. Como era habitual, los preliminares no ofrecieron mayores inconvenientes. Rápidamente se pudo establecer el perfil de la deuda que, en total y al 31 de octubre de 1983, alcanzaba los 54.776.519 de dólares. La deuda era de tipo financiero, y contaba con seguro de cambio. Hasta allí, todo normal. El problema era que la deuda ni siquiera había sido contraída en el país.

La Selva Oil inc. de Argentina fue creada luego de que su casa matriz, Selva Oil California, comprara la firma norteamericana Plus Petrol S.A., junto a los derechos y obligaciones correspondientes a dos contratos firmados por Plus Petrol con YPF. Así, Selva Oil California pasó a controlar el 25 por ciento de dichos contratos, comprometiéndose además a realizar aportes de capital.

Para eso la Selva Oil California obtuvo préstamos del Citibank de Los Ángeles por casi 55 millones de dólares, que fueron declarados como deuda por la filial argentina. En otras palabras:

una firma norteamericana, a raíz de una obligación contraída con otra firma de ese país, obtuvo un préstamo de un banco con sede también en los Estados Unidos. Pero por obra y gracia de Domingo Cavallo, ese préstamo pasó a formar parte de la deuda externa argentina cuando la filial –creada sólo para recibir el dinero en la Argentina– denunció esa deuda como propia ante las autoridades del BCRA.

Para los inspectores era obvio que esos casi 55 millones de dólares conformaban el único aporte de capital de la naciente Selva Oil Argentina. Sin embargo, de los contratos suscriptos entre Selva Oil California y el Citibank de Los Ángeles no surgió ninguna evidencia que determinara la relación deudor-acreedor entre la filial argentina y ese banco. Tal constancia era indispensable para que la deuda fuera considerada argentina, pero la generosidad del Estado pasó por alto el detalle. Al contrario, el BCRA concedió a Selva Oil seguros de cambio por más de 45 millones de dólares, gracias a los cuales la firma obtuvo un subsidio del Estado sobre un alto porcentaje de una deuda inexistente.

El caso Selva Oil Argentina era un típico ejemplo de aporte de capital disfrazado que se declaró como deuda externa. Y así quedó. Por años, Selva Oil Inc. Argentina continuó siendo una firma casi inexistente, poco más que una oficina céntrica, que gracias a la complicidad de los funcionarios transfirió su pasivo de 55 millones de dólares al agujero negro de la deuda externa argentina.

La pesquisa sobre Selva Oil Inc. expuso un buen ejemplo de la facilidad con la que el Estado había contraído deuda privada de origen dudoso a través de prestamos financieros enmascarados como aportes de capital. Claro que ésa no era la única estafa disponible en el mercado. Los investigadores detectaron al menos otras tres variantes.

Una de ellas consistió en los proyectos incumplidos de inversión. El informe citaba el caso de Cementos NOA, una firma que contrajo deudas en el exterior para financiar la importación de maquinarias y tecnología. La pesquisa determinó que esos préstamos nunca ingresaron al país, sino que por sugerencia del acreedor fueron transferidos a otra empresa del exterior, que sería la encargada de fabricar maquinaria, equipos y tecnología para la posterior instalación de la planta en la Argentina. Pero la importación apenas alcanzó el 20 por ciento de lo previsto, y el proyecto industrial nunca se materializó. En cambio la deuda, girada a los accionistas extranjeros de la firma, fue asumida por el Estado argentino con su respectiva suma de intereses.

Otro mecanismo detectado por los pesquisas fue la subfacturación para abultar deuda. Difundida a través del caso de la gasífera Cogasco, la maniobra consistía en facturar como pagos por importaciones y compras los fondos de un préstamo depositado en su casa matriz radicada en el exterior. Aunque a diferencia de Cogasco el caso no tuvo difusión, los investigadores del Central detectaron operaciones similares efectuadas por el gigante informático IBM. Para comprender el alcance de esta maniobra es necesario detenerse en la organización jurídica y financiera de la compañía.

Conformada por una red de empresas con la forma jurídica de una Corporación en los Estados Unidos, y de sociedades anónimas en el resto del mundo, la IBM Corp. poseía el cien por cien de las acciones de sus empresas diseminadas por el mundo, salvo las de IBM Corporation, que cotizaban en la bolsa de Nueva York. En los años ochenta, IBM Argentina era una sociedad anónima propiedad de IBM World Trade Corporation en un 99 por ciento, y de IBM Asia Pacífic con el uno por ciento restante.

La industria informática de grandes equipamientos (*mainframes*) requiere inversiones en investigación y desarrollo que deben ser amortizadas en series cortas –pues se vuelven obsoletas rápidamente–, y deben reemplazarse por nuevos desarrollos. Por esas características particulares, IBM eligió desde sus orígenes una estrategia de fabricación basada en un esquema rígido:

• A cada tipo de equipamiento –CPU, impresoras, cintas, discos– se le asignaban dos o tres plantas de fabricación.

• Una de esas fábricas estaba ubicada en los Estados Unidos y su producción se dedicaba a abastecer las necesidades del mercado local. Las otras se establecían en los países más desarrollados de cada continente –Italia, Japón, Alemania, Francia, España, Suecia y Brasil–.

• Esas fábricas se especializaban en un tipo específico de productos –chips, PC's, cintas magnéticas– y concentraban la demanda del resto de las IBM del mundo de acuerdo con una decisión de la casa matriz que nunca se consultaba o se delegaba a las filiales.

• Los precios de transferencia entre diferentes IBM eran fijados por IBM Corporation, y no podían ser cuestionados ni por la IBM que compraba ni por la que vendía el producto.

De manera que IBM Argentina recibía órdenes de dónde abastecerse de cada producto, aunque los precios de otra fábrica resultaran menores.

La legislación argentina autorizaba a IBM a girar en concepto de *royalties* (derechos) menos de un 6 por ciento de su facturación. La cifra distaba de las pretensiones de IBM, quien ambicionaba remitir a su casa matriz un 10 por ciento de su facturación local. Para compensar la disposición oficial, IBM Corporation estableció que todas las importaciones de IBM Argentina tuvieran un sobreprecio del 37 por ciento. Debido a la organización de la empresa, cada vez que IBM Argentina cerraba un contrato con un cliente local debía comprar los equipos a las fábricas que la abastecían, y si bien esos proveedores pertenecían a IBM Corporation, las órdenes de compra se manejaban como importaciones entre empresas no relacionadas. Por lo tanto, las importaciones se pagaban diferidas –de acuerdo con lo determinado por la legislación vigente– y las transacciones y deudas por importaciones se registraban en el Banco Central.

La nacionalización de la deuda privada impuesta por Cavallo incluyó las deudas de IBM Argentina valuadas en unos 20 millones de dólares. Pero en realidad, esa supuesta deuda se constituyó mediante transacciones internas de la misma empresa. Aprovechando los mecanismos propios de la ley, IBM Corp. se libró de las obligaciones externas de IBM Argentina con la propia IBM y las convirtió en deuda local con el Banco Central a un tipo de cambio subsidiado.

Y como los pagos al Central eran diferidos, la ganancia era mayor cuanto más se devaluaba la moneda. En resumen: IBM Argentina pagaba al Banco Central pesos a un tipo de cambio ficticio (Swaps), e IBM Corporation recibía dólares estadounidenses generados con endeudamiento externo argentino.

Según consta en la Causa Olmos, hacia 1985 la deuda nacionalizada de IBM sumaba alrededor de 109 millones de dólares. Desde su desembarco en la Argentina, las operaciones financieras de la *Big Blue* –mote recibido por los colores de su logo– estuvieron en manos de otro gigante: el BankBoston. Hacia mediados de 1987, una inspección del BCRA detectó irregularidades en la prefinanciación de exportaciones que el Boston otorgaba a IBM. Según observaron los veedores, IBM pedía una prefinanciación, exportaba, y se tomaba los 120 días permitidos para liquidar los fondos. Mientras tanto colocaba la línea otorgada por el Central en el fondo de inversión 1784 del BankBoston, y con el permiso de embarque pedía otra línea de financiación. De este modo, el Boston cobraba una comisión por el otorgamiento de la prefinanciación, y hacía "jugar" el dinero en su fondo bursátil. Los inspectores rastrearon las operaciones de un año, y estimaron su costo fiscal en unos 8 millones de dólares.

Sin embargo el caso nunca llegó a manchar la foja del Boston en el Central. Enterado del asunto, el banco primero habría intentado "convencer" a la inspectora a cargo de la pesquisa, una joven entusiasta llamada Alicia López, para que abandonara la investigación. Ante su negativa, la entidad habría recurrido luego a contactos más elevados. Antes de que concluyera la inspección, un alto directivo del Boston se acercó a López para aclararle la situación:

–¿Así que vos sos la que está jodiendo con el asunto de IBM? Quedate tranquila, que eso va a morir en los archivos de comercio exterior del Central.

Años después, la inspectora corroboraría que el ejecutivo había predicho el futuro.

Negocios de ida y vuelta

El nombre del último mecanismo de fraude detectado por los investigadores del Central haría historia. Lo llamaron Autopréstamos, en una traducción menos simpática a la de su denominación de origen: *Back to Back*.

La investigación parcial de los inspectores permitió detectar numerosos casos de empresas que, ya fuera para la obtención de un crédito externo, como para la renovación parcial de uno ya otorgado, realizaban depósitos a plazo fijo en el banco acreedor por un monto igual o superior al préstamo. Esos plazos fijos eran efectuados con fondos propios que la empresa poseía en el exterior, o bien con la transformación de Bonex en dólares. El mecanismo permitía recuperar divisas propias no declaradas en forma de préstamos, evitando las pesquisas sobre el origen de los fondos y eludiendo su costo fiscal.

La nómina de empresas en las cuales los inspectores detectaron alguna forma de autopréstamos era tan abundante como significativa: Renault Argentina S.A., Sideco Americana S.A., Socma S.A., Cargill S.A., Celulosa Jujuy S.A., Ford Motor Argentina S.A., Sudamtex S.A. y Textil Sudamericana encabezan la lista. Pero como *leading case* escogido por los investigadores, brillaba Suchard Argentina S.A, la primera operación del Banco General de Negocios que terminó en los tribunales.

En abril de 1980, la chocolatera de origen suizo Suchard Argentina S.A. sufrió un incendio que le permitió cobrar indemnizaciones por seguros según el siguiente detalle:

• Boston Cía. de Seguros: cheque librado por el Inder contra el Banco Crédit Suisse Nº 4835 por 2.031.706 francos suizos.

• Boston Cía. de Seguros: cheque librado contra The First National Bank of Boston Nº 201.666 por 450.435 francos suizos.

• Cías. de Seguros del Grupo Cabildo: cheque librado contra Banco de Londres y América del Sud Nº 620.684 por 1.737.500 francos suizos.

• Cía. Iguazú de Seguros: cheque librado contra el Banco Shaw Nº 25.347 por 744.647 francos suizos.

Los inspectores del BCRA detectaron que la totalidad de la suma mencionada –4.964.284 de francos suizos– había sido remitida en diciembre de 1980 al Crédit Suisse, sucursal Londres. Siguiendo esta pista, los investigadores descubrieron que a los pocos días de cobrar el seguro la empresa había acordado con el Banco Internacional un contrato fiduciario por el total de lo transferido. El monto fue remitido a Londres el 30 de diciembre de 1980. En la carta de transferencia, la firma informaba a las autoridades del banco en Londres que sus representantes en Buenos Aires ya habían notificado a Suchard Argentina S.A. la recepción de la cobertura, y detallaban las características de un préstamo que esperaban recibir de la entidad helvética.

El 5 de febrero de 1981, Suchard recibió del Crédit Suisse la primera parte del crédito por un millón de francos suizos a través del Banco Shaw, mientras que el 17 de febrero, y a través del mismo banco, recibió la segunda parte por 2 millones de francos suizos.

El 20 de febrero de 1981 Suchard presentó una nota ante la representación local de Crédit Suisse solicitando la transferencia del remanente –1.964.284 de francos suizos–, completando una cifra idéntica a los 4.964.284 enviados por la empresa. La nota terminaba diciendo que "la misma será liquidada directamente por nosotros y no ingresada como préstamo".

De esa forma quedaba constituido el autopréstamo, que se consolidó más tarde en una sola cuenta convertida a su equivalente en dólares.

Concluida la operación financiera, la empresa tomó seguros de cambio mediante el contrato 31/744, transfiriendo parte de su "deuda" al Estado. Al mismo tiempo, el depósito en garantía –*time deposit*– generó intereses a favor de Suchard Argentina, que fueron girados a su casa matriz, Interfood S.A.

La Gerencia de Inspecciones del BCRA solicitó que se diera de baja la deuda al considerar que existían "indicios graves, precisos y concordantes de la inexistencia del acreedor del exterior, al haberse configurado en Suchard Arg. S.A. la condición de deudor y acreedor al mismo tiempo". La baja implicaba que la empresa debía devolver al Estado el subsidio recibido a través del seguro de cambio. Pero como era habitual, las autoridades del Central no ejecutaron las recomendaciones.

Sin embargo, y ante la evidencias, los investigadores decidieron seguir escudriñando en los libros del Crédit Suisse.

A poco de empezar, los inspectores del Central acordaron en la necesidad de investigar a la filial de la entidad por considerar que existían "indicios claros de la existencia de autopréstamos con características similares al detectado en la empresa Suchard Argentina S.A". El hallazgo de una serie de formularios impresos por el banco que permitían la constitución de depósitos en garantía en el exterior ratificó sus presunciones: todo parecía indicar que los autopréstamos podían significar una práctica habitual de la entidad. En pocos días, los investigadores constataron que la mayoría de los casos analizados contaban con avales constituidos en el país o en el exterior. Las garantías radicadas en el país eran administradas por el Banco General de Negocios S.A., cuyo directorio estaba integrado por un representante de la casa matriz del Crédit Suisse.

Claro que la recolección de documentos comprometedores no fue sencilla: si bien encontraron télex y cartas cruzadas entre el Crédit Suisse y sus clientes que acreditaban la conformación de depósitos a plazo fijo como garantía de préstamos, el banco se negó a dar información cuando los pesquisas solicitaron una nómina con las operaciones de ese tipo realizadas por el banco. Para desconsuelo de los investigadores, el Central también archivó sus pedidos de sanciones por falta de colaboración de la entidad helvética, pese a que, por esos días, el banquero Haus R. Steiman, representante del Crédit Suisse en la Argentina, ya era requerido por la justicia argentina acusado de cometer maniobras dolosas con el manejo de Bonex.[25]

---

25 En sede judicial, la ex inspectora del Central Alicia Carmen Galófaro manifestó que:
• Con motivo de la verificación llevada a cabo en la empresa Suchard Argentina S.A., por el inspector CP Julio Ghigliazza en la cual se constató una operación de autopréstamo, nos constituimos junto con dicho profesional en la representación en Argentina del

Aunque las argucias del banco apañadas por las autoridades del Central impidieron concluir las investigaciones, los inspectores alcanzaron a elevar una lista con las empresas que, a su entender, habían realizado "operaciones sospechosas" en el Crédit Suisse:

• Santa María S.A., empresa del grupo Techint: depósito en garantía efectuado por Agustín Rocca y Cía S.A.

• Ladrillos Olavarría S.A., del grupo Techint: depósito en garantía efectuado por Agustín Rocca y Cía S.A.

• Helvetia Arg. S.A, Compañía de Seguros: depósito fiduciario en Zurich.

• Boris Garfunkel e Hijos S.A. (BGH): depósito fiduciario en el exterior.

• Sigis S.A. (Telefunken): depósito fiduciario en el exterior.

• Guillermo Decker S.A.: depósito fiduciario en el exterior.

• Perkins Argentina S.A.: depósito en Bonex en el exterior.

• Impresit Sideco S.A. (Grupo Macri): depósito en Bonex en el exterior.

• Radio Victoria S.A. (Hitachi): depósito fiduciario en el exterior.

• FATE S.A.: constitución de empresa FATE Overseas en Panamá.

• SOCMA S.A. (Grupo Macri): constitución de la empresa Omexil S.A. en Panamá.

• Industria Metalúrgica Pescarmona: constitución de Siena Associates Corporation Panamá.

Crédit Suisse. Debido a que los fondos girados al exterior que constituyeron la garantía señalada fueron depositados en el Crédit Suisse de Londres, se decidió concurrir a dicha representación, en la cual se obtuvieron importantes conclusiones, ratificatorias de cómo funcionó el proceso de endeudamiento de empresas locales. Al compulsar los folletos, impresos, formularios, utilizados por la representación en sus gestiones comerciales se observó:

• Instrucciones brindadas a sus clientes sobre la realización de operaciones "back to back", es decir préstamos calzados con un crédito por el mismo importe,

• instrucciones previstas en el manual de operaciones sobre préstamos con depósitos fiduciarios en garantía.

Se procedió a analizar legajos de operaciones correspondientes a préstamos financieros otorgados a empresas locales, las cuales en su mayoría contaban con algún tipo de garantías ya sean bienes, títulos, avales de terceros, depósitos a plazo fijo, cauciones. Dichas garantías eran constituidas en el país siendo administradas en su mayoría por el Banco General de Negocios S.A.

En la mayoría de los casos, las maniobras observadas por el Central involucraban al BGN de los hermanos Rohm. Por aquellos días, los inspectores no sabían que, una década después, el banco que habían investigado volvería a ser noticia por nuevas operaciones de *back to back*.

Borrón y cuentas viejas

El 1 de julio de 1985, el gobierno de Raúl Alfonsín cerró el trámite de estatización de la deuda privada mediante una serie de normas del Banco Central –comunicaciones A695, A696 y A697–, que dispusieron el reemplazo de la deuda estatizada por obligaciones del Banco Central. De este modo, el Estado concluyó el ciclo iniciado por Domingo Cavallo y continuado por sus sucesores en democracia, Enrique García Vázquez, Alfredo Concepción y José Luis Machinea. Hasta ese momento, la deuda privada sumaba 23.000 millones de dólares, y del listado que agrupaba a los primeros setenta deudores, 26 pertenecían a entidades que operaban en el sistema financiero argentino.[26]

Uno de los testigos de la Causa Olmos –Leopoldo Portnoy, vicepresidente el Banco Central en los dos primeros años de gestión alfonsinista– graficó la política oficial con un ejemplo: "Cuando comenzaron las investigaciones se consideraba a la firma Cogasco[27] como un importante acreedor de la deuda externa argentina. Pero no resultó así, ya que lo único que se le adeudaba de parte de Gas del Estado –y por ende de la Nación– eran los importes correspondientes a los peajes. Eliminada como acreedora externa, la investigación del Central constató que dicha firma encabezaba la lista de deudores externos del sector privado por casi 1.000 millones de dólares".

Según los funcionarios del Central, las irregularidades detectadas en la conformación de la deuda de Cogasco hubiesen merecido una

---

26 Véase anexo documental causa Olmos.

27 Empresa constituida para realizar la construcción del gasoducto Centro-Oeste entre Mendoza y Neuquén, y subsidiaria de la holandesa Nacap.

multa superior a 335 millones de dólares –con un máximo de 3.250 millones–, y solicitaron, incluso, sanciones penales contra la firma.

Sin embargo, desde la llegada de Machinea al Central, el gobierno de Alfonsín comenzó a ejercitar su gusto por las amnistías: el economista negoció con Cogasco su retiro de la lista de deudores a cambio de que liberara a la Argentina de los cargos en concepto de peajes. Pese a que el monto adeudado por el Estado era inferior al monto de la multa, el gobierno "agradeció" el "gesto" de Cogasco asumiendo otras deudas originadas por la firma valuadas en 955 millones de dólares. De ese modo, el BCRA consolidó la deuda privada de Cogasco como deuda pública.

Según reconoció Portnoy, también fueron beneficiadas con la "tolerancia" de las autoridades del Banco Central otras empresas investigadas por la resolución 340, entre las que se encontraban algunos gigantes como Renault Argentina, Cargill, Petrolera Pérez Companc, Isin –vinculada al Grupo Macri– y Fiat.

¿Por qué se diluyó la investigación sobre la deuda externa privada argentina? Omar Miliano, un integrante del cuerpo de inspectores que participó de las pesquisas lo explicó así:

–Todas las observaciones encontraron fuertes discrepancias con la gerencia de Deuda Externa, es decir con quien tenía a su cargo la decisión final de lo que sucedía con una deuda. Esto dio lugar a que dicha gerencia elaborara el informe 480/161 del 4 de diciembre de 1986, firmado por Carlos A. Melconian –Jefe del departamento de Deuda Externa– y materializado por expediente 105323/86, firmado por Daniel Marx –entonces Director del BCRA– y por Roberto Eilbaum –vicepresidente 2º– quienes modificaron la resolución 340 del directorio del BCRA.

Ante la justicia, Miliano recordó que "la nueva resolución, dictada por Machinea dejó reducida la investigación al extremo de que únicamente sería dada de baja una deuda cuando no se encontrara acreditada. De esta manera, de los cuatro parámetros en los cuales se había basado originalmente, el trabajo investigativo quedó reducido a investigar uno solo. Bastaba con que las divisas hubiesen ingresado al país para dar por registrable a una deuda".

Así las cosas, la resolución de Machinea dejó sin efecto el punto a) de la resolución 340, que multaba la no confirmación de una deuda por parte del acreedor, pese a que, durante su trabajo, los inspectores no recibieron respuesta de una cantidad importante de acreedores, actitud que indicaba que muchas de esas supuestas deudas podían ser ficticias. Lo mismo ocurrió con el punto b) referido a los autopréstamos, que fue conjurado por la Gerencia al considerar que la constitución de depósitos a plazo fijo garantizando préstamos no estaba expresamente prohibida, pese a que se demostró que el mecanismo era utilizado para realizar endeudamientos fraudulentos.

Con respecto al punto c), que se ocupaba de las prácticas de mercado generalmente aceptadas, la resolución las definía ambiguamente, y consideraba irrelevante el destino que la empresa hubiera otorgado a los fondos recibidos del exterior, avalando así las "bicicletas" financieras realizadas durante el gobierno militar.

–En resumen –sintetizó Miliano–, con la resolución 480/161 quedó desvirtuada la investigación del endeudamiento del sector privado, permitiendo que en lugar de aplicarse la normativa correspondiente a la verdadera realidad de las operaciones en donde se detectaban irregularidades, se permitiera registrar como legítimas las operaciones cuestionadas y así engrosar la carga de la deuda externa argentina al conjunto de los habitantes de la Nación, que nada tenían que ver con el endeudamiento investigado.

Pese a las quejas de Miliano y sus colegas, las nuevas autoridades del Banco Central redujeron los alcances de la investigación a un puñado de casos simbólicos. De este modo, el gobierno de Alfonsín iniciaba la secuencia de "amnistías" sobre hechos ocurridos durante la dictadura militar. Cinco días después de que Machinea aprobara la resolución 480/161 –el 9 de diciembre de 1986–, el gobierno envió al Congreso un proyecto que contemplaba la caducidad de las causas contra militares procesados por represión ilegal. La norma quedaría en la historia como Ley del Punto Final.

Aunque se trataba de planos distintos, la resolución de Machinea primero, y las denominadas Leyes del Perdón después, significaron la culminación de un proceso iniciado dos años antes, durante la disputa por la deuda externa que había enfrentado al gobierno argentino con el Fondo Monetario Internacional.

Marzo de 1984 fue un mes febril. Si bien el verano comenzaba a retirarse, los funcionarios del Ministerio de Economía a cargo de Bernardo Grinspun no podían dejar de transpirar. El ritmo de las reuniones cruzadas era frenético: había cónclaves simultáneos en Buenos Aires, Punta del Este y Washington. Tras discutir una postura conjunta en la reunión anual del BID en Punta del Este, los acreedores y deudores de la Argentina siguieron las tratativas en Buenos Aires. En rápida sucesión llegaron al país altos funcionarios del FMI, el presidente del Comité de Bancos para la deuda argentina y, finalmente, el secretario adjunto del Tesoro de los Estados Unidos, David Mulford, a quien los diarios presentaron como emisario personal del presidente Ronald Reagan. En paralelo, una misión argentina negociaba en Washington con el director ejecutivo del FMI.

La tensión crecía a medida que se acercaba el otoño. En la City porteña comenzó a hablarse del 31 de marzo –día en el que vencían intereses de un compromiso externo– como el Día D. Consciente de que la fecha tenía sabor a ultimátum, Grinspun aprovechó un encuentro con la prensa para definir la posición oficial: "Los problemas contables de los bancos no son de la incumbencia del gobierno argentino". Y para despejar dudas remató: "Los acreedores no pueden solicitar al gobierno democrático lo que no le pidieron al gobierno militar".

La frase era una referencia explícita al acuerdo que la dictadura saliente había firmado con el FMI en 1982, cuando el organismo acordó la concesión de facilidades de pago de la deuda ignorando los incumplimientos del Estado argentino. Pero los tiempos habían cambiado. Los acreedores, representados por un Comité de Bancos liderados por el Citibank, se mostraban impacientes ante un gobierno que se les antojaba hostil.

Finalmente, en la víspera del Día D, los acreedores dieron a conocer una propuesta destinada a resolver el inconveniente que representaba para los bancos el vencimiento del 31 de marzo. Para que la Argentina pudiera cumplir con el pago de intereses, el paquete de medidas incluía un crédito otorgado por otros países latinoamericanos endeudados –México y Venezuela aportaban 100 millones de dólares cada uno, Brasil y Colombia 100 millones entre ambos– más un crédito de 100 millones de los propios bancos acreedores. Como condición excluyente, la Argentina debía aportar 100 millones de dólares adicionales extraídos de sus reservas.

El acuerdo se consolidó con urgencia, en la tarde del último día hábil del mes, en medio de opiniones dispares sobre su carácter y consecuencias. En la mayoría de los medios periodísticos la operación fue presentada como un "salvataje multinacional". Los artículos editoriales de los principales matutinos opinaron que la cooperación de otros deudores y de los responsables del sistema financiero internacional había logrado evitar que la Argentina sufriera las consecuencias de la cesación de pagos, un fantasma que más adelante se difundiría bajo su acepción sajona: *default*.

Donald Regan, secretario del Tesoro de los Estados Unidos, consideró que el plan había llegado a tiempo para evitar "una crisis de la deuda". Pero el funcionario se encargó de aclarar que sus preocupaciones no se limitaban a la suerte del país austral: "Argentina podría haberse convertido en un ejemplo para otros países, no sólo en América Latina, sino en cualquier otra parte del mundo".

Tal como pronosticó Reagan, la experiencia repercutió en el resto de los países de la región. Un año después de esos sucesos, el dirigente uruguayo Ferreira Aldunate consideró que, pese a la solidaridad de los países democráticos hacia el Uruguay, las opciones no eran muchas: "No hay ningún país de Europa Occidental –explicó– que no les haya dicho a las autoridades uruguayas: 'Cuenten con nuestra asistencia, con nuestra ayuda, que se hará efectiva ciertamente después de que ustedes arreglen con el FMI'. Eso es verdad, repito, para toda Europa... no hay más remedio que pasar por el FMI. Pero también es exacta y convincente la afirmación de que este camino conduce a un callejón sin salida."[28]

Para el gobierno argentino, la salida del callejón tenía forma de indulto financiero. Una de las condiciones impuestas por el Fondo para otorgar el "salvataje" era la delimitación de los alcances de la investigación sobre la deuda externa, tarea que había puesto a un centenar de empresarios y banqueros en el banquillo. Y no sólo eso: para evitar que los vencimientos siempre inminentes de los créditos de corto plazo se transformaran en nuevas "crisis", el gobierno argentino debió encarar negociaciones permanentes con el FMI que derivaron en nuevos compromisos.

A fines de junio, el Fondo logró superar el problema de la presentación de los balances trimestrales de los bancos norteamericanos mediante un nuevo acuerdo por el cual la Argentina entregaba parte de las reservas acumuladas en los meses anteriores, y se establecieron pautas para llegar a un acuerdo para mediados de agosto. El 11 de ese mes, luego de extensas reuniones en Washington con el ministro de Economía argentino, el FMI anunció que se habían "alcanzado acuerdos significativos sobre una serie de objetivos fundamentales del programa argentino".

No pasó mucho tiempo para que las consecuencias del acuerdo se hiciesen palpables: la Argentina debió pagar muy caro sus escarceos con los acreedores. Una parte de esos costos se podía medir a través de la capitalización de intereses. La otra, en cambio, era más sutil: la difundida "desconfianza" de los acreedores dificultó las negociaciones y obligó al equipo económico a realizar esfuerzos mayores para obtener credibilidad.

A comienzos de diciembre, un comentario del *Washington Post* reproducido por la prensa argentina lo expresó sin matices: "Los banqueros internacionales son escépticos respecto de la capacidad

---

28 En 1985, el presidente del Perú, Alan García, decidió limitar el reembolso de la deuda al 10 por ciento de los ingresos por exportaciones. Las críticas de los acreedores y las políticas de aislamiento financiero implementada por los Estados Unidos coincidieron con la aparición de focos de guerrilla urbana que debilitaron la gestión del mandatario peruano.

política de Alfonsín para ejecutar las medidas de austeridad conveni-
das con el FMI, y se considera difícil persuadir a los 320 bancos acreedores para que presten 4.200 millones de dólares a la Argentina".

Si bien el Fondo logró convencer a los bancos para que con su
refinanciación "colaborasen" en superar los problemas de coyuntura, las entidades aumentaron su presión para exigir que el gobierno
argentino cumpliera con las medidas de ajuste.

La revista norteamericana *Fortune* comentó en abril: "Pocas
cosas ayudaron tanto a tranquilizar a los banqueros sobre sus
deudores del Tercer Mundo como las que obligaron a la Argentina
a tragar la medicina del FMI. Ello muestra el grado de presión que se
puede ejercer sobre un país para impedir que se desvíe de la ruta
marcada por la comunidad financiera internacional".

El alivio de los acreedores era consecuencia de la influencia que
ciertas medidas podían ejercer sobre las decisiones de los deudores
díscolos. En el mismo número de esa revista, el secretario adjunto
del Tesoro de los Estados Unidos, Robert McNamara, se preguntó:
"¿Se imagina qué le pasaría al presidente de un país cuyo gobierno
se viera repentinamente imposibilitado de importar insulina para sus
diabéticos?" Lo de McNamara no se trataba de un ejemplo retórico:
por esos días, la filial argentina del laboratorio norteamericano Elli
Lilly había decidido suspender la producción local de insulina y retirarse del país, poniendo en peligro la distribución del medicamen-
to. De algún modo, la retirada del laboratorio encerraba un mensaje
de los acreedores en forma de metáfora: para los inversores, un país
que no cumplía con sus deudas no tenía derecho a vivir.

En menos de un año, el gobierno de Raúl Alfonsín pasó de la
euforia a la depresión. En 1985, a poco más de doce meses de su
asunción, el presidente había alcanzado el pico de su popularidad,
que se tradujo en un triunfo en las elecciones parlamentarias, de la
mano de dos hechos históricos: el juicio y la condena de las juntas
militares de la dictadura, y el lanzamiento del Plan Austral.

En esencia, el plan preveía congelar tarifas, precios y salarios;
regular las tasas de interés y no emitir moneda sin respaldo.

Presentado en sociedad el 14 de junio de 1985 por el flamante ministro de Economía Juan Vital Sourrouille –reemplazante de Bernardo
Grinspun–, el plan se corporizó en un billete nuevo –el Austral–
y tuvo efectos inmediatos. La paridad de la nueva moneda con el
dólar redujo drásticamente la inflación –que había crecido el 700
por ciento desde el inicio de la gestión alfonsinista–, los comercios
se inundaron de artículos importados y la City se transformó en
una aspiradora de billetes convertibles que rápidamente se enca-
minaron a su nuevo destino: Uruguay.[29]

Pese al efecto inicial, la algarabía del equipo económico duró
poco. En enero de 1986, el escritorio de Sourrouille comenzó a recibir malos presagios: durante ese mes, los precios al consumidor
aumentaron el 3 por ciento y en febrero la suba trepó al 4,6 por
ciento. En un intento por demostrar control oficial sobre la fuga
de capitales, la Dirección General Impositiva (DGI) informó públicamente que sólo el 13 por ciento de los contribuyentes pagaba sus
impuestos, y anunció un plan para evitar la evasión fiscal.

Mientras millares de argentinos disfrutaban del dólar barato
y debatían el proyecto de Ley de Divorcio en las playas de Brasil,
el secretario norteamericano David Mulford recorría América
Latina presentando su nueva criatura: el régimen de capitalización de deuda.

En rigor de verdad, el régimen no había surgido de la imaginación de los funcionarios norteamericanos, sino de la astucia
de un hombre ambicioso e intrépido llamado John Reed. Criado
en la Argentina –su padre había sido director del frigorífico
Swift–, Reed ingresó al Citibank en 1965, y desde entonces inició una imparable carrera hacia la cima de la corporación. Pero
su arribo al sillón principal de la entidad no fue tan placentero
como lo había soñado. Reed hizo cumbre en el Citi justo cuando el banco estaba a punto de convertirse en cenizas debido a la
desvalorización de la deuda asumida por los países del Tercer

---

29 Un informe elaborado por el economista Carlos Rodríguez (CEMA) indica que el flujo de la fuga de capitales pasó de 908 millones de dólares en 1984 a 2.331 millones en 1985.

Mundo. Fiel a su estilo, el banquero diagramó entonces su movida más audaz: canjear los préstamos incobrables por activos públicos.[30]

Ideado por Reed, patrocinado por el Departamento del Tesoro estadounidense y por el FMI, el régimen difundido por Mulford promovía la capitalización o conversión de títulos de deuda pública en nuevas inversiones. O su rescate mediante la entrega, a cambio, de otros activos financieros públicos o privados del país deudor. En términos sencillos, el mecanismo permitía que los acreedores canjearan sus papeles de deuda por activos de países que se encontraban al borde del *default*.

El proyecto buscaba aliviar la fuerte presión que sufrían los balances de los bancos, que habían prestado mucho dinero durante la euforia de los petrodólares y que ahora veían reducidas a monedas el valor de esas acreencias. Por cierto, el mecanismo no era una novedad: desde 1980, los bancos y ciertas instituciones financieras habían empezado a desarrollar un mercado secundario de títulos de países deudores con el fin de reordenar sus carteras y reducir el riesgo de incobrabilidad. Sin embargo, la negociación de papeles de la deuda no logró evitar que buena parte de las entidades acreedoras estuvieran, a mediados de los años ochenta, al borde del colapso.

Para solventar su propuesta, Mulford solía exponer como casos extremos a Nicaragua y Perú, cuyos papeles de deuda sólo alcanzaban una cotización del 2 al 4 por ciento de su valor nominal. Con esos argumentos, al funcionario estadounidense no le costó demasiado convencer a los acreedores de las bondades del sistema: después de todo, decía, era mejor resignarse a aceptar una pérdida

---

30 En 1987, cuando el gobierno de Alfonsín dejó de pagar los intereses de la deuda a la banca comercial, Reed declaró el *default* del Tercer Mundo y anunció que su banco había contabilizado 3 mil millones de dólares a pérdidas, como secuela de esos préstamos incobrables. El anuncio provocó la abrupta caída en la cotización de los bonos de la Argentina, que pasaron del 50 al 12 por ciento de su valor nominal. Pero la pérdida duró poco, porque acto seguido, el Citibank encabezó la compra masiva de bonos devaluados para canjearlos luego al cien por cien, a cambio de compras subsidiadas de empresas públicas privatizadas, de las que se deshizo rapidamente.

parcial antes que conservar activos que cada vez valían menos. Claro que la explicación no era sólo teórica: Mulford prometió a los banqueros que los Estados deudores reconocerían esos papeles a su valor nominal.

—¿Pero cómo, si están quebrados? —le dijeron más de una vez los banqueros. Y en todos los casos, el subsecretario respondía con las mismas palabras:

—Puede que no tengan *cash*, pero tienen otras cosas.

Había comenzado la era de las privatizaciones.

El mecanismo promocionado por Mulford era sencillo: la empresa interesada en efectuar una inversión en un país deudor adquiría en el mercado secundario papeles de la deuda externa del país a rematar, a un precio reducido por los descuentos sobre los valores nominales. Luego los cambiaba por moneda local del país mediante un sistema de licitaciones a un precio obviamente superior al que los había comprado, de manera que la diferencia actuaba como subsidio por el rescate de deuda externa y como premio a las nuevas inversiones.

La deuda externa privada argentina se había estatizado íntegramente en julio de 1982, por lo cual los mecanismos de capitalización implicaban en los hechos una "privatización" del rescate de la deuda. De este modo, como el Estado se veía imposibilitado de rescatar su deuda por falta de divisas, "encargó" esa función al sector privado a cambio del otorgamiento de subsidios a la inversión.[31]

Mientras Mulford recorría países y bancos explicando su propuesta, los hermanos Rohm hacían cuentas.

—Tarde o temprano el Gobierno se va a sumar a la capitalización, y nosotros tenemos que estar ahí cuando eso suceda.

---

31 El gobierno de Alfonsín aplicó cinco regímenes de capitalización: conversión de deuda externa privada con seguro de cambio, conversión de deuda pública externa, cancelación anticipada de préstamos bancarios o redescuentos del Banco Central, represtamos, y una línea para Pymes. Al término de la década de 1980 ya se habían registrado, a través de estos mecanismos, operaciones por más de 2.000 millones de dólares.

Más que un deseo, las palabras de Puchi repetían las órdenes recibidas desde el exterior: sus socios extranjeros adherían con entusiasmo a la propuesta del funcionario del Tesoro norteamericano, y sabían que uno de los botines más preciados del continente se encontraba en la cuenca Austral. El futuro, una vez más, olía a petróleo.

Entre todas las empresas del Estado, Yacimientos Petrolíferos Fiscales era la compañía de bandera con mayor raigambre entre los argentinos. Por eso, el anuncio de Estenssoro tomó por sorpresa a sus invitados:

–Vamos a vender YPF.

Poco afectos a la demostración desmedida de emociones, los hermanos Rohm apenas pudieron contener la mueca de satisfacción. No hacía falta que el anfitrión entrara en explicaciones de argot: los tres comensales sabían exactamente qué quería decir "vender". En la jerga financiera de esos días –comienzos de 1987–, la palabra había adoptado una nueva acepción: cuando se trataba de una empresa del Estado, "vender" significaba canjear papeles de deuda dentro del régimen de capitalización.

–Pepe, el gobierno todavía no metió a las empresas del Estado dentro del régimen. ¿Qué es lo que vamos a vender? –replicó Charly, reclamando detalles.

–El asunto está al caer, y si no, lean los diarios –se mofó Estenssoro, haciendo alarde de su acceso a la información clasificada.

En el momento del anuncio Estenssoro ya formaba parte del directorio de Sol Petróleo,[32] una petrolera con historia en el mercado, y sus palabras solían anticipar con precisión cada movimiento del gobierno sobre el tema. Sin embargo, los diarios de esos días no se ocupaban de YPF, sino de otro hecho que marcaría a fuego a la gestión de Alfonsín: el levantamiento militar de Semana Santa.

32 En 1980 Suárez Mason la utilizó para transferir fondos a los militares argentinos que operaban en América Central.

Encabezada por el coronel Aldo Rico, la revuelta duró cuatro días y culminó con un discurso del presidente ante una multitud reunida en Plaza de Mayo: "Felices Pascuas, la casa está en orden", dijo, a manera de despedida, acuñando una metáfora política que desde entonces es sinónimo de lo contrario.

Acallados, al menos en público, los efectos de la sublevación militar, el ministro Sourruille retomó el ritmo de negociaciones con el FMI, y a mediados de 1987, comenzó a cumplirse la profecía de Estenssoro: los medios anunciaron que el gobierno había "logrado" la refinanción de la deuda externa a través de un plan que permitía pagar 32.000 millones de dólares a 19 años, con siete de gracia y el resto a 12 años con 5 de gracia, más la reducción parcial de los intereses. El acuerdo se enmarcaba en el proyecto elaborado por el secretario del Tesoro estadounidense, James Baker, autor de una teoría de "desendeudamiento" a traves del crecimiento, basada en la reducción de la inflación, el refuerzo del papel de las instituciones financieras internacionales, el aumento de los prestamos bancarios y el canje de activos por papeles de la deuda. Aunque el gobierno festejó el ingreso de Argentina al denominado Plan Baker –en honor a su creador–, nunca se difundió la letra chica del acuerdo. Pero a esa altura, Rohm no precisaba de la prensa para conocerlos. Como había anticipado Estenssoro, el ingreso del BGN al régimen de capitalización de deuda, el negocio que les daría las mayores satisfacciones de su vida, sólo era una cuestión de tiempo. Una vez más, la Argentina estaba a punto de colocar otra bisagra en su historia.

Memories

–Bueno, creo que con eso ya está bien, ¿verdad? –Martínez apenas había podido disparar su cámara cuatro veces, pero el mensaje del anfitrión era claro: su presencia en el lugar ya no era bienvenida.

El fotógrafo del diario *Clarín* respondió con un movimiento de cabeza y un apretón de manos. Rohm lo despidió con una reverencia y una sonrisa. Y al pasar frente al espejo que adornaba al pasillo distribuidor se desabotonó el saco cruzado y oscuro del traje a rayas, se acomodó el nudo de la corbata y verificó que el pañuelo de seda con las "JER" de su monograma luciera en el bolsillo superior del saco. En el comedor, el pollo a las finas hierbas esperaba a los invitados.

–Estimados amigos, los invito a pasar al otro cuarto –dijo Rohm en inglés, tomando el brazo derecho del presidente. Era más una cortesía que una necesidad, porque Menem conocía bien la casa. En sus diez años de mandato había recorrido varias veces el tramo que unía el living comedor con la sala de estar. Pero el mandatario aceptó la gentileza y se dejó llevar.

Como manda el protocolo, la mesa se organizó según la jerarquía de cada invitado. Menem ocupó el centro de uno de los laterales, con Bush a su izquierda, Rohm a la derecha y Shipley cerrando el cuarteto. De la Rúa quedó enfrentado a Menem, con Lacalle y Batlle a su izquierda, y Gallo a la derecha. Las cabeceras, como es usual, no se habilitaron. Con la mesa servida y rodeada, los cubiertos empezaron a chillar.

–Si me permiten, quisiera brindar por el año que se va, que no ha sido de los mejores –desentonó Lacalle, violando las leyes protocolares que indican que sólo el invitado de mayor jerarquía está facultado para brindar. Pero a nadie pareció importarle el detalle. Salvo por la incomodidad de De la Rúa, todos se comportaban como en una reunión de viejos amigos. Hasta que Mulford habló:

–Es cierto, no ha sido un buen año para ustedes –afirmó el banquero, marcando claramente las diferencias. Al fin y al cabo, para él y para su banco el año no podría haber terminado mejor.

Nacido de la fusión entre un gigante de la banca suiza y una pequeña entidad estadounidense, el Crédit Suisse-First Boston (CSFB) funcionaba como la banca de inversión del Crédit Suisse en el mundo, salvo en territorio helvético, donde la casa matriz ofrecía todos los servicios. Mulford había sido uno de los pilares del ascenso del CSFB a la cima de la banca de inversión, y los resultados que presentaba su banco hacia fines de 1999 significaban una especie de revancha personal. El CSFB había cerrado el año con beneficios por 9,8 billones de dólares, un aumento de casi el 50 por ciento respecto de los 6,7 billones de 1998, considerado el peor año de la entidad. Y en buena medida, Mulford había sido uno de los responsables de ese desastre.

El economista americano venía apostando fuerte en el mercado ruso, un mercado que conocía bien desde sus tiempos de subsecretario del Tesoro de los Estados Unidos durante la administración de George Bush. De hecho, Mulford y su jefe de entonces, Nicholas Brady, habían sido los constructores del flamante mercado de valores de Rusia tras la conversión capitalista. Tanto confiaba el banquero en su obra que, como hombre fuerte del CSFB, dirigió casi un 30 por ciento de sus inversiones hacia ese país. Pero en 1998 la crisis financiera y política de Rusia terminó en una gigantesca cesación de pagos, y el banco de Mulford tembló hasta los huesos, sufriendo una caída de rentabilidad histórica del 50 por ciento sobre sus inversiones globales.

Si la caída de las finanzas rusas no se produjo por una fatalidad de la naturaleza –la puja política interna y la presión externa de los acreedores anticipaban desde hacía rato el crítico desenlace–, la recuperación de las finanzas del CSFB tampoco fue obra de un milagro. Con los mercados europeos retraídos debido al "efecto vodka", y la economía estadounidense en recesión, Mulford, rápido de reflejos, hizo virar la proa de las inversiones de su banco hacia un territorio que conocía como la palma de su mano: América Latina.

Entre préstamos directos a gobiernos, inversiones privadas y organización de consorcios para colocación de activos públicos, el CSFB amplió su presencia en suelo latino duplicando los porcentajes de la torta global de inversiones de la entidad. Así, América Latina representaba el 23 por ciento del rédito obtenido por el CSFB durante 1999, duplicando el magro 10 por ciento que había otorgado el continente en el año anterior. Y la Argentina, pese a su recesión, había sido uno de los puntales de ese crecimiento al concretarse dos de las operaciones financieras más importantes en la historia del país: la privatización del Banco Hipotecario Nacional y la venta de YPF.

De acuerdo con los usos y costumbres –nunca es bueno mezclar los negocios con la comida– Mulford se cuidó de detallar sus logros en público, de modo que la cena transcurrió entre chistes, anécdotas de pesca y geopolítica. Pero en la sobremesa el aire comenzó a minarse de tensión.

–Puchi, estos puros son mejores que los que me manda Fidel, ¿de dónde los sacás? –preguntó Menem, exponiendo la mezcla de envidia y admiración que le provocaban las dotes de sibarita del anfitrión. Como socio del Club Argentino de Fumadores de Puros, Rohm tenía prohibido revelar el secreto, pero esa noche hizo una excepción:

–Tengo un amigo que me manda los mejores cortes desde La Habana –explicó, sin que la respuesta opacara la fumata entusiasta de Bush, un ferviente defensor del bloqueo que su país ejerce sobre las exportaciones cubanas.

–Una cosa es la política, y otra el placer –explicaba el ex presidente norteamericano cuando alguien le hacía notar la contradicción. De igual modo pensaba respecto de los negocios.

–Excuse me, mister president, but why newspapers are speacking on money laundering?

Cuando el anfitrión tradujo la pregunta de Bush, Menem casi se ahoga con el humo de su puro.

–¿Por qué los diarios hablan tanto sobre lavado de dinero...? Bueno, ustedes saben, no se puede controlar todo lo que sale en los medios –respondió el presidente, haciendo un esfuerzo por esquivar el dardo. Pero el ex presidente estadounidense no tenía intenciones de moverse de allí:

–Perdone usted, tal vez no fui lo suficientemente claro. Lo que quería preguntar exactamente es: con todo lo que ocurre en este país, ¿cómo puede ser que el tema del lavado de dinero esté en boca de todos? Usted sabe, la persecución a los banqueros genera inestabilidad jurídica y no favorece la inversión –insistió Bush.

A esa altura estaba claro que lo suyo era mucho más que una pregunta de sobremesa. Era, en realidad, una misión. En los días previos a su visita austral, el rancho texano del ex mandatario estadounidense se había convertido en un desfile de banqueros dolientes que requerían de su influencia para frenar las denuncias sobre lavado que golpeaban a sus filiales argentinas. Uno de los que interrumpió el retiro tejano de Bush –pero sin moverse de Nueva York– fue su viejo amigo David Rockefeller, quien se mostró contrariado por la catarata de investigaciones que involucraban a su banco, el Chase Manhattan Bank. El representante del Chase en la casa de los Rohm era un reflejo cabal de las preocupaciones que perturbaban al veterano banquero.

Esa mañana, al despertar en su lujosa suite del Sheraton Hotel, Walter Shipley había desayunado café negro, huevos revueltos y una lectura rápida de los diarios locales. De todo, fue esto último lo que lo indigestó. Con gran despliegue de tipografía, los matutinos argentinos desarrollaban dos temas que relacionaban directamente a la Argentina con el narcolavado internacional: las inversiones inmobiliarias del poderoso Cartel de Juárez, vinculado al tráfico de drogas en México, y la radicación en la Argentina de la viuda del fallecido barón de la droga colombiana, Pablo Escobar Gaviria.

Banquero de oficio, ex presidente del Chemical Bank y consultor senior del J. P. Morgan desde que esa entidad se fusionara con el Chemical y el Chase Manhattan Bank, Shipley había llegado a la Argentina con dos objetivos: pescar truchas en Bariloche y monitorear que la transición política en el Río de la Plata no complicara los negocios de su banco. Y si bien el Chase no era mencionado en ningún artículo, su intuición y su experiencia le indicaban que, si no hacía algo pronto, la ola de denuncias crecería hasta ahogarlo.

Para evitar que la sobremesa se convirtiese en una batalla dialéctica, Rohm intentó retomar el primer argumento de Menem y dirigir la ira hacia un enemigo común: la prensa.

–Es increíble lo irresponsables que pueden ser los medios. ¿No saben el daño que le hacen al país hablando con tanta liviandad sobre esos temas? –dijo el anfitrión, reconocido en el mundillo financiero por su bajo perfil y su alergia hacia los periodistas.

–Puede ser, pero ése no es el tema –concretó Shipley, harto de rodeos–. El tema es que, con liviandad o no, se está manchando al sistema financiero. Y eso, a la larga o a la corta, los termina perjudicando a ustedes.

–Disculpen, pero la solución a este problema no parece tan complicada.

Hasta ese momento, De la Rúa había sido un observador mudo de la charla. Pero la perspectiva planteada por Shipley, sumada a su condición de mandatario electo, lo empujó a participar de la discusión:

–Todo esto es consecuencia del desgaste político de los últimos años. Pero les aseguro que el recambio en el gobierno va a modificar las cosas.

Por segunda vez en la noche, Menem sintió el impacto de un dardo envenenado. Pero aún estaba dispuesto a resistir.

–Estimado Fernando, de todo corazón deseo que tenga un buen gobierno, y estoy seguro de que los amigos aquí presentes van a colaborar para que eso suceda –devolvió el mandatario–. Claro que, como dijo el General, a los hombres buenos también hay que controlarlos.

La ironía menemista estaba destinada a casi todos los invitados por igual: golpeado por las críticas y el descenso de su popularidad, en los meses previos Menem había acumulado cierto rencor contra los banqueros. Según el presidente, su ansiada re-reelección había sido boicoteada por los representantes locales de la banca extranjera, quienes –más en privado que en público– dudaban de su vitalidad para gobernar por un período más. Aunque no tenía evidencias directas que involucraran a los presentes en el supuesto boicot –sinceramente consideraba a Bush como un amigo–, el riojano sabía que, cuando se trataba de negocios, la amistad apenas servía para mantener las formas. Era una de las lecciones que había aprendido sobre los banqueros durante sus diez años en el poder: para ellos, los políticos nunca son amigos. Son, en el mejor de los casos, aliados que colaboran para maquillar la ley según lo requieran los negocios.

La discusión sobre el lavado también tocó las fibras políticas de Batlle. Durante la campaña, los medios uruguayos habían reabierto la polémica sobre el rol de la plaza financiera uruguaya en el enjuague de divisas, y el candidato se había visto obligado a prometer una "revisión" de las leyes que habían convertido a Montevideo en la "Suiza del Mercosur". Sin soltar su copa de cognac, el mandatario electo expuso su plan:

—Me dicen que, según las estimaciones de la ONU, por año se lavan unos 600 mil millones de dólares del narcotráfico. Pues bien, ¿qué sucedería si se legalizara la venta de drogas?

El silencio sepulcral que invadió la sala tras la pregunta era más una demostración de estupor que de respeto. Imperturbable, Batlle prosiguió:

—Si es cierto que el narcotráfico mueve esa plata al año, ¿por qué no hacerla ingresar al circuito legal?

Por desconcierto, o por piedad, ninguno de los invitados esbozó siquiera una respuesta de ocasión. Pero de haberlo hecho, nadie podría haber acusado a Batlle de auspiciar una locura.

De hecho, por esos días no eran pocos los banqueros que tenían una opinión favorable sobre la "narcoeconomía del lavado organizado". El concepto había comenzado a circular por los cócteles financieros en 1978, cuando John Hudson, un respetado funcionario del Banco Mundial, ponderó las virtudes económicas de la industria boliviana de la coca. Dos años más tarde, en 1980, el periódico británico *The Observer* sostuvo que el FMI apoyaba la legalización de la marihuana en Jamaica, mientras que en 1983, el diario suizo *Neue Zurcher Zeitung*, portavoz del sector bancario, recomendó a los organismos antidrogas que no amenazaran los flujos de ganancias de las "exportaciones no controladas".

El asunto también preocupó a las entidades acreedoras de los países latinoamericanos. En 1986, el Instituto Aspen –un influyente *think tank* de los Estados Unidos– sostuvo que "preocupaba a los banqueros que los esfuerzos antidrogas pudieran reducir los ingresos por concepto de narcóticos que ahora alimentan los pagos de la deuda externa". Y en el mismo trabajo, agregó: "Librar la guerra antidrogas cuesta dinero, pero más importante será la pérdida de divisas extranjeras que proporciona el comercio de las drogas, cantidades que son sustanciales para las economías deudoras". Finalmente, en 1988, el propio Departamento de Estado norteamericano avaló la teoría. En la edición de marzo del *International Narcotics Control Strategy Report*, la oficina evaluó: "Existen percepciones negativas de los efectos del lavado de dinero de los narcóticos, tales como el hecho de que las utilidades del narcotráfico se usan para financiar otras actividades delictivas. A pesar de esos graves problemas, blanquear dinero obtenido delictuosamente puede proporcionar beneficios para algunos países que de otra manera carecen de atractivo. Ese dinero crea una afluencia de capital que puede conducir a la estimulación económica del país. El aumento de capital creado por el dinero obtenido delictuosamente aumenta las reservas monetarias, disminuye las tasas de interés, crea nuevos empleos y en general alienta la actividad económica".

En el caso de que los defensores de la "narcoeconomía del lavado organizado" estuviesen en lo cierto, ¿por qué los Estados Unidos promueven las sanciones contra el enjuague de divisas? Aunque parezca extraído de un guión cinematográfico, todo comenzó con Elliot Ness.

El famoso investigador de la Secretaría del Tesoro acuñó el término mientras investigaba a Al Capone. Ness descubrió que, para disponer de sus ganancias ilegales, el célebre gángster de Chicago había creado una cadena de lavanderías que le permitía maquillar fácilmente sus ingresos: sólo bastaba contabilizar el dinero sucio como parte de los ingresos de las lavanderías que, según sus balances, trabajaban al límite de su capacidad. El sistema, además, aportaba un beneficio extra: las máquinas lavadoras, del mismo modo que el comercio ilegal de whisky, operaban con cambio chico.

Ness descubrió el ardid y Capone murió tras las rejas por evasión de impuestos, pero sus lavanderías aportaron un neologismo que se volvería de uso corriente en todo el mundo.

Con el tiempo, el sistema utilizado por Al Capone evolucionó hasta transformarse en una maniobra de tres ciclos:

• Colocación: traspaso físico del efectivo "negro" al sistema financiero.

• Decantación: transferencia de esos fondos a través de diferentes cuentas para diversificar y enmascarar el origen de las ganancias ilícitas.

• Integración: traspaso de los fondos "blanqueados" a organizaciones o empresas legales, sin vínculos aparentes con el delito.

Según un informe elaborado por la Organización de las Naciones Unidas (ONU), el 15 por ciento de las divisas que circulan por el mundo es "dinero negro", producto de la venta de drogas, armas, contrabando y evasión fiscal. Pero, a diferencia de lo que ocurría en tiempos de Elliot Ness, en la actualidad ese dinero no circula en efectivo. El organismo estima que el 80 por ciento del dinero en "circulación" es "virtual", asientos contables que "viajan" mediante instrumentos electrónicos. La conversión a billetes de ese enorme volumen de dinero –en su mayoría dólares– provocaría el mismo efecto que una emisión: una gigantesca expansión monetaria, cuyas consecuencias afectarían especialmente al corazón mismo de la economía estadounidense: la Reserva Federal. Por ese motivo, los esfuerzos de la política estadounidense no están dirigidos a eliminar el lavado de divisas, sino a controlarlo, dejando abierta la puerta de las operaciones *offshore*.

Aduciendo que en su lucha contra el lavado de dinero los bancos sufren graves cargas administrativas, el gobierno de los Estados Unidos fue flexibilizando las normas conocidas como "Conozca a su cliente", que obligaba a los bancos a controlar depósitos y transferencias superiores a 10 mil dólares. En septiembre de 1998,

el FINCEN (la oficina antilavado estadounidense) autorizó que sólo fueran controlados los depósitos personales, excluyendo a las
firmas comerciales, aun cuando éstas hubieran sido constituidas
offshore en paraísos fiscales.

El informe de la ONU sostenía además que, para que el lavado
fuese posible, fue fundamental el desarrollo de la banca *offshore*,
entidades que en su mayoría operaban bajo los paraguas protec-
tores de los paraísos fiscales. Un trabajo del FMI indicó que la banca
offshore más activa opera en Panamá, las Islas Vírgenes y las Islas
del Gran Cayman. La República Oriental del Uruguay también
integraba esa nómina.

El 19 de mayo de 1999, a pocos meses de que se realizara la
cumbre en la casa de José Rohm, el Director Nacional de Política Criminal, Francisco D'Albora, deslizó un análisis escandaloso.
En el marco de un debate sobre lavado de divisas llevado a cabo
en Buenos Aires, el funcionario sugirió que el crecimiento de fondos que circularon por el mercado de capitales argentino –que pasó
de 10 mil millones en 1995 a 160 mil millones en 1998– responde-
ría a un aumento de lavado de dinero del narcotráfico: "Si algunos
de ustedes cree que la economía argentina creció al 1.600 por ciento –sostuvo D'Albora– estaremos enfocando el tema desde otro
punto de vista".

Hasta entonces, jamás un funcionario argentino había vinculado la explosión financiera de los años noventa con el lavado de
narcodólares.[33] Y aunque el foro estaba colmado de banqueros, financistas y funcionarios del Banco Central, ninguno de los asistentes
levantó la voz para desmentirlo. Parecía ser el final adecuado para
una década cargada de denuncias, sospechas y constancias de corrupción. A esa altura, casi nadie recordaba que todo había comenzado
con la construcción de un coqueto hotel cinco estrellas.

---

33 En octubre de 2003 Gustavo Béliz, ministro de Justicia, sostuvo que durante los
noventa la Argentina había sido una "narcodemocracia". Béliz fue ministro del Interior
de Carlos Menem.

Segunda parte
La fiesta inolvidable

Las profecías de Yeo

Esa noche, Manhattan lucía particularmente encantadora. Los festejos por el año nuevo y el frío húmedo que prometía nevada habían logrado que las calles de la ciudad parecieran menos congestionadas que de costumbre. Sentado en el asiento trasero de un auto de alquiler, Rodolfo Terragno –un ex periodista exiliado en los setenta devenido resistido ministro de Obras Públicas alfonsinista– podía pasar sin problemas por un turista de estación. Sin embargo, el funcionario tenía la cabeza en otros asuntos: su país, la Argentina, estaba a punto de estallar.

Hacía menos de un año que el gobierno había dejado de pagar los servicios de la deuda a los acreedores de la banca comercial privada, y aunque nunca se proclamó oficialmente, la defunción del Plan Baker comenzaba a moldear el destino de la era Alfonsín. Todos los pronósticos eran pesimistas, pero esa noche de enero de 1989, Terragno se sentía confiado. Pocos días antes, durante una reunión en la residencia del representante argentino ante el Banco Mundial Alberto Camarassa, el ex secretario de la Reserva de los Estados Unidos, Paul Volcker, le había dicho sin rodeos: "Nuestro gobierno está interesado en ayudar a su país". Terragno agradeció el gesto, aunque sabía que la compleja situación no se resolvería con palabras. Las sucesivas "crisis de deuda" en América Latina habían dividido a Washington literalmente en dos.

En uno de los grupos coincidían Paul Volcker; el asesor nacional de Seguridad, general Brent Scowcroft; el secretario del Tesoro y presidente del Consejo de Política Económica, James Baker III; y el presidente del Banco Mundial, Barber Conable. Este grupo sostenía que no se podía tirar más de la cuerda. A su entender, los Estados Unidos debían asegurar la paz en la región y evitar que la Unión Soviética o su aliada, Cuba, sacaran ventajas de la situación. Para evitarlo, el gobierno estadounidense y los organismos internacionales no debían actuar como agentes de cobro de los bancos privados, a quienes acusaban de haber colocado irresponsablemente sus petrodólares en América Latina sin analizar la capacidad de pago de cada país e imponiendo intereses desproporcionados. Los apóstoles de esta corriente promovían una renegociación de la deuda, que incluyera quitas y esperas de magnitud.

El otro grupo –integrado por el subsecretario del Tesoro David Mulford; el director general del FMI, Michel Camdessus; y la banca privada, representada por el vice del Citicorp, William Rhodes– alegaba que no se debía politizar la deuda, acción que dislocaría el sistema financiero mundial. Los defensores de esta posición sostenían que no había criterios objetivos que permitieran eximir a un país de sus obligaciones y, al mismo tiempo, obligar a otros a respetarlas. Según su análisis, los Estados Unidos no podían ejercer su responsabilidad política obligando a la banca privada a aceptar que se la defraudara. Para los seguidores de este grupo, si los deudores no podían pagar con divisas debían hacerlo de otra forma, por ejemplo, privatizando sus empresas públicas y aceptando que los acreedores compensaran el precio, o parte de él, con sus créditos incobrables. A este mecanismo se lo denominaba "capitalización".

Agobiado por el desmoronamiento del Plan Austral, el gobierno de Raúl Alfonsín buscó refugio en el primer grupo. El ministro de Economía, Juan Sourrouille, había logrado trabar una buena relación con Baker y Volcker, y en Buenos Aires los funcionarios empezaban a confiar en su suerte. Pero durante esa noche de enero en Manhattan Terragno descubriría que la apuesta de su gobierno era insuficiente.

El ministro argentino no conocía a su anfitrión personalmente, pero había oído hablar cientos de veces sobre él. Se trataba de Edwin Yeo, un asesor de la Reserva Federal con finos contactos en los países latinoamericanos. A principios de los años 1980, Ronald Reagan se lo había presentado a Alfonsín en el salón oval de la Casa Blanca como "el nexo entre nosotros dos". Como muestra de su influencia, bastaba una anécdota: como subsecretario del Tesoro, Yeo desempeñó un papel clave en la elaboración del sistema monetario mundial acordado por las grandes potencias en 1975. El acuerdo se firmó en el imponente Château de Rambouillet, el antiguo palacio real donde Napoleón pasó los días previos a su exilio. Hasta ese momento, Francia y los Estados Unidos habían sostenido por largo tiempo una agria disputa: los franceses defendían el tipo de cambio fijo y los estadounidenses la flotación. En Rambouillet triunfó el tipo de cambio flotante, pero sujeto a medidas contra la "manipulación" que pudiera intentarse sobre los mercados, y acompañado de reformas al FMI, para que prestara asistencia efectiva cuando –por la crisis petrolera u otro factor externo– la moneda de un país estuviera bajo ataque. De ese acuerdo surgió el G-7, el grupo que nuclea a los siete países más poderosos del planeta.

El acuerdo fue firmado por los jefes de Estado y los ministros de Finanzas, pero –según Volcker– sus verdaderos autores fueron Yeo y el director francés del Tesoro, Jacques de Larosière, quien años más tarde se convertiría en director general del FMI.

Terragno había leído un artículo donde dos periodistas ingleses definieron a Yeo como un hombre "diestro, regordete y vigoroso". Pero al ministro, en cambio, le pareció estar ante un personaje rústico, desagradable y maniqueo.

Antes de que sirvieran el primer plato, Yeo descerrajó el primer disparo:

–Tenemos que unirnos para hacer que fracase el plan del Citibank. El Citi no ve la deuda latinoamericana como un problema sino como una oportunidad; quiere aprovecharla para quedarse con todas las empresas de la región –dijo, y aclaró–.

No sólo de las empresas públicas. Su idea es apoderarse de consorcios privados, en la Argentina y en otros países.

–¿Quiénes tenemos que unirnos contra el Citi? ¿El gobierno argentino y el gobierno estadounidense? –consultó Terragno ante la primera pausa del anfitrión.

–No, el gobierno argentino y los "goodies" (buenos).

En la visión de Yeo, el gobierno de los Estados Unidos también estaba dividido en dos sectores: héroes y villanos. Y él se consideraba, claro, uno de los héroes. Con gestos, medias palabras y mucho slang, Yeo fue construyendo su relato:

–Mulford siempre trabajó para los árabes. A fines de los años sesenta ya era asesor de Saudi Arabian Monetary Agency (SAMA) y es el nexo del gobierno norteamericano con dictaduras militares y gobiernos corruptos, tanto en América Latina como en otras regiones del mundo. Él consigue que les presten todo el dinero que quieran, incluso sin pedirles garantías. Los gobiernos reciben lo que ustedes llaman "plata dulce". Los banqueros saben que tal vez no recuperen nunca el capital, pero no les importa: el proyecto es cobrarse en especies. Ahora está empezando a descubrirse la estrategia. Ahí lo tiene al Citi, presidiendo el Steering Committee (el club de acreedores al mando de William Rhodes). Y a Mulford, que está en el Tesoro. Rhodes y Mulford quieren que los países deudores conviertan toda su deuda en bonos de largo plazo, con un interés muy alto. Ellos mismos los van a ayudar a colocarlos en fondos de inversión, que manejan la plata de pequeños ahorristas diseminados por todo el mundo. Con eso, ustedes no van a poder renegociar nunca más con sus acreedores. ¿Cómo van a hacer para reunir a millones de ahorristas dispersos por todo el mundo? La Argentina tendrá que pagar o se quedará aislada. Si no tiene dinero, tendrá que pagar con empresas. Para resolverle el problema de la deuda le van a exigir que venda hasta la última empresa pública y que abran el mercado interno de golpe, que es una situación que las empresas privadas argentinas no pueden resistir. Ellos van a comprar lo que quieran: empresas públicas y privadas. Eso no va a ocurrir el siglo que viene. Ya está ocurriendo. El Citi ya está saliendo a comprar bonos de la deuda argentina, y les dice a los tenedores: "No esperen 20 años ni corran riesgos; reciban dinero contante y sonante ya mismo; eso sí, con descuento". El Citi compra títulos de la deuda argentina a 15 y después, cuando tenga que pagar una empresa argentina, pondrá esos títulos como si estuvieran poniendo 100. O ustedes reaccionan, o esta gente se va a quedar con toda la Argentina.

Terragno salió de la casa de Yeo convencido de que se trataba de un fabulador proclive a las conspiraciones. Pero, por algún motivo, al llegar a su hotel tomó nota de lo que había escuchado en la cena. Entre su anotaciones, Terragno apuntó un nombre que le resultaba familiar: Ghaith Pharaon.

El amigo Ghaith

El lunes 30 de noviembre de 1987, uno de los hombres mas ricos del mundo desembarcó en Paraguay con el propósito declarado de instalar un inofensivo parque de diversiones que nada tendría que envidiarle a Disneyworld. Se llamaba Ghaith Pharaon, y la inversión sería, según la prensa local, de 300 millones de dólares.

Hombre de reflejo rápido para los negocios, el dictador paraguayo, Alfredo Stroessner, lo recibió en su despacho. Al cabo de una entrevista de una hora, el mandatario afirmó ante los medios de su país: "Yo siempre pienso en el Paraguay". Ese día, a miles de kilómetros de distancia, un grupo de agentes del gobierno de los Estados Unidos también comenzó a pensar en el territorio guaraní.

Hacía tiempo que desde las oficinas centrales de la CIA –la central de inteligencia de Washington– venían siguiendo los pasos del magnate saudí en América Latina. A los agentes les fascinaba observar la facilidad con la que Pharaon se ganaba la confianza –y hasta la amistad– de los mandatarios latinoamericanos. De hecho, una de las primeras anotaciones en el legajo del magnate databa de 1984, cuando el Banco de Crédito y Comercio Internacional (BCCI) –banco en el que Pharaon era accionista– ingresó a Colombia a través de la compra del desahuciado Banco Mercantil de Bogotá, salvataje que en un solo paso concedió al magnate la simpatía de los ahorristas, de la comunidad económica colombiana y del presidente Belisario Betancourt. Ese mismo año, pero en Perú, quedó en evidencia la estrecha relación que unió a Pharaon con el presidente Alan García, luego de que el gobierno peruano otorgara al BCCI un permiso para abrir una sucursal en Lima que, aunque nunca realizó operaciones, oficializó la condición de corresponsal del Banco Central de Reserva de ese país.

Sin embargo, el arribo del magnate a América Latina no ocurrió en las doradas playas del caribe colombiano, o en la base de las imponentes cordilleras peruanas, sino en la húmeda capital del país más austral del mundo: Buenos Aires.

Según pudo rastrear la Comisión parlamentaria antilavado encabezada por la diputada Elisa Carrió, el capítulo latino de la historia de Pharaon comenzó en 1980 de la mano del general Roberto Viola, por entonces a cargo del gobierno de facto. Oficialmente, el empresario explicó en su carta de migraciones que llegaba a la Argentina para radicar el armado financiero de un proyecto de normalización de la cuenca del Río Salado. De acuerdo con testimonios recogidos con carácter reservado por un miembro de la comisión antilavado, Pharaon fue recibido en Ezeiza por dos asesores locales: los futuros senadores justicialistas Omar Vaquir y Eduardo Menem, hermano de un ex gobernador riojano con aspiraciones presidenciales.

Las investigaciones posteriores sobre el BCCI, desarrolladas en tres continentes, demostraron que los emprendimientos comerciales del grupo eran una coartada que ocultaba sus verdaderas intenciones: participar del tráfico internacional de armas, un negocio en boga durante la guerra fría.[34]

Según reconoció el propio Pharaon en su pedido de ciudadanía efectuado en 1988, había viajado por primera vez a la Argentina el

---

34 El interés del banquero saudita por la Argentina coincidió con el esfuerzo armamentista que llevaba adelante el proceso militar. Para la comisión encabezada por Carrió, ésa era una de las pruebas más fehacientes de que el verdadero propósito de Pharaon era convertir a la Argentina en uno de los canales de circulación de fondos del tráfico de armas, vía programas de capitalización de deuda y otros emprendimientos.

27 de mayo de 1981. Por esos días, la empresa Clockner, una corporación alemana de grandes proyectos industriales, presentó a los jefes militares un proyecto para convertir al país en el principal exportador de armas en el mundo. En vísperas de la guerra por la recuperación de las Islas Malvinas, los allegados a Pharaon comenzaron a frecuentar los despachos oficiales. Su primera marca indeleble en el negocio de las armas quedó registrada en 1982, cuando uno de sus hombres de confianza, el traficante de armas libanés Anthony Tannouri, estafó al régimen militar argentino con la promesa de venderle misiles Exocet. En aquel momento, Tannouri se presentó al entonces embajador argentino en París como primo del jefe del Estado Libio Mohamad Khadafi, y aseguró que desde hacía varios años realizaba contactos para Pharaon en el mercado de armas. Tiempo después, el expediente de ciudadanía aportaría más pistas sobre la relación del magnate con el tráfico internacional de armas.

A fojas 10 de la causa caratulada "Pharaon Ghaith, expediente número 24", se certificó que "el referido ciudadano es de nacionalidad de Arabia Saudita, y obtuvo su radicación definitiva en el país el día 8 de marzo de 1988, con residencia a partir del 2 de diciembre de 1987". A fojas 25 Pharaon dejó constancia de quiénes eran los integrantes del BCCI Holding Luxemburgo S.A. y dio cuenta de los intereses que representaba: un grupo de inversores pakistaníes y sauditas con fuerte presencia en el mundo árabe.

Tras exhibir un listado de sus inversiones en distintos lugares del mundo –una veintena de firmas dedicadas a las finanzas, la construcción, el turismo y el petróleo–, Pharaon expresó que su principal participación en el mercado financiero se realizaba a través del BCCI, una entidad con sede en Luxemburgo y poseedora de 72 filiales, incluyendo una en la Argentina. También reconoció acciones en el Centrus Bank of Miami. En el rubro "Actividades en el país", el saudí dijo ser dueño de la firma Tradi Grain S.A. (agro) y confirmó la adquisición del Banco Finamérica, del cual dijo poseer el 99,99 por ciento del capital. Pharaon expresó en el expediente que, incorporándose al programa de capitalización de deuda externa implementado por el gobierno de Raúl Alfonsín, había resuelto la construcción de un Hotel 5 estrellas de la cadena Hyatt, y que para llevar a cabo el proyecto obtuvo la aprobación del entonces ministro de Economía, Juan Vital Sourrouille. Además afirmó que se hallaba en plena ejecución una plantación de jojoba en Orán, Salta, para producir y exportar su aceite, explotada por la firma Jojoba Sudamericana. También se refirió a la constitución de la sociedad local Chris-Craft, encargada de la construcción de una flota fluvial que operaría a lo largo de los ríos Paraná y Paraguay, para dar salida por el puerto de Buenos Aires al mineral de hierro que se producía en las minas brasileñas de Corumbá.

La catarata de proyectos casi convenció al juez, y los trámites parecían avanzar según lo previsto. Hasta que los negocios y la ciudadanía de Ghaith Pharaon se vieron perturbados por una revelación inesperada: el 16 de abril de 1989, el diario *Página 12* publicó un anticipo del libro *El Paraguay de Stroessner, la ecuación fatal*, del periodista Rogelio García Lupo, que relacionaba a Pharaon con el lavado del tráfico de armas y drogas, y desarrollaba su vinculación con el general Stroessner y con su yerno, el general Andrés Rodríguez, presidente de Paraguay. La información provocó una avalancha en los sueños del banquero.

Para neutralizar la denuncia, Pharaon inició una querella a García Lupo. Y fue por más: en su presentación ante el juzgado que tramitaba su ciudadanía señaló que no sólo su banco había sido "perjudicado por una banda dedicada al lavado de dinero", sino que la lista publicada en un artículo sobre el tema por *The Wall Street Journal*, "incluía a la Unión de Bancos Suizos, al Suisse Bank Corporation y al Crédit Suisse".

Lejos de aventar sospechas, la presentación del magnate terminó de moldear su futuro. El receptor de la declaración, el juez Criminal y Correccional Hugo Valerga, consideró que la denuncia de Pharaon afectaba a otros bancos, por lo que la querella contra García Lupo abrió la causa caratulada A110/91, convertida en la causa madre de la mayor investigación sobre lavado de dinero y capitalización de deuda realizada en el país hasta entonces.

En su absolución de posiciones en el nuevo expediente, Pharaon insistió en que el BCCI no era la única entidad que había sido relacionada con el enjuague financiero en los Estados Unidos, y arrojó un nuevo misil: sostuvo que, para evitar una investigación en su contra, el Crédit Suisse, el First National Bank of Boston y el National Bank of Greece también se habían declarado culpables de "haber cooperado involuntariamente" en el lavado de dinero de procedencia ilegal, y que un tribunal norteamericano los había multado por ese motivo. Si bien las declaraciones del banquero llevaban carga explosiva, el escándalo no detonó, en buena medida, porque por esos días los diarios ocupaban sus portadas con un asunto similar: el "Yomagate". La acusación de lavado que involucraba a la cuñada y directora de Audiencias del presidente Carlos Menem se ventilaba en el mismo ámbito donde Pharaon había disparado contra sus colegas, el Juzgado Federal N° 1 a cargo de María Romilda Servini de Cubría, una magistrada con historia propia en la Justicia y fina relación con el poder.[35]

Aunque las derivaciones públicas del caso Yoma mantenían ocupada a buena parte del juzgado, las diligencias sobre el expediente

---

[35] El Yomagate estalló durante 1991 como consecuencia de una investigación iniciada en España por el juez Baltasar Garzón, quien acusó a la ex cuñada presidencial, Amira Yoma, de integrar una red internacional de lavado de dinero. El tramo local de la investigación quedó en manos de la jueza Servini de Cubría, quien había arribado a la justicia federal en los inicios de la gestión menemista. A favor de su nominación había gravitado la opinión del empresario pesquero e histórico dirigente justicialista Jorge Antonio, quien desde la década del setenta mantenía una estrecha relación con el marido de la magistrada, un ex oficial de la Armada. A poco de comenzar la instrucción, las demoras y las denuncias de sus propios fiscales llevaron a que la jueza fuera apartada de la causa y a que el Congreso de la Nación le iniciara un proceso de juicio político. Las pruebas presentadas en su contra incluyeron seis microcasetes secuestrados durante un allanamiento realizado en el domicilio de Amira. Eran escuchas telefónicas, en una de las cuales la cuñada presidencial confirmaba la existencia una reunión entre Jorge Antonio, el presidente Menem y la jueza Servini de Cubría. En las mismas grabaciones se revelaba que Amira y su modista, Elsa Serrano, conocían a la jueza antes del caso, relación que, según los fiscales, la inhibía para instruir la causa. Además, los fiscales declararon ante la Comisión que la jueza había escondido en el cofre de su oficina la orden de procesamiento de Amira Yoma, Mario Caserta e Ibrahim Al Ibrahim solicitada por el juez español, hecho que fue desmentido por la magistrada. Finalmente, en 1997 Amira Yoma fue sobreseída.

Pharaon no se detuvieron. En una ampliación de información, el magnate saudí señaló que en el momento de la presentación tenía "instalados negocios comerciales y bancarios, y [poseía] en ejecución importantes emprendimientos relacionados con el turismo, la hotelería, la agro-industria y la industria naval entre otras". En ese escrito, Pharaon también detalló cómo había ingresado el BCCI a la Argentina, una historia que ayudaba a explicar uno de los escándalos financieros más resonantes de la década del ochenta: la caída del Banco de Italia y Río de la Plata (BIRP).

La entrada del BCCI en el mercado argentino coincidió con el frenesí generado por Martínez de Hoz a través de la Ley de Entidades Financieras. Para entonces –1980–, el BIRP había abandonado el espíritu cooperativo –fue un instrumento clave para el desarrollo de la inmigración italiana– para convertirse en una poderosa banca comercial comandada por tres grupos económicos: Herlitzka, Gotelli y Mayer-Macri-Zinn, quienes en 1979 controlaron el banco mediante una sigilosa operación de *take over* –compra hostil de acciones– que despertó la ira de los socios italianos. De todos modos el interés de Franco Macri por el BIRP duró poco: en marzo de 1981 vendió sus acciones a la familia Gotelli y se volcó definitivamente a la industria pesada. Pero su paso por el sistema financiero dejaría huellas: hacia fines de los años ochenta, una investigación realizada por el entonces fiscal Luis Moreno Ocampo determinó que, entre 1979 y 1985, los dueños del BIRP habían defraudado al Banco Central en unos 122 millones de dólares mediante una compleja trama de compras de acciones, créditos ficticios y empresas fantasmas.

La investigación probó que la familia Gotelli –dueña además de una parte de la textil Alpargatas– había creado diversas empresas para vaciar el BIRP, un ardid que contó con la colaboración de los síndicos Alfredo Lisdero y Petrungaro, ambos integrantes de la consultora Price Waterhouse. La maraña comenzó a desenredarse en 1984, cuando uno de los socios, Mauro Herlitzka, solicitó en reunión de directorio la normalización de la relación crediticia entre el BIRP y las empresas vinculadas. Luis Gotelli rechazó el planteo y Herlitzka dejó su lugar en el directorio en manos del economista Carlos Carballo y el abogado Alejandro Capurro Acassuso.

Por entonces, el BIRP también participaba de la entidad financiera Finamérica junto al grupo Fiat –representado por la familia Macri y la familia Ratazzi– y la firma Molitor, presidida por Ricardo Gotelli. Entre septiembre y octubre de 1984, la financiera inició tratativas con Ghaith Pharaon para transferirle el 30 por ciento perteneciente al grupo Fiat, a través del BCCI Luxemburgo. El traspaso del control de Finamérica al grupo Pharaon se concretó con la firma de un convenio celebrado el 18 de diciembre de 1984 en Londres, ratificado por resolución del Banco Central del 30 de junio de 1985, bajo la presidencia del radical Alfredo Concepción.

Según un informe elaborado por dos inspectores del BCRA, el nexo en la operación fue Rodolfo Clutterbuck, integrante del grupo Alpargatas y ex vicepresidente del BCRA durante la gestión de Domingo Cavallo. Luego de intimar a Gotelli para que le restituyera el dinero que había aportado en la firma San Remigio S.R.L. –una de las firmas utilizadas en las maniobras de autopréstamos–, Clutterbuck le propuso vender parte del paquete accionario de Finamérica a un grupo de origen saudí con el que había tomado contacto en 1982, durante los preparativos de la guerra de Malvinas. El grupo era el BCCI.[36]

En mayo de 1985, tras rechazar un plan de saneamiento, el Banco Central dispuso la intervención del BIRP. Pero la crisis de la entidad no impidió que el BCRA aprobara el traspaso del Banco Finamérica a manos del BCCI. Con prolijidad de cirujano, el Central operó el cierre del Banco de Italia sin que el sangrado financiero manchase el desembarco de Pharaon en el país.

Una pista del celo puesto por el Central para separar la suerte de Finamérica de la del Banco de Italia se encontró durante un

---

36 Clutterback fue secuestrado en 1988 y aún continúa desaparecido. La investigación se orientó a la supuesta participación de la denominada "banda de los comisarios", desarticulada tras el secuestro del empresario Mauricio Macri. Sin embargo, en el juzgado de Servini de Cubría nunca descartaron la posibilidad de que el secuestro de Clutterbuck estuviese vinculado a su relación con Pharaon.

allanamiento a las oficinas centrales del BCCI en París: en septiembre de 1987, Alberto Calvo, hombre de confianza de Pharaon y su manager para los negocios en América Latina, envió una nota a su amigo Rodolfo Giudice, secretario del Directorio del BCRA, donde aclaraba que para que el grupo Pharaon realizara negocios en la Argentina necesitaba "un banco chico, limpio y con categoría 'C'". Pocos días más tarde, en noviembre de 1987, el directorio del BCRA cumplió los deseos de Pharaon y otorgó al Banco Finamérica la categoría "C" –banco local de capital extranjero–. Por otra parte, el 14 de diciembre se firmó la resolución de liquidación y venta del BIRP a favor de la Banca Nazionale del Lavoro.[37]

Con el "banco chico, limpio" y con categoría "C" en su poder, Pharaon obtuvo la residencia argentina antes de fin de año. Desde el 2 de diciembre de 1987 el magnate no necesitó visa para entrar y salir del país. Y sus proyectos tomaron impulso. Mientras el Banco Finamérica pasaba a denominarse Bank of Credit and Commerce S.A. Buenos Aires (BCC), en el exterior florecían las empresas dispuestas a actuar en proyectos de capitalización de deuda externa argentina, al tiempo que en el país se creaban las firmas que oficiarían como receptoras de esas inversiones. Preparado para subirse a la ola, el BCC se presentó como entidad interviniente en los procesos de capitalización.

Según las propias palabras de Pharaon, las empresas receptoras de la inversión en la Argentina fueron Hotel Corporation of Argentina (H.C.A. S.A.), Jojoba Sudamericana S.A. y Jojoba Salteña S.A. Las compañías panameñas Argentina Trading Holding y Buenos Aires Hotel Corporation eran las firmas inversoras. La primera había sido creada para construir un hotel en el centro de Buenos

---

37 El fiscal que investigó al BCCI en Nueva York, Morghentau, aseguró que Pharaon había pagado "contribuciones políticas" por 500.000 dólares para asegurar el ingreso del BCCI al país. En su declaración ante Servini de Cubría, el ex accionista de Alpargatas José Pirillo dijo que el entonces director del Central, Jaime Baintrub, "había participado en la contribución para la autorización de la filial local del BCCI (BCC). "Esta persona –dijo Pirillo– operaba para Alpargatas en la obtención de un préstamo por 40.000.000 de dólares, y cobraba honorarios de la empresa". Ante el mismo juzgado, Baintrub negó los dichos de Pirillo. Las contribuciones políticas nunca se probaron.

Aires, integrante de la cadena Hyatt, que despertó la ira de los vecinos de Retiro y sospechas de corrupción en el Concejo Deliberante de la ciudad.[38] Las dos restantes emprendieron la explotación de jojoba en Orán, Salta.

La conformación de esas empresas y la estructura jurídica de las inversiones fueron obra del estudio Severgnini, Robiola, Grinberg y Larrechea –uno de los *buffetes* más importantes del país–, que a su vez delegó los trámites para obtener los beneficios de la capitalización en manos de un reputado consultor financiero: Javier González Fraga.

Hijo de un médico peronista y una profesora de matemática de orientación socialista, graduado con honores en la carrera de Economía de la UCA, simpatizante de Independiente y admirador del liberalismo sarmientino, González Fraga suele autodefinirse como un economista formado en la especulación. Y no exagera: poco antes de fundar sus consultoras Macroeconomía y JGF, el hombre se había fogueado como *trainer* (pasante) en el Citibank, donde compartió experiencias junto a Richard Handley, Juan Navarro y Raúl Juan Pedro Moneta. Tras esa experiencia fundó la mesa de dinero de Finamérica, donde trabó una estrecha relación con Carlos Carballo, uno de los hombres del BIRP que negoció el arribo de Pharaon a la Argentina.[39]

Para mediados de la década del ochenta, González Fraga contaba con una sólida experiencia como consultor –su cartera de

---

38 La construcción del hotel Hyatt obligó una rezonificación catastral. La fiscalía administrativa investigó si concejales porteños cobraron sobornos para conceder la modificación en el código de planeamiento urbano de la ciudad que permitió la edificación. El caso llegó a la justicia, pero no hubo condenas.

39 Cuando recuerda su paso por las mesas de dinero, González Fraga suele jactarse de haber sido uno de los creadores del "negocio de las aceptaciones bancarias" en los almuerzos del London Grill, donde compartía mesa con Manuel Sacerdote y Carlos Adamo –BankBoston–, Alfredo Burato –Banco de Londres– y Rafael Seragopian –Banco Francés–. Tras una vasta carrera como banqueros, Adamo, Burato y Seragopian se sumaron al directorio de MBA, un banco de inversión que cuenta entre sus directores a Nicholas Brady, el ex secretario del Tesoro norteamericano que diagramó el plan de capitalización de deuda que lleva su nombre.

clientes incluía a gigantes de la talla de Acindar y el Citibank–, pero lo que inclinó la balanza a su favor eran dos datos precisos: impulsor entusiasta de la capitalización, el economista ya había trabajado junto al estudio Severgni, Robiola, Grinberg y Larrechea para Alpargatas; y a pedido del Ministerio de Economía, su consultora venía realizando trabajos de evaluación para la Dirección de Empresas Públicas de la nación. Traducida al lenguaje empresario de la época, esta última actividad era sinónimo de contactos aceitados "con la burocracia radical". De todas formas, la primera tarea del economista no tuvo que ver con la "burocracia" sino con algo más concreto: un pedido de devolución de favores surgido de la imaginación oficial.

–Nos están reclamando que a cambio de la autorización para hacer el Hyatt construyamos un club Mediterrané en Chascomús.

A través de la línea telefónica, Pharaon hacía gala de su depurado inglés:

–Javier, no le miento. Dicen que sería bueno que lo construyamos pegado al campo de Alfonsín. ¿Qué recomienda que hagamos?

Aunque González Fraga estaba acostumbrado a escuchar "pedidos" de este tipo, la frase de Pharaon lo sorprendió:

–Es un disparate, una cosa así sería un escándalo. Deme un tiempo y lo llamo –se comprometió el consultor, y colgó el teléfono con una sonrisa. De algún modo, el asunto tenía su costado tragicómico.

Para febrero de 1988, el Plan Austral ya era historia y en su lugar subsistía el Plan Primavera. El paulatino desmoronamiento de la economía, que había determinado la derrota del radicalismo en las elecciones legislativas, incentivaba al peronismo a ejercitar las prácticas de la oposición visceral. Y en la City aún se sentían los coletazos financieros de la caída de los bancos Alas y BIRP, mientras se sucedían los rumores de nuevos derrumbes.[40]

---

40 Fundado por Carmelo Stancato en junio de 1979 sobre la base de lo que había sido una cooperativa de pequeñas empresas, el Alas llegó a tener 76 sucursales y 1.200 empleados. Pero a fines de 1986 se derrumbó cuando el entonces presidente del Banco Central, José Luis Machinea, anunció que se lo investigaba por una estafa cercana a los 110 millones

–¿Es posible que en medio de este quilombo alguien esté pensando en construir un Mediterrané para el Jefe? –cuestionó González Fraga en lengua nativa, apenas pudo comunicarse con un funcionario de su confianza.

–Javier, aunque no lo puedas creer es así. Me están presionando para parar el asunto si no sale lo del club en Chascomús.

La confirmación del dato no podía venir de una mejor fuente: Juan Sommer, el virtual tercero de la gestión Sourrouille, era el hombre que tenía a su cargo la aprobación de los pedidos de capitalización de deuda.

–Bueno, Juan, entonces decile a quien sea que no hay trato, y que Pharaon se va con sus millones a otro lado –replicó González Fraga.

–No te preocupes, ahora que me llamaste tengo un argumento para frenar las presiones –concluyó el funcionario.

La llamada del economista rindió sus frutos: una semana más tarde el gobierno le anunciaba a Pharaon que su licitación había sido aprobada, y que podía hacer uso del programa de capitalización. Pero las obras tendrían que esperar: antes de que el magnate pudiese colocar la piedra fundamental de su hotel, la Argentina se demolería hasta los escombros.

La estampida

El año electoral había comenzado cargado de malos presagios. Una sequía histórica había paralizado al campo, con un saldo de 1.500 millones de dólares de pérdidas por la imposibilidad de cosechar. La crisis energética se traducía en apagones frecuentes y

---

de pesos. La maniobra descubierta consistía, entre otras cosas, en fraguar exportaciones y otorgar créditos a personas inexistentes. Cuando el Central decidió la intervención de la entidad, los clientes entraron en pánico y trataron de retirar sus depósitos. La corrida provocó la quiebra definitiva del banco. Días después del anuncio de Machinea, Stancato fue detenido. Estuvo preso por poco más de dos años, pero en mayo de 1989 fue excarcelado bajo palabra. Stancato sostuvo que su banco había caído por pedido del Banco Galicia, entidad que codiciaba su extendida red de cajeros automáticos Palasud. Cuando cayó el Banco Alas, el Galicia y el BankBoston presentaron la red Banelco. Tras la liquidación, los cajeros del Alas quedaron en manos del Galicia.

mantenía las calles a oscuras. En la madrugada del 23 de enero, un inesperado episodio despertó a los argentinos: un grupo identificado como militantes del Movimiento Todos por la Patria (MTP), dirigidos por Enrique Gorriarán Merlo, habían copado el Regimiento 3 de La Tablada. Al día siguiente las crónicas indicaron que fuerzas del ejército y la policía habían retomado el control de la unidad tras un duro enfrentamiento en el que murieron siete militares, un sargento de la policía y 28 guerrilleros.

Lejos de las balas, Mulford asestó desde Washington el último golpe sobre el Plan Primavera: "Venezuela y México serán los primeros beneficiados con una reducción en su deuda. Argentina, que tuvo resultados tan negativos como Perú en su economía, está descalificada".

En la tarde del 3 de febrero cuando el ministro Sourrouille ingresó a la sala de reuniones de la quinta de Olivos con tres carpetas bajo su axila derecha:

–Se acabó Raúl, esto no da para más. Los "grandes" no quieren más australes y nos están chupando todos los dólares del Banco Central. Intuyen la estampida. Si seguimos vendiendo nos quedamos sin reservas. Y si dejamos de vender, el dólar se va a disparar. El problema es que hay que tomar una decisión ya.

Alfonsín trató de encontrar los ojos de su ministro, protegidos por el cristal grueso de sus lentes. Sentado a su lado, presintió que José Luis Machinea tenía algo más para aportar:

–Decime, ¿a cuánto cerró el dólar hoy?

–Casi a 18, presidente. Pero ése no es el problema...

–¿Ah no?

–No, el problema es que ya llevamos gastados 1.750 millones de dólares, y a este ritmo, corremos el riesgo de que en una semana nos "chupen" 500 millones más.

El presidente del Banco Central no exageraba. Deslizó sobre el escritorio un informe que confirmaba sus pronósticos. Era un listado de las entidades que, en apenas una semana, habían comprado 400 millones de dólares. Alfonsín siguió los nombres con la ayuda de una lapicera. La lista estaba encabezada por el Republic of New York con 35 millones, seguido de cerca por el Francés y la banca Morgan con 24 millones cada uno. El Citibank –20 millones–, el Crédito Argentino –14 millones–, el Chase Manhattan –8 millones– y el Banco Provincia –7 millones– completaban el cuadro de honor.

El sábado 4 de febrero, Machinea acusó al entonces diputado Domingo Cavallo de atemorizar a la banca acreedora con pronósticos pesimistas. Machinea no faltaba a la verdad. Unas horas antes Cavallo se había reunido en Nueva York con un grupo de banqueros encabezado por el citibanker John Reed, y allí había augurado la debacle del programa económico. Machinea se había enterado del asunto por boca del vicepresidente del Citibank en la Argentina, Alcides Miró, quien utilizaba los pronósticos de Cavallo para negar cualquier tipo de asistencia financiera al gobierno.

–¿Sabe qué están diciendo los peronistas? –le preguntó Miró a Machinea durante una reunión en el Central, y sin esperar respuesta prosiguió–. Que si les prestamos, ustedes van a usar la plata para mantener planchado el dólar hasta las elecciones. Dicen que por eso nos pueden acusar de intromisión en los asuntos internos, y que van a considerar ilegítima toda deuda que se firme en este momento.

Ni Miró ni Machinea pensaban que las amenazas del peronismo se harían realidad, pero la excusa bastó para que el titular del Central comprendiera que no podía esperar ni un centavo de los bancos. Por eso, casi como catarsis, el funcionario utilizó los primeros micrófonos que tuvo cerca para acusar a Cavallo. Pero su denuncia no alcanzó a revertir la situación.

Ese mismo sábado, en un día poco habitual para los anuncios de este tipo, una comunicación extraoficial del Banco Mundial informó que suspendía el desembolso de un préstamo por 1.200 millones de dólares. Faltaban 24 horas para que la Argentina tuviese su "lunes negro": el 6 de febrero de 1989, el día en el que el dólar saltó de 17 a 24 australes entre el desayuno y la merienda. Lo que sigue es la crónica de un desbande.

Mientras la híper avanzaba, la City estallaba. Los argentinos hacían doble fila frente a las casas de cambio para hacerse de "moneda fuerte", los exportadores liquidaban sus dólares en Montevideo, y las Casas de Cambio realizaban operaciones telefónicas fuera del horario de corte para incrementar la cotización del día siguiente.

Empresarios, banqueros y consultores hacían cola frente al despacho de Machinea para insultarlo:

–Sos un hijo de puta, me dijiste que me quedara tranquilo y mis clientes perdieron una fortuna –le gritó Miguel Ángel Broda, uno de los economistas más consultados por las multinacionales con fama de gurú entre banqueros y economistas con aspiraciones ministeriales. Algunos de los denominados "bancos chicos" trinaban porque la devaluación los había sorprendido sin divisas estadounidenses en sus cajas. Los gerentes del Banco de Avellaneda no podían creer su mala suerte: la entidad solía renovar automáticamente sus depósitos en australes siguiendo la estrategia de los apoderados de la Unión Cívica Radical, que tenían depositados allí los fondos partidarios. "¿Cómo íbamos a imaginar que estos tipos iban a quemar su propia guita?", repetían, entre la bronca y el estupor.

Para abril, las remarcaciones de precios superaban el 50 por ciento. A pedido del candidato del partido oficial, Julio César Angeloz, Sourrouille renunció a su cargo. Lo sucedió Juan Carlos Pugliese, un radical histórico y atípico: tenía buen humor. Durante un reportaje televisivo, el flamante ministro de Economía dijo: "¿Cómo voy a parar la inflación? La voy a agarrar y le voy a hacer táquete-táquete", bromeó, moviendo sus manos al estilo del karateca Bruce Lee. Al otro día, el mercado respondió con una nueva devaluación del 13 por ciento. Por cadena nacional, Pugliese dejaría una frase para la historia: "Apelé al corazón, y me respondieron con el bolsillo". El ministro no dio nombres, pero los destinatarios sabían que Pugliese no se refería a todos los argentinos.

El alfonsinismo acusaba a las corporaciones nacionales y extranjeras de retacear la liquidación de exportaciones, colaborando con la suba diaria del dólar. Contrariando una orden oficial

–Alfonsín aún confiaba en que podía negociar con las cerealeras–, el diputado radical Federico Storani hizo público un listado con las empresas que retenían su liquidación, entre las que se encontraban Cargill, Siderca, IBM, Molinos y otros gigantes. El 23 de abril, la cúpula del Grupo de los 8, que reunía a entidades del campo, la industria y las finanzas, presentó su Plan Alemann, un proyecto creado sobre la base de una columna de opinión que el economista había publicado en el diario *La Nación*. El título de ese artículo resumía el espíritu del plan: "Dólar libre y único ya". Dos días más tarde, los caciques de la economía local presentaron el proyecto ante Alfonsín. Roque Maccarone, director del Banco Río, y Richard Handley, presidente del Citibank, hablaban en nombre del sistema financiero. Alfonsín mostraba particular interés en dialogar con ellos. Esa jornada, por primera vez en meses, la cotización de la divisa había caído el 14 por ciento sin motivo aparente. Y el presidente quería saber por qué.

–Es porque la plaza absorbió por anticipado el rumor del nuevo plan y la unificación cambiaria –explicó Handley, y apretó–: En la calle todo el mundo habla del "efecto Alemann". El dólar bajó por eso, del mismo modo en que va a subir si la gente advierte que se trata sólo de un rumor.

Por cierto, el banquero sabía mejor que nadie de lo que hablaba: horas antes del encuentro, su propio banco, junto al Chase Manhattan y el Manufacturers Hannover, habían salido a vender dólares con el objetivo de impulsar la caída de su valor, utilizar esa baja como argumento para cambiar a Pugliese por Alemann, y aprovechar la ganancia que ofrecían las tasas de interés ante una divisa planchada.

Para evitar resquemores los empresarios presentaron el Plan Alemann bajo el mote de Plan Invierno, y el gobierno aceptó implementarlo a medias. Esa misma semana, Economía anunció la libre flotación del dólar, pero combinado con un control de precios que provocó una nueva irritación entre los empresarios. El 23 de mayo, Juan Carlos Pugliese renunció a su cargo y la cartera de

Economía quedó en manos de Jesús Rodríguez. Ese día, el dólar con libre flotación cotizaba a 170 australes. Y hacía una semana que el riojano Carlos Menem había sido electo presidente de la Nación.

En medio de ese revuelo, la Fiscalía Nacional de Investigaciones vivía su propio temporal. Al mando del abogado Ricardo Molinas, la oficina arrastraba una dura y antigua disputa con el gobierno. Hacía al menos un año que el alfonsinismo acusaba al fiscal de promover denuncias para promocionar su figura en desmedro de la imagen presidencial. Y la crisis del dólar terminó de profundizar la grieta.

Molinas inició su investigación sobre la crisis luego de que la prensa informara que un grupo de bancos se había anticipado al "lunes negro" comprando dólares "baratos" durante la semana previa a la devaluación. Tras una investigación de oficio, la fiscalía denunció que al menos siete bancos sabían que el dólar se iba a disparar. "De otro modo –afirmaba la denuncia– no se explica por qué una semana antes del 6 de febrero estas entidades compraron más dólares que en los seis meses anteriores". El listado aportado por los investigadores incluía a los bancos Medefín, Unibanco, Florencia, Mildesa, Francés del Río de la Plata, Crédito Argentino y Macro. Pero de todas las entidades involucradas, sólo la mención de estas dos últimas despertó la ira radical: tanto el Crédito Argentino como el Macro mantenían lazos con el corazón económico del gobierno de Alfonsín.

El dictamen aseguraba que el Crédito Argentino había obtenido información privilegiada debido a que uno de sus accionistas, Miguel Kiguel, cumplía funciones como vicepresidente del Banco Central cuando se produjo la devaluación. Según Molinas, algo parecido había ocurrido con el Macro, entre cuyos fundadores se encontraba el secretario de Hacienda, Mario Brodherson, un hombre clave en el engranaje de la gestión Sourrouille. Molinas aseguró que la supuesta "filtración" había producido más de 200 millones de dólares de ganancias a los bancos, pero la denuncia de la Fiscalía nunca se probó en la Justicia. Sin embargo los buenos resultados del Macro durante el lunes negro consolidaron su posición en la City. Desde entonces, esa entidad, que había nacido de una mesa de dinero, comenzaría un sostenido ascenso hasta convertirse en una pieza clave en el mercado financiero argentino del nuevo siglo.[41]

La denuncia sobre el supuesto tráfico de influencias que habría beneficiado a la banca radical durante la crisis del dólar no sería la

---

41 El Banco Macro nació a fines de los años 1970 como una mesa de dinero cordobesa llamada Macro Cía. Financiera S.A. Según una leyenda extendida en el mercado financiero, Macro es el acrónimo de Muy Agradecidos a Celestino Rodrigo, en homenaje al ministro de Economía que en 1975 licuó la moneda brindando los primeros dividendos importantes a los propietarios de la compañía –y de la consultora Econométrica–, José María Dagnino Pastore, Mario Brodersohn, Alieto Guadagni y Alfredo Concepción.

A instancias de sus contactos con el gobierno radical, en 1987 el Banco Central lo autorizó a operar como banco comercial bajo el nombre de Banco Macro S.A. El providencial anticipo a la devaluación –que disparó las sospechas del fiscal Molinas–, consolidó una nueva leyenda en la City: en esos días se rebautizó al Macro como "el Banco de la Coordinadora", la línea interna radical que entonces comandara el ex ministro del interior Enrique "Coty" Nosiglia.

Golpeado por los efectos de la crisis mexicana, en 1994 la entidad sorteó la bancarrota obteniendo redescuentos del BCRA. Como contrapartida, el Macro se comprometió a participar del desguace de los bancos provinciales propiciada por la dupla Cavallo-Maccarone. En 1996, el Macro se adjudicó el 92,52 por ciento de las acciones del banco de Misiones. La compra se concretó por 12 millones de pesos, sin pasivos y se estableció que el Estado, desde entonces, le pagara 500.000 dólares por mes para mantener las cuentas oficiales. De esta forma, en sólo dos años el Macro amortizó el capital de riesgo. Con mecanismos similares la entidad absorbió al Banco de Salta y al Banco de Jujuy, consolidando su presencia en las frontera del NOA. En la operación de compra del Banco de Salta, en 1996, el Macro presentó como "fiador liso y llano y principal pagador" al Banco República, de Raúl Moneta. Por la compra del Salta se pagaron apenas 60.000 dólares, y luego fue capitalizado con 4 millones prestados por el entonces gobernador Juan Carlos Romero con recursos del "Fondo Fiduciario para el Desarrollo Provincial" girados por la Nación, al 1% de interés anual y a devolver en 20 cuotas semestrales, con 5 años de gracia. En Salta, Romero –compañero de fórmula de Carlos Menem en 2003– y Jorge Brito –titular del Macro– comparten su pasión por la cría de ganado.

Durante el gobierno de Menem, el Banco Macro fue uno de los conductos por los cuales fluyeron fondos oficiales hacia las empresas del ex cuñado presidencial Emir Yoma. Durante la crisis del "tequila", el Macro recibió redescuentos por 29 millones de pesos y otros 20 millones de una línea de crédito de Comercio Exterior, que casi en su totalidad fue otorgada a la Curtiembre de Emir Yoma, que para entonces ya debía más última que presentaría el controvertido fiscal Molinas. Poco antes de que Menem se colgara la banda presidencial, la Fiscalía de Investigaciones produjo un dictamen que, pese a sus inevitables connotaciones políticas, pasó desapercibido por las redacciones. El caso involucraba a la Ferretería Francesa, el emporio de la familia Cafiero que durante años había sido socio en el banco de los hermanos Rohm.

La investigación se había iniciado a raíz de dos artículos publicados por los diarios *La Nación* y *La Prensa* en los que se informaba acerca de las irregularidades registradas como consecuencia de la resolución 52 del Banco Central. Esa norma, promulgada el 29 de enero de 1988, disponía la reducción de créditos concursales en los procesos relacionados con la liquidación extrajudicial del grupo Ferretería Francesa. En otras palabras, el Central dispuso que los acreedores de la empresa por entonces concursada sufrieran una quita que se estimó en un 50 por ciento, provocando un quebranto cercano a los 3 millones de dólares en las arcas del BCRA. Pero, según Molinas, el drenaje de fondos del Estado destinados a evitar la quiebra de la Ferretería Francesa no terminaba allí. En su carácter de acreedor garante, el Banco Nación otorgó, a través de gestiones oficiales, una línea de crédito *on lending* de 18 millones de dólares pese a que, para esa fecha, ya existía una resolución judicial que decretaba la quiebra del grupo. La investigación de los fiscales describía el mecanismo practicado para obtener el crédito: el Libra Bank PLC de Inglaterra depositó los 18 millones en una cuenta del Citibank, que lo giró luego al Banco Central de la

---

de cien millones a los bancos oficiales. De los acreedores de Yoma, el único que tuvo la "suerte" de cobrar su deuda fue el Banco Macro.

La estrecha vinculación entre Jorge Brito y Emir Yoma fue confirmada por la ex secretaria de Yoma, Lourdes Di Natale. En las agendas aportadas por la secretaria a la justicia se detallan los preparativos para un viaje de Yoma y Brito en agosto de 1996, y de citas con altos funcionarios para ambos. Di Natale también conservó un currículum personal de Brito que Yoma solía utilizar para presentar al banquero como "socio" de sus emprendimientos.

En su declaración ante la jueza Servini de Cubría, Laith Pharaon, hijo y heredero comercial de Gaith, reconoció que su grupo mantenía cuentas en el Macro Misiones.

República Argentina y éste, a su vez, lo remitió al Banco Nación para que lo entregara al ente "fiduciario" del concurso, el Banco General de Negocios. La maniobra, según la fiscalía, se completó con dos detalles significativos: ese préstamo en dólares se canceló en australes –lo que habría permitido que, durante un tiempo, el BGN "hiciera jugar" los dólares en el mercado–, y para solventar la operación se utilizaron títulos de YPF: los títulos accionarios del único activo realizable de la Ferretería Francesa –el Hotel Libertador– fueron canjeados por títulos de deuda interna emitidos por YPF. Pese a que en el momento del trueque estos títulos cotizaban por debajo de su valor nominal, el Banco Nación los aceptó al cien por ciento como forma de cancelación del préstamo. De este modo, sostuvo el dictamen de la Fiscalía, YPF contribuyó con su patrimonio a la devolución del crédito de una firma quebrada.

Luego de repasar los antecedentes del caso, las conclusiones del fiscal Molinas fueron lapidarias: a su entender, el gobierno de Alfonsín había intervenido "mediante actos arbitrarios y viciados de nulidad" para aliviar la grave situación financiera de la Ferretería Francesa. Y aunque se cuidó de decirlo con todas las palabras, el fiscal hizo públicas sus sospechas acerca de que la maniobra había sido dispuesta para garantizar la convivencia entre el presidente y el político más importante de la oposición, el peronista renovador Antonio Cafiero.

San Menem

Pese a que la investigación del fiscal Molinas había derivado en un allanamiento a sus oficinas, los hermanos Rohm leyeron el dictamen sin inquietarse. El BGN apenas estaba mencionado en el texto, y el caso nunca llegó a las páginas de los diarios, que por esos días febriles dedicaban la mayor parte de sus columnas a especular sobre las primeras medidas del gobierno menemista.

Los candidatos al Ministerio de Economía se multiplicaban con las horas. Sonaba fuerte la nominación de Domingo Cavallo, Roberto Alemann y del capitán ingeniero Álvaro Alsogaray, el creador de la Unión del Centro Democrático que ya había ocupado el cargo durante el gobierno de Arturo Frondizi acuñando su frase antológica: "Hay que pasar el invierno".

Alsogaray también integraba la terna de candidatos a la presidencia del Banco Central, junto a Leo Anidjar del Banco Tornquist y Javier González Fraga. Durante las prolongadas reuniones en su departamento de Barrio Norte, el presidente electo atendía las propuestas de nombres como quien escucha llover. "El problema no son los nombres, sino el plan", solía interpretar su ladero Alberto Kohan, y remataba: "El problema es que no tenemos ningún plan".

Conocedores de esa carencia, cada sector de la economía se lanzó a elaborar su propio proyecto. Por el lado de los bancos, el economista Carlos García Martínez tenía entre sus manos un plan financiado por el Banco de Galicia, una de las entidades más importantes del país. A grandes rasgos, el proyecto auspiciado por Escasany no difería demasiado del plan Alemann, basado en la libre flotación del dólar y la reestructuración del sistema financiero. Ubicados en la vereda opuesta, desde las oficinas del emporio cerealero Bunge & Born, impulsaban un programa con control de cambios. Finalmente Menem se inclinó por el segundo y nombró al frente del Ministerio a Miguel Roig, el candidato de la compañía.

La súbita muerte del flamante ministro –ocurrida a menos de una semana de asumir– revivió la danza de nombres. Menem sabía que el arribo de la cerealera había inquietado a los cuadros intermedios del peronismo, pero el presidente se mostraba dispuesto a reincidir. Durante una intensa reunión en la residencia presidencial de Olivos, Menem insistió para que Jorge Born III –cabeza vitalicia del grupo– se hiciera cargo personalmente de Economía. El empresario declinó la invitación, y en su lugar propuso al vicepresidente ejecutivo del *holding*, Néstor Rapanelli. En la conferencia de prensa que siguió al nombramiento el nuevo ministro fue explícito: "Venimos a hacer un aporte para que la patria por fin salga adelante".

Mientras Rapanelli hablaba de contribuciones ante los periodistas, por lo bajo, los hombres de Menem ofrecían su traducción: el "aporte" de Bunge & Born era de 2.000 millones de dólares contantes y sonantes, destinados a regularizar el pago de la deuda.

El presunto aporte del *holding* fue difundido con insistencia por el gobierno, pero en la cúpula del grupo nadie parecía estar al tanto de la situación. Como el rumor crecía, los ejecutivos decidieron consultar a Rapanelli. "Yo no hablé de plata, hablé de trabajo", explicó el ministro, quien atribuyó la versión a que Menem necesitaba atenuar las reacciones negativas por su nombramiento, argumentando que la alianza con el "capitalismo transnacional" redundaría en "aportes efectivos" a la causa peronista. Y hasta allí habría llegado el asunto si no hubiese sido por el extraño episodio que el Directorio de Bunge & Born vivió poco antes de la Navidad.

A fines de 1989, dos banqueros alemanes se presentaron en la firma para ofrecer dos créditos por dos mil millones de dólares, cifra equivalente a la inversión que Menem le adjudicaba al grupo cerealero. Alertado por la coincidencia, el Directorio encargó una investigación a sus corresponsales alemanes, quienes identificaron a los banqueros como representantes del BCCI, la entidad que velaba por las inversiones argentinas de Pharaon, aquel magnate que quería convertir a Paraguay en Disneyworld.

Determinada la vidriosa procedencia de los fondos ofrecidos por los alemanes, el directorio rechazó el préstamo basado en un argumento sencillo: sus dispositivos financieros solían transferir a diario sumas millonarias, lo que los convertía en un bocado apetecible para quienes necesitaran movilizar fondos cuantiosos. Uno de los ejecutivos de la época lo definió con palabras llanas: "Tuvimos la sensación de que nos querían utilizar para lavar 2.000 millones de dólares".

Ante la difusión de la noticia, Menem reaccionó indignado: "Son viles patrañas, y en la empresa me han dicho que ellos mismos lo van a desmentir". La desmentida de Bunge & Born nunca se produjo.

Mientras en la Argentina su nombre comenzaba a menearse en público, el magnate saudí monitoreaba la construcción de su hotel cinco estrellas desde París. Con el nuevo gobierno apenas asumido,

Pharaon intensificó los llamados a Buenos Aires para destrabar la capitalización. Uno de los destinatarios frecuentes de esos reclamos era el secretario de la Presidencia, Alberto Kohan. El otro era el flamante presidente del Banco Central, Javier González Fraga, el economista que había trabajado para Pharaon durante el gobierno de Alfonsín. El primer paso de González Fraga por la presidencia del BCRA fue fugaz –menos de treinta días– pero el tiempo le bastó para autorizar la capitalización de su ex empleador saudí y desarticular el Centro de Asuntos y Estudios Penales (CAEP), un cuerpo de abogados externos del BCRA comandados por el abogado David Baigún.

En seis años de trabajo, Baigún –que había ingresado al BCRA en 1985 para investigar el vaciamiento del Banco de Italia– había formado un sólido equipo de colaboradores sobre la base de estudiantes de derecho y abogados jóvenes entusiasmados por investigar. Y estaba orgulloso de sus resultados: en ese lapso, sus "muchachos" habían descubierto fraudes financieros por 3 mil millones de pesos.

El abogado se enteró de que la nueva administración disolvería su comisión por azar, gracias a que un integrante de su equipo vio la resolución en un pase de papeles. Paciente, Baigún esperó la notificación formal durante quince días. Pero como nunca llegó, decidió hablar con el *Financial Times*. Recién entonces tuvo noticias del titular del Central:

–¡Qué hizo hombre! ¡Se volvió loco! Me acaban de llamar de un diario pidiéndome explicaciones –lo increpó González Fraga, recostando su cuerpo sobre el escritorio.

–Nada de eso, doctor –le respondió Baigún–. Ocurre que, como durante tanto tiempo esperé una explicación que nunca vino, no tuve más remedio que especular.

Ante el periodista del *Financial Times*, Baigún especuló que su despido tenía que ver con algunas de las 70 denuncias realizadas durante su gestión. El artículo señalaba que, hasta ese momento, se encontraban bajo la lupa de la CAEP más de 200 ejecutivos vinculados a 50 casos de supuesto fraude financiero. Uno de los nombres que figuraba en los legajos de Baigún era el de Alberto Federico Petracchi, un abogado fuertemente vinculado a la Asociación de Bancos de la Argentina que acababa de ser nombrado director del BCRA. En el momento de su designación, Petracchi estaba bajo investigación por la quiebra del Banco del Oeste.[42]

La lista de Baigún también incluía a Alberto Kohan: en 1984, un juez de San Isidro había ordenado su detención en relación con la quiebra del Banco de Vicente López. Por último, el artículo también mencionaba el caso de Carlos Carballo –mentor de González Fraga, a cargo de las negociaciones con los acreedores externos y futuro viceministro de Erman González–, a quien Baigún había investigado por las maniobras irregulares del Banco de Italia.

–No tiene nada que ver con eso, hombre, lo suyo es pura fantasía –le reprochó González Fraga al abogado–. La disolución de su grupo tiene que ver con que usted ya no tendrá nada más que hacer aquí. El capitalismo, mi amigo, se controla solo.

Contrariado, Baigún comprendió que los últimos seis años de su vida estaban a punto de terminar en un incinerador. Pero antes de abandonar el despacho le quedó aliento para suspirar una última frase:

–Vea, doctor: tengo la sensación de que ahora, más que nunca, el país va a necesitar que alguien controle a los banqueros.

Con el camino despejado de sabuesos, González Fraga completó el trámite que había iniciado años antes, aprobando la capitalización de deuda reclamada con insistencia por Pharaon.

---

42 El Banco del Oeste fue el primer intento del Citibank de asociarse con un banco local. Su presidente era Guido Guelar –hermano de Diego, embajador de Menem en los Estados Unidos–, y su vicepresidente fue Richard Handley. En los años ochenta el banco recibió numerosos redescuentos y luego fue liquidado, una maniobra de supuesto vaciamiento que aún se investiga en los tribunales de Mercedes. Guido Guelar sigue prófugo por esta causa, pero antes de huir transfirió sus bienes a favor de Raúl Juan Pedro Moneta. De ese modo, la estancia La Chocita de los Guelar se convirtió en la estancia La República, donde Moneta despuntó su afición campestre. Moneta se jactaba de haber colocado a Petracchi como director del Central.

Gracias a la celeridad de su ex empleado, el magnate obtuvo finalmente el permiso para colocar la piedra fundamental de su hotel.[43]

Las obras avanzaron a toda marcha. Hacia mediados de 1990, los vecinos de Retiro ya podían observar la fachada del tercer hotel de lujo de la ciudad: una torre de 13 pisos de estilo neoclásico, 163 suites con tarifas que iban desde los 500 a los 1.100 dólares diarios. El hijo del magnate, un joven de finos rasgos árabes y modales de *playboy* llamado Laith, seguía de cerca los avances de la construcción. En cambio, en Nueva York, la obra del fiscal Robert Morgenthau estaba paralizada.

El funcionario norteamericano había acumulado más papeles sobre Pharaon de los que su oficina podía albergar. Sin embargo, por acción u omisión, el Departamento de Justicia de los Estados Unidos impedía que las investigaciones avanzaran. Hasta ese momento, el fiscal ya tenía probado que desde 1977 el BCCI había desarrollado un plan para infiltrarse en el mercado estadounidense a través de la compra secreta de bancos, violando las barreras regulatorias de los Estados Unidos. Según sospechaba el fiscal, el BCCI buscaba ampliar su red de entidades vinculadas a través de firmas ficticias para encubrir operaciones de lavado de dinero. Pero esta última intuición era el eslabón más débil de la cadena de pruebas recolectadas por Morgenthau. De todos modos, y aunque sólo había contado con la colaboración de la Reserva Federal, la investigación bastó para iniciar un proceso sobre el avance irregular del BCCI en el territorio norteamericano.

En menos de una año, el expediente del fiscal se convirtió en una caja de Pandora. El 18 de diciembre de 1991, mediante un acuerdo con el Departamento de Justicia y la Fiscalía de Distrito de Nueva York, los liquidadores del BCCI se declararon culpables de formar parte de una "conspiración criminal

---

43 Cuando se lo preguntan, González Fraga suele decir que las acusaciones contra Pharaon son injustas: "Su único error fue haber financiado a los países árabes durante la guerra con Israel".

para cometer fraudes financieros". Los cargos específicos admitidos por los liquidadores del BCCI en el acuerdo incluían:

• Recibir depósitos provenientes del narcotráfico y lavar dinero del mismo origen.

• Recibir depósitos de evasores de impuestos.

• Utilizar testaferros y nominatarios para adquirir el control de instituciones financieras.

• Crear falsos registros contables y falsas transacciones para engañar a los reguladores bancarios.

A Morgenthau no le costó demasiado descubrir que la CIA era el organismo que más sabía sobre los objetivos e intenciones del BCCI. Una serie de documentos secretos demostró que, desde hacía más de una década, la central de inteligencia venía informando a la oficina del Tesoro sobre los movimientos del banco, sin comunicar nada a la Reserva Federal ni al Departamento de Justicia. La cobertura del organismo de inteligencia hacia el BCCI tenía una explicación: la CIA solía utilizar al banco para financiar sus operaciones encubiertas en África, Asia y América Latina.

La investigación terminó probando el fuerte vínculo entre la CIA y el BCCI. A poco de comenzar con sus averiguaciones, el fiscal comprobó que el ex director de la CIA de Ronald Reagan, William Casey, había mantenido una serie de reuniones con el presidente del BCCI, Agha Hasan Abedi, para armar una red financiera que permitiese girar fondos del organismo a Oriente Medio.

Pero Reagan no era el único apellido de peso que surgía de la investigación del fiscal Morghentau. Entre sus papeles también figuraba el nombre completo de George W. Bush. El hijo del entonces presidente norteamericano era, hacia 1991, un empresario petrolero que había fracasado en sus primeros negocios, y que iniciaba un segundo intento a través de una modesta empresa llamada Harken Energy Corporation. El heredero del primer mandatario era accionista y miembro del directorio de la petrolera junto a Talat Othman, un empresario de origen saudí que oficiaba de consultor en la Casa Blanca sobre Oriente Medio. A poco de nacer, la empresa tuvo su primera gran oportunidad comercial al derrotar al gigante Amoco en una licitación del gobierno de Bahrain para perforar pozos *offshore*.

La conquista del contrato llamó la atención de los expertos por la falta de experiencia de Harken en perforaciones marítimas, pero el asunto no pasó a mayores hasta que estalló el escándalo del BCCI. La compleja trama de relaciones y negocios entre el BCCI y la familia Bush fue resumida por el *Wall Street Journal* cuando todavía nadie sospechaba que George W. se convertiría en presidente. La historia puede resumirse así:

• El jeque Khalifah bin-Salman al-Kalifah, primer ministro de Bahrain –hermano del emir reinante, que jugó un papel clave en el otorgamiento del negocio a Harken Corp–, era un importante accionista del BCCI.

• El jeque Abdullah Bakhsh, accionista de la petrolera representado en el directorio por Talat Othman –el asesor de Bush padre–, era socio de dos accionistas del BCCI. Uno de ellos, Ghaith Pharaon.

• Los banqueros de inversiones que trabajaban para Harken Corp. fueron los gestores del ingreso del BCCI a los Estados Unidos, e hicieron posible que Harken refinanciara sus deudas a través de un banco suizo, por entonces socio del BCCI.

• Entre los consultores que asesoraron a Harken Corp. estaba Kamal Adhman, uno de los dueños del BCCI e íntimo amigo de Pharaon.

• Por último, Harken fue salvada de la bancarrota por la Unión de Bancos Suizos gracias a la intermediación de Jackson Stephens, un viejo amigo de George W. Bush. La Unión de Bancos Suizos era entonces copropietaria, con el BCCI, de un banco menor anclado en Ginebra.

Como si se tratase de una novela de conspiraciones, la saga de Harken Corp. aún guardaba una derivación más: la relación entre el BCCI y el Citicorp. En 1994, la familia real saudita acordó con John Reed que el Citicorp se convirtiera en el primer banco occidental que operara como banco islámico. Como parte del acuerdo, el

Citi se estableció primero en Bharin, cuya familia real estaba asociada al BCCI. En mayo de 1998, cuando el fiscal neoyorquino John Moscow –uno de los investigadores de Pharaon– pasó por Buenos Aires, admitió en reuniones extraoficiales que el mayor accionista individual del Citibank había sido un misterioso "testaferro árabe". El fiscal no quiso revelar su nombre, pero el dato coincidía con un hecho ocurrido en 1994, cuando el príncipe saudí Al Saud paseó por Buenos Aires en una *limousine* de vidrios polarizados en compañía del director ejecutivo local del Citi, Richard Handley.

Contactos de oro

Las investigaciones sobre el BCCI repercutieron en el mundo. En Londres, luego de un intento de la entidad por transferir su casa matriz a Abu Dabi, el Banco de Inglaterra se vio obligada a pedir el cierre del banco bajo la acusación de estafas masivas estimadas en 10 mil millones de dólares. La prensa británica catalogó el caso como uno de los escándalos financieros más importantes del siglo. En la Argentina, el BCCI también comenzaba a hacer historia.

El 30 de julio de 1991, el Banco Central le revocó la autorización para operar en el mercado local, pero el cierre no afectó la construcción del Hyatt. A pedido de Pharaon, las operaciones financieras de la construcción –y del resto de sus emprendimientos– quedaron en manos del BGN, el banco de los hermanos Rohm. Mientras los ladrillos se apilaban en Retiro, a pocas cuadras de distancia, en los tribunales federales de Comodoro Py, la causa A110/91 apilaba documentos.

Uno de ellos, girado en noviembre de 1991 por Interpol Washington, solicitaba el arresto preventivo, con fines de extradición, de Ghaith Pharaon. El escrito imputaba al magnate conspirar con el BCCI –y con sus funcionarios principales–; defraudación postal; conspiración para cometer contrabando y ayuda y encubrimiento de maniobras ilícitas.

Mientras el expediente acumulaba fojas, la jueza Servini de Cubría –dueña de un fino olfato de supervivencia política– manejaba los tiempos de la causa combinando pausas con aceleraciones mediáticas. Del mismo modo en que podían pasar meses sin que los investigadores tuviesen noticias de ella, cuando la magistrada se sentía amenazada –tras su cuestionada labor en el Yomagate, su nombre iba y venía de la comisión parlamentaria de juicio político– su juzgado apuraba medidas procesales.

Siguiendo los cambiantes humores de Servini, a principios de 1990 los investigadores activaron una pista que había sido enviada desde Interpol Washington en un documento que daba precisiones sobre la firma Capcom Financial Services. Según el escrito, la empresa pertenecía a Syed Ziauddin, Ali Akbar y Waben Pharaon –supuesto hermano de Ghaith–, y realizaba operaciones en Londres y los Estados Unidos. El oficio de Interpol indicaba que esa firma había sido acusada de contrabando, corrupción y lavado de dinero proveniente de la venta ilegal de armas.

Por esa misma fecha, un artículo de *Página/12* informaba que la DEA –el organismo antinarcóticos norteamericano– tenía sospechas sobre las relaciones entre el BCC argentino y el traficante de armas sirio Monzer Al Kassar. Según ese artículo, el organismo investigaba las transferencias realizadas a la Argentina por Al Kassar a través de una cuenta secreta de la entidad, donde el sirio aparecía como uno de los clientes más activos durante 1989 y 1990. Este hecho motivó que las autoridades norteamericanas se convencieran de que el traficante sirio vivía en suelo argentino, una hipótesis que no difería demasiado de la realidad: como Ghaith Pharaon, en los albores del menemismo Al Kassar también se enamoró de la tierra y las laxas leyes de extradición argentinas, donde su radicación se gestionó en tiempo récord.

Impulsada más por el entusiasmo de sus empleados que por vocación de sabueso, Servini dispuso el envío de una delegación de la Policía Federal a las ciudades de Miami y Nueva York, donde se obtuvieron nuevos datos sobre la relación entre Al Kassar, el BCCI y el tráfico de armas en la Argentina.

El informe de la policía relataba que, entre la documentación obtenida en Miami, hallaron una descripción general de los aviones

Mirage III y el detalle de una operación de la sucursal Gran Cayman del BCCI fechada el 9 de abril de 1984. Se trataba de un préstamo por 110 millones de dólares a la firma A. R. Khalil And Associated dirigido a solventar inversiones en seguridad y acciones en Arabia Saudita. Pero tanto la descripción de los aviones como la documentación relativa al crédito fueron halladas en la misma carpeta, y los importes de las dos operaciones coincidían.

Meses más tarde, el senador estadounidense Alan Cranston –uno de los legisladores que investigaba al BCCI– denunció la presunta vinculación de la Fuerza Aérea Argentina con la entidad a través de una "supuesta venta de aviones de alta tecnología". "Aunque no cuestiono el derecho de la Argentina a vender armas –expresó Cranston–, es cuestionable la posible vinculación con un banco cuya cultura es criminal". Y agregó: "La propuesta de una venta de armas sofisticadas por 110 millones de dólares, aun cuando nunca se haya concretado, me dice algo del acceso que el BCCI tiene en la Argentina".

De acuerdo con el informe elaborado por la delegación policial argentina enviada a Miami, la Reserva Federal de los Estados Unidos tenía información que señalaba a un tal Adnan Kashoggi como posible mediador de la operación. Al principio el nombre había pasado inadvertido en el juzgado, hasta que se agregó al expediente de Servini la sentencia del requerimiento de confiscación de la Cámara Penal de la Corte de Justicia de Génova en la causa "Procureur Général de la République et Canton de Genève contra Al Kassar, Monzer Moohamad". En ese expediente constaba la declaración de Al Kassar sobre el origen de los fondos depositados en su cuenta del Banco Audi de Suiza. Ante el juez helvético, Al Kassar aseguró que todas las transacciones representaban préstamos posteriormente reembolsados, otorgados al tal Adnan Kashoggi.

"¿Quién es este tipo que aparece por todos lados?" Para Alicia López, la inspectora del BCRA destinada al juzgado que instruía la causa Pharaon, la pregunta se transformó en una obsesión. Y pronto empezó a hallar respuestas.

Mercader de armas de origen saudí, y vecino de Al Kassar en la ciudad española de Marbella, Khassoghy cobró fama mundial cuando fue relacionado con el escándalo del BCCI. Según el informe al Congreso estadounidense realizado por los senadores John Kerry y Hank Brown, el traficante saudita era cliente de la entidad y, a través de él, la CIA utilizó los servicios del banco para financiar el operativo Irán-Contras, una venta de armas a Irán que sirvió para girar fondos a las tropas irregulares antisandinistas en Nicaragua. El escándalo se conoció bajo el nombre de Irangate, e hizo tambalear al gobierno de Ronald Reagan.

El hecho no impidió que el entonces vice de Reagan, el futuro presidente George Bush, estrechara lazos con Khassoghy a través de Peter Munk, socio del traficante en explotaciones mineras y presidente de la poderosa compañía aurífera Barrick Gold Corporation. Tras su paso por la Casa Blanca, Bush se sumó al directorio de Barrick, una corporación de origen canadiense integrada por una compleja red de sociedades *offshore* fundadas en las Islas del Gran Cayman. En ese directorio, también figuraba el banquero argentino José "Puchi" Rohm.

El capítulo argentino de esta historia comenzó a desentrañarse el 17 de junio de 2000, cuando los periodistas Christian Balbo y Edi Zunino publicaron un artículo sobre dos –hasta entonces– misteriosas minas auríferas que pertenecían al entonces presidente Fernando de la Rúa: Diablillos y Taca Taca. La nota explicaba cómo dos compañías mineras canadienses –Corrientes Resources y Barrick Gold– habían adquirido los yacimientos de la familia De la Rúa, una operación que habría engrosado en 600.000 dólares el bolsillo presidencial. La investigación había comenzado a raíz de un dato llamativo: en su primera visita oficial a los Estados Unidos, De la Rúa anunció inversiones históricas en minería por 950 millones de dólares durante 2000. El anuncio se produjo luego de que el mandatario se reuniera con los directores gerentes de Barrick Gold.

En rigor, la compañía ya tenía un puñado de intereses esparcidos por el país. Uno de ellos era el Proyecto Manantial Espejo, ubicado en el centro oeste de la provincia de Santa Cruz. El emprendimiento, que contaba con la bendición del entonces gobernador Néstor Kirchner, estaba a cargo de una de las filiales de la corporación canadiense, Barrick Exploraciones Argentinas S.A. El director de esa firma era Enrique Loncan, un ex asesor del general Díaz Bessone en el Ministerio de Planeamiento durante la dictadura militar, que se había hecho íntimo de Martínez de Hoz durante su paso por el Grupo Pierraux. A su vez, Martínez de Hoz participaba del directorio de Violy, Byorum & Partners Holding, una gigantesca consultora de negocios que operaba en diez países de América Latina, y que tenía entre sus socios al ex presidente de Venezuela, Carlos Andrés Pérez; al ex secretario de Estado norteamericano, Pete Romero; y al minero Peter Munk, titular de Barrick, e íntimo del traficante Khassoghi.

Por último, Loncan y Martínez de Hoz integraban el directorio del BGN cuando el banco ofició de asesor financiero en la venta de Diablillos, la mina de oro de los De la Rúa. Ya se sabe: el mundo de los negocios también es un pañuelo.

Shopping sur

Aunque sólo bastaba con leer los diarios para enterarse de las sospechas que rodeaban a Pharaon, el Secretario de Programación y Lucha contra el Narcotráfico, Alberto Lestelle, envió al juzgado de Servini de Cubría un escrito donde aseguraba que su oficina no tenía "ninguna información" que relacionara al magnate con actividades ilícitas. De algún modo, la misiva reflejaba el espíritu de la Casa Rosada sobre el tema: para su principal morador, Carlos Menem, las denuncias contra el BCCI parecían no merecer mayor importancia.

"Yo no pregunto de dónde vienen los capitales, lo importante es que vengan", tradujo Kohan, resumiendo el sentimiento oficial. Y a tono con esas declaraciones, la oficina de ceremonial de la Presidencia anunció que Menem asistiría a la inauguración del Hyatt.

El 3 de abril de 1992 Menem cortó la cinta inaugural del hotel. A su lado, Pharaon se veía feliz. Los meses anteriores no habían sido los mejores, y de alguna manera, la ceremonia tenía sabor a revancha personal. Fuera de foco, alejado del tumulto principal, José Rohm también sonreía.

Según habían anticipado los hermanos en la memoria y balance de su banco, 1992 se presentaba como un año prometedor. El repaso de los últimos tiempos incentivaba su optimismo. La hiperinflación –que se prolongó hasta el primer año del gobierno de Menem– había quedado en el olvido, la apertura del mercado de capitales avanzaba a paso firme, y en la City ya casi nadie se quejaba del Plan Bonex, una confiscación de plazos fijos que sacudió fuerte al mercado financiero argentino en los albores del nuevo gobierno.

Instrumentado en enero de 1990 por el entonces ministro de Economía Antonio Erman González, el Plan Bonex tomó por sorpresa a los ahorristas y generó estupor entre los conocedores de la City: "¿Acaso estos tipos creen que con esto nos van a sacar del medio?" solían repetir banqueros y financistas de mediano tamaño, haciendo propio un razonamiento adjudicado a Roque Maccarone, el gurú del Banco Río. Según esos banqueros, Maccarone sostenía que, sin financiamiento a la vista, a través de la confiscación el Estado buscaba saciar su déficit tomando fondos de los bolsillos del público, evitando la intermediación de los bancos, cuyo negocio era, precisamente, captar depósitos y prestárselos al Estado a altas tasas de interés. Técnicamente el razonamiento era impecable, aunque incompleto.

En verdad, el Plan Bonex perseguía una cambio drástico en el perfil de la deuda que el Banco Central mantenía con el sistema financiero –instrumentada en encajes remunerados–, canjeándola por Bonos Externos nominados en dólares con un plazo de maduración de 10 años –Bonex 89–. Por cierto, la medida implicó que los depósitos que mantenían los particulares en el sistema financiero también se convirtieran en bonos, aportando fondos frescos a las arcas del Central, anémico tras el drenaje de la debacle alfonsinista. De este modo, Erman cumplió dos objetivos en un solo paso: fondear al BCRA y mejorar el perfil de la deuda interna.

Con el terreno saneado de malezas, Erman dejó todo listo para el regreso de González Fraga a la Presidencia del Central. Pero esta vez el economista asumía con una misión: regularizar el pago de la deuda externa.

El plan de González Fraga consistía en cumplir con la cancelación de los atrasos vencidos –y de los que se acumularían hasta el 31 de diciembre de 1991– hasta un total de 10.000 millones de dólares. De ellos, 1.500 millones se pagarían en efectivo, 4 mil se capitalizarían sumándose al total de la deuda, 3.200 millones constituirían una emisión de bonos de privatización, y los 1.300 millones restantes se recomprarían en el mercado al 20 por ciento de su valor nominal. Para hacer frente a este plan, González Fraga había escondido 400 millones de dólares, calificándolos como indisponibles, en dos depósitos mensuales sucesivos de 200 millones cada uno en el Banco de Ajustes Internacionales de Basilea. De ese modo su utilización no aparecería en las estadísticas ni afectaría las reservas –estimadas en 2.800 millones dólares–, con las que el BCRA pulseaba en el mercado cambiario.

El apuro de González Fraga por cerrar trato coincidía con la necesidad de los bancos acreedores: en marzo, los Estados Unidos pondrían en vigencia nuevas regulaciones que podían resultar muy onerosas para los bancos de su país. Esas normas autorizaban a contabilizar las acciones de las empresas adquiridas en la Argentina a cambio de deuda externa al cien por ciento hasta diciembre, pero pasado ese plazo, los bancos no podrían registrar esos papeles por más del 40 por ciento de su valor nominal. Es más: a partir de marzo, los títulos y las acciones debían igualarse en los balances por debajo del 30 por ciento de su valor nominal. En principio, la aplicación de estas normas afectaba a los bancos que habían participado de la privatización de ENTeL y Aerolíneas Argentinas, que verían disminuido el valor de sus papeles, afectando sus balances. Si en cambio González Fraga lograba cerrar trato con los acreedores antes de marzo, los organismos reguladores norteamericanos podrían reconsiderar la valuación de las acciones de esas empresas en la contabilidad de los bancos, dándoles la posibilidad de mostrar ganancias. En caso de resultar exitoso, el plan de González Fraga permitía que las entidades obtuvieran los beneficios originales de la capitalización: canjear pasivos –la deuda incobrable– por activos y nueva deuda que embelleciera sus balances.

El plan no llegó a suscribirse en los plazos previstos, pero como forma de compensar la demora, en los meses sucesivos la Argentina aumentó los pagos por atrasos a los bancos acreedores, de 500 a 700 millones de dólares anuales. El incremento pretendía ser una muestra del cambio de actitud de la Argentina ante los acreedores tras la caída del gobierno de Alfonsín. Y aunque la economía doméstica aún se sacudía entre medidas fiscales y devaluaciones, los pronósticos de Yeo se cumplían a la perfección: los primeros canjes de deuda por empresas habían demostrado ser un éxito.

En agosto de 1989, a tan sólo un mes del traspaso anticipado del gobierno, Menem obtuvo la sanción de dos leyes que serían claves para su mandato. La Ley de Emergencia Económica (23.697) otorgaba al Poder Ejecutivo poderes extraordinarios que le permitían "legislar" por decreto, prescindiendo del Congreso. La Ley de Reforma del Estado (23.696) autorizaba la privatización –bajo la modalidad de venta, locación o concesión– de la mayoría de las empresas productoras de bienes o servicios de propiedad estatal, y además habilitaba el mecanismo de capitalización de deuda como forma de pago para la transferencia de esas empresas. Esta última norma había sido redactada por uno de los hombres de mayor confianza del presidente, Julio Corzo, pero en los pasillos de la Cámara de Diputados se la conocía como "Ley Handley", por el empeño que había puesto el titular local del Citibank en su aprobación.

Como oposición, el peronismo había sido inflexible respecto de los regímenes de capitalización planteados por Alfonsín: sólo aceptaba la capitalización de títulos en proyectos productivos nuevos, con aporte de dinero en efectivo y sin transferencias de activos. Pero el cambio de roles, los esfuerzos de Handley, y las efusivas explicaciones del canciller Domingo Cavallo modificaron la postura de los legisladores justicialistas. El propio Citibank probó el agradable sabor de su propia medicina durante la privatización de ENTeL, la primera sociedad del Estado que entró a remate.

La empresa, convertida en ícono del "Estado elefantiásico" durante la campaña, ya había sido motivo de una agria disputa entre bancos durante la gestión de Rodolfo Terragno al frente del Ministerio de Obras Públicas. En 1987, el funcionario había firmado una carta de intención con Telefónica de España, que estipulaba que la firma se haría cargo del 40 por ciento de la empresa argentina asociada con otros inversores, entre los se contaban el Citi y el Chase Manhattan Bank. Pero en cuanto se difundió el preacuerdo, un grupo de proveedores y contratistas de ENTeL presentó una oferta alternativa: el grupo estaba liderado por dos empresas del Grupo Pérez Companc –la constructora Sade y el Banco Río–, y contaba a los bancos Morgan Guaranty y Deutsche Bank. Por cierto, la participación de representantes de la banca en ambos grupos no respondía a un súbito interés por el mercado de las telecomunicaciones: según anunció Terragno, el acuerdo firmado con Telefónica incluía la novedad de que un tercio de la inversión se haría en títulos de la deuda pública. Ironías de la historia: el debut de la capitalización fracasó por la férrea oposición del justicialismo, que definió la venta como una "enajenación". Apenas tres años mas tarde, los roles políticos se habían cambiado –el justicialismo privatizaba, el radicalismo criticaba–, aunque los bancos seguían firmes en sus puestos.

El 5 de enero de 1990, bajo la intervención de María Julia Alsogaray, Menem firmó el decreto 62/90 que aprobaba el pliego de bases y condiciones para la privatización de ENTeL. Como consecuencia de las disputas entre los grupos interesados, la norma dividió al país en dos regiones. Meses más tarde, mediante el decreto 2.332/90, se firmaron los contratos de transferencia con Telecom Argentina y Telefónica de Argentina para el traspaso de las acciones y bienes de la sociedad.

El control accionario de Telefónica era ejercido por la Compañía de Inversiones Telefónicas S.A. (COINTEL), y la participación quedó establecida de la siguiente forma:

- 60 por ciento COINTEL
- 30 por ciento Acciones de oferta pública
- 10 por ciento Programa de Propiedad Participada

A su vez, COINTEL estaba integrada por:

- 60 por ciento, el Grupo inversor
- 20 por ciento, Citibank
- 10 por ciento, Telefónica de España
- 10 por ciento, Techint

Por su parte el paquete accionario de Telecom se distribuyó según los siguientes porcentajes:

- 60 por ciento NORTEL
- 10 por ciento Programa de Propiedad Participada
- 30 por ciento Acciones de oferta pública

La controlante, NORTEL, estaba integrada por:

- 32,5 por ciento, Telecom de Italia
- 10 por ciento, Banca J.P. Morgan
- 25 por ciento, Pérez Companc
- 32,5 por ciento, Telecom de Francia

Para obtener su porción del negocio, Telecom Argentina –Región Norte– abonó 100 millones de dólares al contado. El resto, 2.308 millones, fueron adquiridos a través de títulos públicos de deuda y seis documentos a favor de ENTeL por un total de 177,6 millones a pagar semestralmente con tres años de gracia.

Telefónica –Región Sur– pagó 114 millones de dólares al contado y 2.720 millones –valor nominal– en títulos de la deuda, más seis documentos a favor de ENTeL por un total de 202,43 millones de dólares a pagar semestralmente con tres años de gracia.

El precio de venta del 60 por ciento de ENTeL resultó entonces de 214 millones de dólares al contado y 5.029 millones en títulos de deuda externa que, en el momento de la compra, noviembre de 1990, cotizaban al 15 por ciento de su valor nominal. En resumen: los adjudicatarios sólo desembolsaron 968 millones de dólares, mientras que el Estado asumió un pasivo de 1.700 millones. Por su magnitud, la venta de ENTeL fue considerada por los medios especializados internacionales como el mayor canje individual de deuda jamás realizado en el mundo.

Los números de la privatización provocaron el primer revuelo político de la era Menem. El radicalismo repitió conceptos similares a los que había escuchado Terragno, y un grupo de legisladores peronistas disidentes, encabezados por Germán Abdala, manifestó: "Se están regalando las joyas de la abuela". Por esas extrañas paradojas de la Argentina, los bancos parecían coincidir con el diagnóstico. En sus folletos, las entidades colocadoras de las denominadas "acciones remanentes" seducían a los posibles inversores con el siguiente análisis: "El negocio de comprar empresas recientemente privatizadas es rentable ya que fueron adquiridas a muy bajo costo. (...) Cabe destacar que, en este caso en particular, en la Argentina las tarifas son altas en relación a otras partes del mundo".

Quienes solían difundir estos conceptos eran los bancos encargados de ofrecer el tramo minorista de la colocación pública de acciones, entre los que se encontraban Banco de Quilmes, Deustche Bank, Banco Francés, Banco de Crédito Argentino, Casa Piano, Banco de Crédito Provincial, Banco Mayo, Banco Vélox, Mercado Abierto S.A., Exprinter, Banco General de Negocios, Banco Mercantil, Banco Medefín, Unibanco, Mercurio, y Banco República. Aunque algunos estaban bajo investigación del Central, el hecho no impidió que cobrasen las comisiones establecidas para la intermediación.

La oferta mayorista, el plato fuerte de la colocación, fue absorbida por cuatro consorcios:

• Banco Río, compuesto por Citibank, Banco Río local, Merrill Lynch y Banco Río Sucursal New York.

• Banco Tornquist/Del Sud, constituido por Banco Tornquist/Del Sud, Bear Stearns, Crédit Lyonnais, Tornquist/Del Sud Internacional.

• Banco Roberts, Banco Roberts y Morgan Stanley.

• Banco Galicia- J. P. Morgan.

Uno de estos grupos conocía el proyecto desde su concepción. Por consejo del ex BIRP y fiel empleado de Franco Macri, Ricardo Zinn –asesor de la interventora de ENTeL María Julia Alsogaray–, la dupla Roberts-Morgan ya había embolsado 4 millones de dólares en concepto de "asesor financiero" de la intervención. En calidad de consultores los bancos tuvieron en sus manos la redacción del pliego, especialmente los aspectos referidos a la capitalización. Tras la venta, en la City solía comentarse un dato curioso: como titular del Roberts, Enrique Ruete Aguirre se había encargado de los "aspectos financieros" de los pliegos, mientras que su hermano Martín, del Citibank, ganó la licitación. La coincidencia aportó un tinte familiar al negocio.

La inclusión de acciones de oferta pública en los pliegos se originó en una supuesta necesidad, ya que los oferentes argumentaban dificultades para cubrir el costo total del precio base. Pero pronto se reveló como un negocio extra y muy redituable para la banca, que cobraría una comisión por realizar la colocaciones. En el caso del Citi y del J. P. Morgan –integrantes de los consorcios ganadores– el negocio generaba ganancias por partida doble: cobrarían la comisión, pero además la demanda del mercado revalorizaría las acciones que habían adquirido a precio de ganga en la licitación –13 centavos de dólar por cada acción de Telecom, 12 centavos por las de Telefónica–.

La estrategia fue urdida por el representante local del J. P. Morgan, Emilio Cárdenas, un abogado verborrágico con oficio de banquero que representaba a media docena de entidades extranjeras. El plan era sencillo: para que la colocación tuviera éxito debían pasar al menos dos años entre la venta de la empresa y la venta del tramo mayorista de las acciones remanentes en poder del Estado. Mientras tanto se colocaría un pequeño porcentaje de acciones –un tramo minorista– que ayudaría a mejorar la cotización final. "De este modo –sostuvo Cárdenas– ganamos tiempo para maquillar el perfil bursátil de la empresa". La primera parte del plan se cumplió sin sobresaltos: incentivado por una campaña publicitaria sin precedentes, y la "ayuda" del Citibank, que llegó a garantizar el cien por ciento de cobertura para los que compraran por su intermedio, la venta de acciones minoristas alcanzó cotizaciones récord. No fue obra del destino que, finalmente, Cárdenas presidiera la culminación de su estrategia. El 22 de marzo de 1992, como presidente del Bank of New York –la entidad elegida por el gobierno como agente fiduciario–, Cárdenas y el titular de la Bolsa de Valores, Martín Redrado, abrieron los sobres con las ofertas y se estableció la tasa de corte de las acciones remanentes: 42 centavos para las de Telecom, y 24 centavos por cada acción de Telefónica. Así las cosas, la privatización de ENTeL terminó configurando una extraña ecuación: los propietarios del 60 por ciento de las acciones pagaron el 44 por ciento del precio total, mientras que los dueños del 30 por ciento, sin incidencia alguna en las decisiones de las nuevas compañías, desembolsaron el 56 por ciento del monto final. El gobierno festejó en público: "Es un venta histórica", dijo Redrado, quien por entonces se había ganado fama de *golden boy*.[44] Cárdenas brindó a solas con Steven Darch, el ex director local del J. P. Morgan.[45]

Los bancos que participaron de la colocación estaban eufóricos. Pero la trama aún reservaba otra sorpresa. En principio, los borradores de los pliegos contemplaban que la colocación del tramo mayorista de acciones quedaría en manos de bancos públicos, pero a último momento Alsogaray cerró trato con los cuatro consorcios privados que realizaron la operación. Tras caer en desgracia

---

[44] Luego de su paso por el gobierno de Menem, Redrado creó la Fundación Capital, desde donde colaboró con sus pronósticos a erosionar el programa económico de la administración De la Rúa. Tras la caída del mandatario radical, regresó a la administración pública como funcionario de la Cancillería bajo el mando de Carlos Ruckauf. Luego de la victoria de Néstor Kirchner, Redrado –uno de los pocos funcionarios que sobrevivió al recambio presidencial– fue ascendido a virtual vicecanciller del ex aliancista Rafael Bielsa.

[45] En 1991, como presidente de la Asociación de Bancos de la República Argentina, Cárdenas había acusado al gobierno de Carlos Menem de instaurar una "cleptocracia" –gobierno de ladrones–. El banquero fundaba su denuncia en los supuestos pagos de sobornos durante las privatizaciones. Su posterior participación en la venta de empresas públicas propició que el abogado de filiación radical rectificara su posición. El 30 de noviembre de 1992, Menem lo nombró embajador argentino ante las Naciones Unidas.

envuelto en sospechas, el ex ministro de Obras Públicas, Roberto Dromi, una figura clave en las privatizaciones, dio pistas sobre los motivos que habrían inspirado el súbito cambio de la interventora:

"¿Por qué se usan estos bancos? ¿Por qué no se discute el rol de los bancos privados en esta operación? ¿Por qué no venden las acciones los bancos públicos y se quedan con las comisiones?", se preguntaba el ex ministro en medio de los festejos, y agregó: "La que operó el cambio fue María Julia. Los bancos que hoy están colocando las acciones pusieron 300 millones de dólares para estar ahí, y ahora se van a llevar comisiones millonarias".

Una aclaración necesaria: en efecto, los bancos habían pagado al Estado 300 millones de dólares en concepto de adelanto por la colocación. Pero el enojo de Dromi sugería prebendas que la Justicia nunca investigó.

–Ahora van a conocer ustedes el poder los bancos.

La mujer de aspecto frágil y refinado fue soltando las palabras de a una, para que no quedaran dudas. Su interlocutor, el embajador argentino en los Estados Unidos, Guido Di Tella, sonrió como si se tratara de un cumplido. La frase desentonaba con el protocolo de los *vernissage* de Washington, pero nadie podía discutir que la dama sabía de lo que hablaba. Rhima Aia Rhodes, la esposa asiática del presidente del Steering Committee y vice del Citibank, dormía cada noche con el hombre que tenía en sus manos el futuro político de Carlos Menen. Y estaba demostrando su poder.

Agobiado por la crisis de la economía doméstica y las primeras denuncias de corrupción, el gobierno había apostado su resto político al éxito de las privatizaciones. La apuesta, sin embargo, terminó siendo una hoja de doble filo: los bancos acreedores –con el Citi a la cabeza– aprovecharon los tiempos de la desesperación argentina para aumentar gradualmente su tajada.

Las primeras manifestaciones de esa avidez se vieron durante el proceso de privatización de ENTeL. Pese a que los bancos se habían asegurado que primaría el negocio financiero –la licitación se definió a favor de los que aportaron más papeles de deuda–, el

Citi maniobró hasta último momento para imponer nuevas exigencias. Una muestra fue la negociación de las dispensas de deuda conocidas como *waivers*. Desde fines de los años 1970, los bancos que capitalizaban títulos de deuda en procesos de privatización de empresas públicas se veían obligados a otorgar *waivers* (perdones) con los que renunciaban a sus derechos adquiridos sobre esos papeles. La práctica era más que una formalidad: la capitalización no era posible sin la autorización expresa de los tenedores de bonos. Sin embargo, el apuro o la incompetencia llevó a que el gobierno iniciase el proceso de venta sin negociar los *waivers*, dejando una herramienta clave en manos de los acreedores. Los funcionarios se percataron del problema cuando recibieron un llamado del negociador argentino en Washington, el ex Banco Río Daniel Marx:

–El Citi dice que otorga el *waiver* si la privatización se resuelve a favor del consorcio que integra su banco.

En el mundo, a este tipo de pedidos se lo denomina extorsión.

Finalmente, el Citi retiró la cláusula un día antes de la apertura de las ofertas, luego de confirmar la porción del negocio que quedaría en sus manos.

–Nuestro banco sabe cómo tratar con ustedes –resumió Rhodes frente a un enviado del ministro Erman González, con palabras que no pretendían ser amistosas. El enviado había expresado una tibia queja ante una actitud que, entendía, era de una voracidad desmesurada. El banquero agregó:

–Dígale al ministro que conocemos a su país desde hace mucho tiempo.

El banquero no mentía. La relación entre el Citibank y la Argentina comenzó el 10 de noviembre de 1914 con un hecho histórico: la sede del The National City Bank of New York en Buenos Aires era la primera sucursal de un banco nacional estadounidense en el exterior.

Establecido originalmente para operar con las firmas norteamericanas instaladas en la Argentina –en especial los frigoríficos–, en 1917 el Citi ya era el noveno banco del país, con una participación del 1,8 por ciento en el total de depósitos del sistema, una relación similar a la que mantenía su casa matriz en los Estados Unidos. Los buenos resultados impulsaron la creación de cuatro nuevas sucursales porteñas, y tres en el interior. En 1969, ya con su nombre abreviado a First National City Bank, creó Citicard, la primera tarjeta de crédito con financiación de compras y liquidación de deudas. Cinco años más tarde el banco se convirtió en *holding* –Citicorp– y en 1976 la banca comercial del grupo adoptó el nombre Citibank N.A. Para esa fecha, uno de los hombres que más gravitaría en la historia argentina cumplía sus primeros diez años de trabajo en la entidad.

Heriberto Ricardo Handley, nacido en Chivilcoy en 1943, hijo de un ex empleado de Armour, dueño de una pequeña planta de hielo y esposo de Zina, había tenido sus años de celebridad en los años sesenta como *hooker* de los Old Georgian, el equipo de rugby del colegio Saint George. Su paso por el instituto inglés de Quilmes marcó a fuego su vida: allí recibió su mote –Gato, en homenaje a su plasticidad con la guinda–, allí se relacionó con los herederos de la burguesía nacional y allí conoció a John Reed, un amigo que sería medular en su vida.

Handley comenzó su carrera de "citibanker" en el sector comercial, pero pronto fue reclutado por la casa matriz para educarlo en los pormenores de la banca de inversión. De regreso en Buenos Aires, el Gato fue uno de los cerebros del Departamento de Tesorería, donde funcionaba la mesa de dinero y el área de *private banking*, la división que se encargaba de transferir al exterior el dinero de sus clientes millonarios.

Quienes trabajaron en el Citi suelen definir al banco como Vietnam: un campo de batalla donde la lucha por los espacios de poder es despiadada y se define cuerpo a cuerpo. En varias oportunidades Handley debió apelar a las enseñanzas del rugby para sortear las internas y escalar hasta la cima. En 1985, cuando Reed alcanzó la presidencia del Citicorp, la dupla con Handley se volvió imbatible.

En 1987, la división Citicorp Capital Investors (CCI) era la comidilla del mercado local. Aunque no se sabía demasiado sobre sus actividades, los operadores rumoreaban que estaba en el "negocio del canje de deuda". Por entonces el Citicorp ya había superado los límites de la banca comercial y brillaba en el jugoso mercado de las fusiones y adquisiciones. Pero el canje de deuda por empresas era mucho más que una operación clásica de *venture capital* (capital de riesgo). Con las privatizaciones, el Citi debía formar parte de los directorios de la nueva compañía. El caso generó dudas entre los funcionarios de la Reserva Federal, que se preguntaron durante semanas si esas inversiones no terminarían perjudicando a los ahorristas, en caso de que las empresas resultaran un mal negocio. Reed resolvió las cavilaciones de la Fed con un argumento demoledor: "Si no nos deshacemos pronto de nuestros títulos, el Citi terminará en la bancarrota". Los funcionarios norteamericanos optaron por ahorrarse el escándalo que hubiese significado la caída de su cuarto banco comercial, dueño de 263 sucursales en su territorio y 311 sucursales y oficinas de representación en 70 países. Pero impusieron una condición: concretadas las operaciones de canje, el Citibank debería despojarse paulatinamente de las nuevas compañías para evitar futuros problemas, en no más de cinco años. Reed comprendió que no tenía tiempo para perder.

Con Handley manejando el banco con mano de hierro, y la autorización de la Reserva Federal, CCI se lanzó a la caza de empresas en estado de agonía. La tarea quedó en manos de un cazador ambicioso: Juan Navarro Castex. Heredero de una familia patricia que había quebrado el Banco Ganadero –los Ocampo–, Navarro debutó en 1988 con la compra parcial de Juncadella, la transportadora de caudales más importante del mercado, cuya propiedad se adjudicaba a Alfredo Yabrán. Varios bancos clientes se quejaron de que un competidor manejara el traslado de sus papeles. Pero el asunto no incomodó a Navarro, quien avanzó hacia su siguiente objetivo: junto al grupo Macri y Bell South, el Citi participó en la compra de Movicom. A esa altura, en las oficinas del CCI solían decir que Navarro había creado sus propia versión del "deme dos": la híper le permitía comprar a precio de remate. En medio de la euforia, el Citi concretó la primera inversión industrial de su historia.

El 13 de noviembre de 1989 hubo fiesta en el Alvear Palace Hotel. El Citibank celebró los 75 años en el país con champagne, canapés y dos invitados de honor: Carlos Menem y John Reed. A la hora de los dulces, el titular del Citicorp tomó el micrófono para anunciar con entusiasmo:

–Vamos a invertir 600 millones de dólares en una papelera argentina –dijo en castellano perfecto–. Esto demuestra nuestro compromiso con el país, porque somos parte de esta gran nación.

La papelera que había despertado el espíritu nacionalista de Reed era Celulosa de Argentina (CASA), una firma emblemática que había crecido sobre la base de beneficios y prebendas oficiales. En el momento del anuncio, Celulosa era el principal deudor privado del Estado argentino.

El mayor acreedor de la firma era el Banco Nacional de Desarrollo (BANADE). Hacia ellos se dirigió Navarro para anunciar la oferta del CCI.

–Queremos comprar la deuda que Celulosa tiene con ustedes –dijo durante una comunicación telefónica con el Ministerio de Economía. Pero antes de que el funcionario pudiera hacer cuentas, el banquero agregó:

–Queremos hacerlo por el sistema de capitalización.

El proyecto de canje propuesto por Navarro se denominaba *debt-to-equity* (deuda por inversión). Se trataba de un subsidio a los inversores extranjeros basado en el control de cambios que había sido ampliamente utilizado por el gobierno de Alfonsín. Para ejecutar este mecanismo, el Banco Central licitaba periódicamente la tasa de descuento por los pagarés de la deuda externa, que solía ubicarse entre el 30 y el 60 por ciento de su valor. De este modo, si un inversor extranjero quería mejorar el perfil financiero de su proyecto, pagaba de 30 a 60 dólares y el Banco Central le entregaba moneda local a 100. El proyecto presentado por Navarro era idéntico al que había utilizado Pharaon para capitalizar la construcción de su hotel.

El 7 de febrero de 1989, el CCI formalizó su propuesta ante el ministro Sourrouille, quien la rechazó en menos de una semana. Navarro pidió explicaciones.

–Lo siento, pero los canjes sólo se aceptan para inversiones nuevas –le dijeron desde el ministerio, pero el banquero no se rindió. A diez días de asumir, el flamante directorio del BANADE nombrado por Carlos Menem emitió una "resolución general" que permitía la cancelación de deudas con el banco, en títulos GRA. Los títulos, que cotizaban al 12 por ciento de su valor nominal, serían tomados por el Estado al 100 por ciento. Parte del negocio ya estaba hecho. Pero la estrategia pergeñada por Navarro no terminaba ahí. En un fino trabajo de relojería, el banquero logró bajar aún más el precio de la deuda. Lo que sigue es el detalle de un negocio financiero brillante:

• Tras cuatro meses de negociaciones, el 7 de diciembre 1989 el BANADE aprobó el canje de la deuda valuada en unos 5 mil millones de australes.

• La deuda fue computada al valor que tenía al comienzo de la negociación –7 de octubre de 1989–, pues la entidad no la había actualizado.

• Si, como correspondía, se hubiese recalculado por hiperinflación e intereses, la deuda de Celulosa con el BANADE habría ascendido a 58.000 millones de australes en la fecha del canje. Tomando la cotización de la divisa en el momento del trato –650 australes por dólar– la cifra equivalía a 89 millones de dólares.

• La no actualización del crédito permitió que la deuda fuese convertida a dólares cuando el tipo de cambio resultaba más favorable a la compradora, tanto respecto de fechas anteriores –que ubicaba la deuda en 17 millones de dólares– o posteriores –que la hubiesen elevado a 89 millones–. De ese modo, el CCI adquirió la deuda y el control de Celulosa con apenas 8,5 millones de dólares. Por supuesto, a pagar con bonos "basura".

En Celulosa nadie tuvo noticias de los 600 millones de inversión prometidos por Reed. En cambio, un centenar de empleados recibió la mala nueva de su despido.[46] De todos modos, el debut industrial del Citi no fue promisorio: el "saneamiento" de Celulosa resultó más caro de lo previsto, al punto de que fue considerado por sus propios directivos "el peor negocio de nuestra historia".[47]

El siguiente paso de Navarro fue la compra del hotel Llao Llao de Bariloche. Construido entre 1936 y 1938, valuado en 15 millones de dólares, el CCI lo adquirió por 1,2 millones en efectivo, 2,6 millones en seis cuotas semestrales, y 12,87 millones en títulos de deuda, que cotizaban al 15 por ciento de su valor nominal. De este modo el Citi desembolsó por la propiedad apenas 5,68 millones de dólares en efectivo. Una vez más, el banco tenía motivos para festejar. El 3 de julio de 1993, el Llao Llao fue reinaugurado con una fiesta pantagruélica de 400 invitados que colmaron las 164 habitaciones disponibles. Para asegurar la presencia masiva, el Citi fletó tres aviones, dos para invitados especiales y uno para periodistas. El invitado de honor, Carlos Menem, compartió la mesa de cabecera con Handley, María Julia Alsogaray y el gobernador Horacio Massaccesi. En el resto de las mesas se distribuyeron el presidente de la Corte Suprema de Justicia, Antonio Boggiano, los hermanos Juan y Roberto Alemann, el presidente de la Sociedad Rural, Eduardo de Zavalía, el titular del Ejército, Martín Balza, y los empresarios Mauricio Macri, Carlos Bulgheroni, Mario Falak y Roque Maccarone. Casi todos los integrantes del nuevo poder en la Argentina estaban allí, salvo el hombre que había hecho posible el negocio. Luego de varias disputas con su jefe, Juan Navarro abandonó el nido en 1991 para fundar el Exxel Group, el fondo de inversión donde aplicaría los once años de educación financiera en el Citibank.[48]

---

46 El Citi argumentó que la empresa era inviable porque estaba "sobredimensionada".

47 En 2000 el CEI –sucesor del CCI– vendió Celulosa a Fanapel Investment Corp., una subsidiaria del grupo uruguayo Fanapel con sede en Bahamas. El nuevo presidente de la compañía fue Ricardo Zerbino, ex ministro de Economía durante la gestión de José María Sanguinetti.

48 En los años noventa, Navarro adquirió alrededor de 50 compañías de rubros diversos como servicios postales –OCA–, free-shops, helados –Freddo–, consumo masivo –Supermercado Norte– e indumentaria, entre otras. En la mayoría las transacciones se

Una de las disputas entre Handley y Navarro se produjo tras la participación fallida del Citi en la privatización de Aerolíneas Argentinas. En 1989, el gobierno puso a la venta la línea aérea de bandera en paralelo a la privatización de ENTeL. Pero a diferencia de lo que ocurrió con la telefónica, las aspiraciones del Citi se complicaron a poco de empezar, cuando su socia, Alitalia, decidió abandonar la pelea. Aunque el banco sostuvo en público que la defección de la empresa italiana había sido producto de "su mal momento financiero", en realidad Alitalia se retiró del negocio por desavenencias con el Citi. En este punto es necesario describir el frágil equilibrio interno de los consorcios que se formaban para participar de las privatizaciones. La cantidad de acciones que recibía cada socio dependía de la cotización que se le reconociera a los títulos aportados por el banco que integraba la sociedad. Para los bancos, el negocio consistía en integrar un consorcio aportando papeles de baja cotización, pero por los cuales se les reconociera mayor valor que el de mercado, para luego poder vender su participación en la empresa y capitalizar la diferencia. Para que eso ocurriese el gobierno debía disponer una tasa de corte –valor al que el Estado reconocía la cotización del título– superior al precio de esos bonos en el mercado secundario. En definitiva, la ecuación de los bancos cerraba así: a mayor tasa de corte, mayor cantidad de acciones para vender. Pero en el caso de Aerolíneas, el gobierno dispuso que tomaría los bonos a una tasa de corte similar a su cotización en el mercado secundario. Debido a que en esos días se pagaba por los bonos el 14 por ciento de su valor nominal, la decisión reducía significativamente la participación de los bancos en la nueva compañía.

Durante semanas, el Citi y el Chase Manhattan –en consorcio con Varig– presionaron para que el Estado subiera la tasa de corte de

---

realizaron mediante una operatoria que se conoce como "compra apalancada", es decir, adquiriendo deuda financiera. Finalmente, como no pudo afrontar sus compromisos ante los bancos acreedores, el Exxel debió cederles algunas de sus empresas, transfiriendo el costo de sus operaciones al sistema financiero. Al cierre de este trabajo, el ex vicepresidente del Exxel, José Demaría, ex consultor externo del Citi, estaba bajo investigación de la AFIP por supuesto contrabando de arte.

los títulos al 45 por ciento. El representante del Chase en la Argentina, Roberto Labarthe, lo dijo con todas las palabras: "Salir de la deuda a estos valores para seguir teniendo riesgo país no es buen negocio". Los banqueros lograron postergar la apertura de sobres, pero resintieron la relación con sus socios, quienes finalmente terminaron retirándose de los consorcios. Si bien el Citi –ya sin socio– hizo un último intento para que se declarase desierta la licitación –Navarro aspiraba a conseguir otro operador y mejorar las condiciones del canje–, la entidad se resignó a observar el triunfo de sus competidores: Iberia y el Crédit Suisse.

Fueron días inolvidables para los hermanos Rohm. Pese a que su banco no participaba formalmente de las operaciones, sus socios –el Chase y el Crédit Suisse-First Boston– habían tomado prestadas partes de las oficinas del BGB y, nobleza obliga, los integraron a las tratativas. Los hermanos sabían que, esta vez, el negocio los excedía, pero decidieron aprovechar al máximo la experiencia.

Asociados a Iberia y al Grupo Pescarmona, los socios de Rohm designaron dos pesos pesados al mando de las operaciones: el presidente del First en América Latina, Pedro Pablo Kuczynski –ex ministro de Economía del Perú de Belaúnde Terry–, y su representante en la Argentina, el ex ministro de Aramburu y Onganía, Adalbert Krieger Vasena.

Luego de intentar sin éxito el cambio en la tasa de corte, el Chase abandonó formalmente la pelea, pero se sumó activamente a la novedosa estrategia del Crédit Suisse: participar de la compra de Aerolíneas sin desembolsar ni un centavo. El plan llegó a manos del gobierno el 21 de junio de 1990. A través de una carta fechada en Zurich, el banco certificaba su disposición a garantizar el plan de inversiones por 54 millones del Grupo Iberia, a cambio de dos condiciones: la primera, que esa garantía entrara en vigencia después de la toma de posesión de Aerolíneas; la segunda, que se hipotecaran aviones por el 130 por ciento de la suma garantizada, libres de cualquier derecho prendario. De este modo la garantía del plan de inversiones no era el patrimonio de los compradores, sino los bienes de la empresa a comprar.

El plan fue puesto en ejecución a comienzos de agosto, mediante una argucia que aprovechó, una vez más, el "olvido" oficial de solicitar los *waivers*. El 21 de agosto el consorcio debía depositar 130 millones de dólares en billetes, más títulos de la deuda externa por 1.610 millones de dólares y sus intereses correspondientes, otros 400 millones. Pero con la excusa de que el gobierno no había conseguido la dispensa de los acreedores para la venta de Aerolíneas, los adjudicatarios sustituyeron los dólares y los títulos de deuda externa por una carta de crédito de pago condicionado. Según los oferentes, el pago se haría efectivo una vez que se "cumplimentara la entrega de los activos al consorcio adjudicatario". Aunque el argumento era legalmente discutible –según los pliegos las obligaciones del Estado comenzaban después del pago–, el gobierno hizo trato, aceptó la carta de crédito por 130 millones de dólares –supuestamente depositados en una cuenta de la sucursal del Banco Hispanoamericano en Nueva York–, y dispuso la entrega de la empresa a sus nuevos dueños. Curiosidades de un país de película. En el mundo de las finanzas, el procedimiento diseñado por el Crédit Suisse se conoce como *leveraged by out*.

En 1988, dos años antes de la venta de Aerolíneas, se estrenó en la Argentina el filme *Wall Street*, donde un *broker* utiliza ese mismo mecanismo para adquirir, precisamente, una compañía aérea con intenciones de despedazarla. El filme fue un éxito de taquilla, y el actor Michael Douglas ganó el Oscar por su personaje, al que él mismo definió como un "insensible tiburón".

La presentación auspiciada por el Crédit Suisse derivó en escándalo y la concesión se prorrogó. Pero el traspié no alteró el buen humor de los banqueros. En una conferencia de prensa en la cual los periodistas cuestionaron con dureza el plan del Crédit Suisse-First Boston, Kuczynski terminó el martirio de los oferentes con una broma:

–Disculpen, pero tengo que ir a Ezeiza a tomarme un avión alquilado –provocó, y se fue sonriendo en medio de las caras largas.

Esa vez el negocio no se cumplió como los banqueros esperaban, pero no faltaría oportunidad para festejar. Uno de sus socios locales, José Rohm, se lo dijo a Kuczynski al pie de la aeronave:

—Este país siempre da revancha.

Oro negro

Cuando los hermanos Rohm organizaron la primera operación financiera de la era Menem, el gobierno aún no había inaugurado el "Capitalismo Popular de Mercado", una curiosa denominación que pretendió ilustrar la relación de la Argentina con los mercados de capitales. El 2 de octubre de 1991, el Banco General de Negocios presentó en las pizarras de Wall Street el Fondo Argentina: 60 millones de dólares en acciones de firmas locales que cotizaban en la Bolsa de Nueva York. Tras el ocaso de los *country funds* (fondos nacionales), la experiencia era una prueba piloto. A instancias de sus socios extranjeros, los Rohm organizaron el Fondo para probar la recepción de las cotizaciones de firmas argentinas en Wall Street. A dos años de aquellas prácticas, los socios de BGN pasaron del fogueo a la artillería pesada participando de la operación financiera más importante de la historia argentina: la privatización de YPF.

La venta de la petrolera comenzó, como todas, rodeada de controversias. A una primera etapa de desguace que dividió las áreas de explotación en unidades de negocios le siguió la venta de la compañía, una de las pocas empresas del Estado que hasta el gobierno calificaba como rentable.

A diferencia de lo ocurrido con las transferencias de ENTeL y Aerolíneas Argentinas –donde se presentaron consorcios que incluían bancos y ofertas de capitalización de deuda– la privatización de YPF quedó íntegramente en manos de bancos. Más aún, fueron los banqueros quienes fijaron su precio. La estrategia había sido diseñada a fines de 1992 por los tres hombres claves de la operación –el ministro Cavallo, el titular de YPF, José Estenssoro, y el entonces subsecretario del Tesoro, David Mulford– tras un acto en el hotel Cesar Park.

"Solo el coraje y la determinación del presidente Carlos Menem hicieron posible la actual transformación de la Argentina", agradeció el ministro de Economía en la noche del 15 de diciembre, luego de recibir una bandeja de plata que lo distinguía como el "Economista del Año". El acto había sido organizado por el Instituto de Estudios Contemporáneos (IDEC), un organización fundada en 1983 para impulsar las ideas privatizadoras. Además de la bandeja le entregaron un pergamino firmado por los presentes: los ex ministros de Economía José Alfredo Martínez de Hoz, Roberto Alemann y Adalbert Krieger Vasena, empresarios y banqueros locales. En el pergamino también podía verse el prolijo garabato de David Mulford, quien esa misma tarde había llegado a la Argentina para planear la privatización de YPF.

La primera parte del proyecto era la más delicada. Para que la operación financiera fuera exitosa, el gobierno debía contar con el respaldo del Congreso. "Si la venta sale por decreto los inversores van a cotizar pensando en el riesgo país", expuso Cavallo una y otra vez ante los legisladores del bloque del PJ, dividido entre respaldos y reticencias. En rigor, ni la ley de Reforma del Estado ni la de Emergencia Económica posibilitaban la enajenación de recursos naturales, como el petróleo. Sin embargo, el argumento de Cavallo sirvió para forzar una negociación con las provincias petroleras, que terminaron aceptando la venta a cambio del canje de regalías atrasadas por acciones de la nueva YPF. Ante los argentinos el ministro justificó la venta con un argumento sensible: el pago de la deuda previsional.

"Esto es por los abuelos", llegó a decir Cavallo el 16 de marzo de 1993, durante una conferencia de prensa donde el único abuelo presente era Mulford, quien por entonces ya había dejado su trabajo en el Tesoro para convertirse en representante del First Boston. Minutos antes, el flamante banquero había mantenido una extensa reunión en el Palacio de Hacienda para ultimar los detalles de la colocación de las acciones de la petrolera.

La reunión comenzó pasadas las seis de la tarde, y el temario fue conciso: definir la metodología de la operación y seleccionar a las entidades que colocarían las acciones. Por el gobierno participaron los secretarios de Economía, Carlos Sánchez; de Financiamiento, Daniel Marx; de Industria y Comercio, Juan Schiaretti, y los subsecretarios de Comercio Exterior, Carlos Kesman; de Privatizaciones, Juan Carlos Sánchez Arnau, y los titulares de YPF, José Estenssoro, y de la Comisión Nacional de Valores, Martín Redrado. Por la banca estuvieron los invitados del First Boston: David Mulford, Adalbert Krieger Vasena, y su socio local, José "Puchi" Rohm. El inquilino más importante del edificio, Domingo Cavallo, cruzó varias veces desde su despacho para intervenir en la reunión que se realizó en el Salón de Cuadros del Palacio de Hacienda. Al cabo de dos horas, la decisión estaba tomada: la privatización se haría a través de la venta directa de acciones en el mercado, y los bancos encargados de la operación global serían el First Boston y Merrill Lynch. Sin embargo, por obvias razones de recato, el ministro decidió postergar el anuncio. Después de todo, el gobierno había llamado a una licitación para formar el sindicato de bancos que venderían las acciones, y las promiscuas negociaciones entre Cavallo y Mulford habían despertado recelos entre los interesados. El ministro decidió entonces que sería mejor continuar la pantomima hasta el 16 de abril, fecha en la que el público conocería los nombres de los colocadores.

Ese día, en un poco emotivo acto presidido por Horacio Liendo, el Ministerio confirmó que el consorcio First Boston-Merril Lynch se encargaría de la colocación global de acciones. Para evitar protestas se invitó a participar a los perdedores Goldman Sachs y Salomon Brothers. Por último, Liendo anunció que la comisión bancaria sería de un cuatro por ciento de la colocación. Con el trato hecho, sólo restaba saber la tasación de la compañía.

La valuación de YPF provocó una serie de disputas que, de no haber sido por sus implicaciones, podría calificarse como una comedia de enredos protagonizada por José "Pepe" Estenssoro. A mediados de 1992, el titular de YPF había anunciado que las evaluaciones sobre el valor de la empresa oscilaban alrededor de los 8.000 millones de dólares. Sin embargo, tras el acuerdo de colocación, los bancos sugirieron que, a su entender, el valor de la petrolera no superaba los 6.000 millones. La diferencia no era menor: la tasación determinaría el valor de venta de las acciones. Para los banqueros, una alta valuación implicaba mayores esfuerzos para conquistar inversores. Para el Estado, una reducción significaba una pérdida sensible en sus ingresos. En medio de esta pulseada Estenssoro protagonizó una controvertida conferencia de prensa que terminó en confesión brutal. La anécdota se cuenta en un cable de la agencia Interdiarios fechado el 26 de mayo de 1993:

"Visiblemente molesto por el contacto con el periodismo, Estenssoro rehusó dar mayores precisiones sobre las negociaciones para la privatización de la petrolera, sobre lo que estuvo conversando en el despacho del ministro de Economía, Domingo Cavallo. De la reunión también participaron el secretario Horacio Liendo, y el subsecretario de Política Económica, Alejandro Mayoral. 'La venta de YPF es un proceso que está en plena ejecución y está en manos del Ministerio de Economía, que será el que determine la fecha del lanzamiento de la venta de acciones', se limitó a responder ante la requisitoria de los periodistas acreditados en el Palacio de Hacienda. Al retirarse del despacho de Cavallo y encontrar al grupo de reporteros, el titular de YPF corrió apresuradamente rumbo al ascensor reservado para funcionarios. Alcanzado por los reporteros, Estenssoro, ya dentro del elevador, respondió con cortedad sólo tres preguntas. En el escaso tiempo disponible, se le recordó que él mismo había anticipado que el precio de venta de la petrolera sería de por lo menos de 8.000 millones de dólares. 'Yo no pude haber dicho que ése era el precio de venta, pero pude haber dicho que había evaluaciones que estaban alrededor de esa cifra', indicó. En repetidas ocasiones, Estenssoro estimó la valuación de YPF en 'por lo menos' 8.000 millones de dólares, admitiendo que ese monto podría llegar a casi duplicarse durante una reunión informativa en el Congreso. Al término de una reunión mantenida con Cavallo el 18 de agosto de 1992, Estenssoro fue más explícito: 'Sobre la base de trabajos de una consultora y un banco de inversión hemos determinado que YPF tiene un valor de mercado original de 4.000 millones de dólares, pero pensamos que con los cambios que hemos hecho y seguiremos haciendo será de aproximadamente unos 8.000 millones de dólares', sostuvo entonces. Sin embargo, a medida que se acercan los momentos de definición, las estimaciones del precio de venta van descendiendo, ya que los 8.000 millones dejaron de ser piso para convertirse en techo. 'El valor de hoy no puedo decirlo porque está en manos de los bancos de inversión', dijo Estenssoro, quien concluyó el mini reportaje empujando a uno de los hombres de prensa".

Naturalmente, tras un mes de discusiones, los bancos impusieron su tasación.

El anuncio coincidió con la caída de la tercera lluvia de misiles Tomahawk sobre Bagdad. El 28 de junio de 1993, el presidente Menem aterrizó en Washington con dos anuncios: el respaldo de la Argentina al bombardeo norteamericano sobre Irak, y el precio de corte de las acciones de YPF concertado en 19 dólares. El monto se reducía a casi un tercio de todas las estimaciones, pero el gobierno, una vez más, recurrió al "capitalismo popular de mercado" para justificar la decisión: "Es para proteger a los que menos tienen", explicó Menem, y prosiguió: "El Gobierno, con una decisión firme, impidió que se estafara a los sectores menos pudientes de la comunidad ¿Qué hubiera ocurrido si fijamos un precio muy alto? La gente de menores recursos que iba a comprar las acciones las compra a ese precio, y después terminaría perjudicada por una baja en el mercado". Por cierto, no fueron los "sectores de menores recursos" quienes se lanzaron de inmediato a la compra de las acciones baratas de YPF, sino los fondos corporativos, que aprovecharon el precio de remate hasta completar su stock. En sólo un día la voracidad de los compradores elevó la cotización a 24 dólares la acción, hecho que respondía a la lógica más elemental del sistema: comprar barato ahora para vender más caro después. Por supuesto, no había que ser un gurú para anticipar el crecimiento de la cotización. La suba del precio del crudo por la guerra de Irak presagiaba utilidades récord para YPF.

Por esos días, un estudio de la sociedad de bolsa Buenos Aires Stock (BAS) arrojaba una cotización de 23,29 dólares por cada una de los 353 millones de acciones ingresadas al mercado. Si el Estado argentino hubiese adoptado esa tasa de corte habría recibido 1.513 millones más de los 6.000 millones que obtuvo cotizando a 19 dólares la acción. Por su parte la prestigiosa consultora norteamericana Herold Institutional Research (HIR) había aconsejado a sus clientes invertir en YPF calculando el valor de cada acción a 31,54 dólares. Es decir que HIR daba a la ex empresa estatal un valor equivalente a 11.135 millones de dólares.

Un análisis del especializado diario neoyorquino *The Wall Street Journal* destacaba que Douglas Terreson, de la consultora Putnam Energy Resources, estimaba que las utilidades de YPF podrían llegar a 1,65 por ciento por acción en 1993 y a 2,40 por ciento durante 1994. Según esas predicciones, los inversores habían comprado un salto del 45 por ciento en las ganancias en sólo un año. El periódico calificó esa utilidad como "una relación precio-ganancia sumamente atractiva", y la comparó con lo que ocurría en las bolsas de Chile y México, donde la relación promedio entre precio y ganancias no superaban el 15 por ciento. "Esto hace que el costo de las ganancias de cualquier acción se recupere en el doble de tiempo que en YPF", resumía el artículo.

Por su trabajo en la colocación de las acciones, el First Boston y Merril Lynch se repartieron comisiones por 200 millones de dólares. Y fueron por más: en abril de 1994, ambos bancos intentaron una operación de recompra de las acciones de YPF en manos de los jubilados. El entonces titular de Comisión Nacional de Valores, Martín Redrado, evitó la maniobra, pero debió renunciar a su puesto luego de denunciar que se trataba "de una estafa" a los abuelos. El diputado Fernando Solanas presentó contra los banqueros una denuncia penal por usura. A esa altura, Mulford ya tenía en su vitrina la Orden de Mayo al mérito en grado de Gran Cruz. La condecoración había sido otorgada por el Estado argentino como agradecimiento por su contribución al "fortalecimiento de la convertibilidad", el programa económico que alimentó la burbuja financiera de los años 1990.[49]

Influencias

El Plan de convertibilidad nació con un engaño. Erman González, conocido como "el ministro cantor" por su afición al folclore, pasó su último mes de gestión –diciembre de 1990– sentado sobre un polvorín. El balance del año era crítico: la inflación había superado el 2.000 por ciento y el costo de vida creció 1.350 por ciento con respecto a enero. En los medios comenzaron a acumularse denuncias de corrupción: el uso político de bonos solidarios, una compra de guardapolvos con supuestos sobreprecios, el robo de juguetes que involucraba al vicegobernador de Santa Fe. El plan Erman IV se evaporó en tiempo récord mientras su autor postergaba pagos para fingir una reducción del gasto público. El golpe de gracia lo dio el embajador estadounidense Terence Todman al denunciar un pedido de soborno al frigorífico Swift. El caso se conoció como Swiftgate, y determinó la renuncia del ministro. Desde entonces Erman sostiene en privado que cayó víctima de su sucesor, el hasta entonces canciller Domingo Felipe Cavallo.

Erman basó sus sospechas en dos datos precisos: por una lado, Cavallo fue el encargado de difundir la denuncia de Todman; por otro, el riojano sabía que los ataques a la moneda provenían de sectores vinculados a su sucesor. En sus últimos días como ministro, Erman confesó sus presunciones ante su grupo de colaboradores: "Este tipo no va a parar hasta sentarse en este escritorio. Machinea tenía razón".

---

49 Mulford aprovechó su influencia para lograr que el BGN se convirtiera en un importante colocador de acciones de empresas privatizadas. El Banco participó de concesiones viales, la venta de las Petroquímicas Bahía Blanca y General Mosconi, Somisa, Altos Hornos Zapla y el Banco Hipotecario, que quedó en manos de uno de los socios de los Rohm, el Dresdner Klainworth Bank. En 1999 el BGN asistió al directorio de YPF en la venta de la compañía a Repsol de España. La operación se concretó en 15 mil millones de dólares.

En enero de 1991 Cavallo asumió la conducción del Ministerio de Economía con la satisfacción de los sueños cumplidos. Desde su Fundación Mediterránea –un tanque de ideas económicas fundado en su Córdoba natal– el hombre había acunado su ilusión ministerial durante una década. En ese período acumuló el respaldo de empresarios, consultores, banqueros y, finalmente, el de Carlos Menem, quien lo adoptó como su *"ministro in pectore"* desde el momento mismo de su elección. La Cancillería, el organismo que le permitió terminar de estrechar vínculos con funcionarios y banqueros extranjeros, sólo ofició como trampolín para su ascenso.

Cuando Cavallo se sentó en el sillón de Erman, el Plan de Convertibilidad llevaba al menos un año de espera. El flamante ministro lo había diseñado en colaboración con tres hombres que serían claves en su gestión: Horacio Liendo, abogado del estudio Severgnini, Robiola, Grinberg y Larrechea, Juan Llach, un economista ortodoxo, y Carlos Sánchez, experto en políticas fiscales. Durante las semanas posteriores a su asunción, Cavallo sumó a dos hombres para los retoques finales del proyecto: el presidente del Banco Central, Roque Fernández, y su vice, Felipe Murolo. Cuando todo estuvo listo, Cavallo consumó el engaño.

Para urdir su maniobra, el nuevo ministro utilizó la acumulación de libramientos de pagos de tesorería heredada de Erman González. Hacia fines de febrero, en una reunión de gabinete, Cavallo ordenó al secretario de Hacienda, Saúl Bouer, que pagara todo lo adeudado utilizando adelantos del BCRA. Esa tarde Bouer recibió la habitual llamada de Miguel Ángel Broda, un consultor de la City con fama de gurú. Contrariado, Bouer le contó al detalle la orden de Cavallo:

–Está loco, dice que emitamos para pagar la deuda. La inflación se va a descontrolar.

El primer descontrolado, en realidad, fue Broda, quien apenas cortó con el funcionario cumplió con su tarea de consultor. En rápida sucesión de llamados se comunicó con la decena de bancos a los que asesoraba y resumió el planteo:

–Cavallo está loco, va a emitir, y eso va a provocar un nueva devaluación. Compren dólares ya.

Al día siguiente –viernes– el Banco Central debió vender 300 millones de dólares para cubrir una nueva corrida récord contra el austral. Por la tarde los comentaristas económicos anunciaron que el ministro presentaría su renuncia. A esa misma hora Cavallo dormía su acostumbrada siesta en el flamante sofá ministerial.

Primero lo despertó la llamada nerviosa de Roque Fernández:

–Mingo, nos chuparon un montón de dólares. Esto se va a la mierda.

–No se va a ir a ningún lado, venite esta noche a casa que charlamos –refutó el ministro con aire displicente.

Cavallo aún no había terminado de ponerse la camisa cuando recibió la convocatoria a una reunión urgente en Olivos. En bermudas y zapatos de golf, Menem lo esperaba con "noticias preocupantes".

–Escuchame, me llamaron unos amigos banqueros para decirme que te habías vuelto loco. Me piden tu cabeza –lo saludó Menem.

–Presidente, quédese tranquilo. La semana que viene vamos a recuperar más de lo que perdimos.

Esa noche Cavallo impartió nuevas directivas al presidente del Central: subir drásticamente los encajes sobre los depósitos bancarios y provocar un aumento de la tasa de interés.[50] A su vez, el piso de la banda de flotación bajó de 9.800 a 9.500 australes. La medida fue anunciada por el BCRA el sábado y comenzaron a surtir efecto en las primeras horas del lunes. Obligados por la suba de los encajes, los bancos tuvieron que vender los dólares que habían comprado el viernes con una pérdida del 5 por ciento, producto de la baja en la banda de flotación. Al cabo de una semana el Central duplicó los dólares que había perdido el viernes negro. En una reunión con el núcleo duro de su equipo, Cavallo presumió:

–Bueno, ya está. Se acabó ese asunto del loco. Ahora sí que nos van a tomar en serio.

---

50 Se denomina encaje bancario a la proporción de depósitos que debe ser retenido por los bancos para atender eventuales retiros del público.

El primero en sufrir los efectos del engaño fue el propio engañado. Como había ocurrido tres años antes con Machinea, Broda recibió las quejas de su clientes. "Estas cosas pasan", solía contestar el economista a los arranques indignados de empresarios y banqueros. Y no faltaba a la verdad. En la Argentina, "estas cosas pasan" debido a la incestuosa relación entre funcionarios, consultores y banqueros. El caso de Broda y Bouer –autores de una corrida que, como otras, sembró pánico entre los argentinos de a pie– no fue una excepción. En el equipo de Cavallo abundaban los funcionarios con pasado –y futuro– financiero. Elevados a la categoría de gurúes, los consultores económicos suelen tener a bancos y banqueros entre sus clientes. Y los bancos acostumbran aportar cuadros propios al Estado. Uno de esos casos era el propio Cavallo, quien había probado suerte como banquero a principios de la década del ochenta al comprar una entidad monocasa: el Banco Comercial, Hipotecario y Edificador de Córdoba.

Entre sus socios Cavallo contaba con dos amigos de estudio y un mecenas. Los amigos eran Aldo Dadone y Hugo Gaggero –nombrados por Cavallo en el directorio del Banco Nación, luego procesados por su responsabilidad en el caso IBM-Banco Nación– y el mecenas se llamaba Fulvio Pagani, impulsor de la Fundación Mediterránea y *factotum* de la golosinera Arcor.

Fundado a principios del siglo XX, el banco cordobés franqueó sus últimos años de vida entre altas y bajas. Las altas coincidieron con el paso de Cavallo por el Banco Central. La licuación de deudas producida por las combinación de la circular 1.050 –implementada por Sigaut a propuesta de la Fundación Mediterránea– y el paquete de medidas impuestas por Cavallo permitieron que el Banco Comercial, Hipotecario y Edificador, como otras entidades, cancelara sus deudas en pesos a un 13 por ciento de su valor.[51]

---

51 Por efecto de estas normas, quienes "apostaron al dólar" en 1981 recibieron los beneficios en 1983. Tomando como base cien, quienes habían comprado dólares por ese monto endeudándose en pesos lograron, dos años más tarde, cancelar esos créditos pagando 13 dólares por cada cien de deuda: una ganancia neta de 87 dólares. Un mecanismo

Con el dinero fluyendo a borbotones de las arcas oficiales, Cavallo adquirió una residencia en el coqueto y exclusivo barrio cordobés del Cerro de Las Rosas, donde por años disfrutó del desmadre financiero que había contribuido a crear. Las vacas flacas llegaron recién en 1988, cuando el Central decidió la liquidación de la entidad con una pérdida estimada en cien millones de dólares.[52] Claro que el ministro no era el único funcionario con antecedentes de banquero.

–Es una actitud salvaje que no se corresponde con un país que pretende estar en el Primer Mundo.

El 19 de abril de 1992, el presidente de la Asociación de Bancos de la Argentina (ADEBA), Norberto Peruzzotti, estaba fuera de sí. Ese día el Banco Central tenía previsto realizar un acto impactante: por primera vez, se dijo, iban a hacer públicos los nombres de los responsables de la "Patria Financiera" de los años ochenta. El informe, que se presentaría en forma de listado, había provocado la ira de los banqueros locales, quienes veían el anuncio como una provocación.

–Los extranjeros nos quieren sacar del medio –repetía Peruzzotti, un hombre del Banco Río. Lo del dirigente no era una especulación.

En los últimos días, el ministro Cavallo había dicho en privado que el ingreso de la Argentina al Plan Brady dependía de tres condiciones: el achicamiento de la banca pública nacional, la venta de entidades financieras provinciales y la "reestructuración" de la banca local privada. Para los banqueros argentinos no era un secreto que las demandas coincidían con los reclamos de los bancos

---

similar, denominado en la jerga licuación de pasivos, se implementó en los primeros días de la gestión de Eduardo Duhalde, mediante la devaluación y la posterior pesificación de deudas y depósitos.

52 La relación de Cavallo con el Banco Comercial, Hipotecario y Edificador de Córdoba fue revelada por el diputado nacional Mario Cafiero. El ex ministro no lo desmintió, ante las consultas del autor de este trabajo.

extranjeros encabezados por el Citi y el BankBoston, quienes sostenían que el Plan de Convertibilidad había reducido sus márgenes de ganancias y bogaban por aumentar su participación en el mercado. La venta y liquidación de entidades era crucial para desarrollar esa estrategia.

La erosión cavallista sobre los bancos provinciales comenzó a poco de iniciar su gestión, mediante una combinación de normas y denuncias públicas. En el primer rubro Cavallo impidió que el Central girara redescuentos –prestamos del BCRA– a las entidades con problemas de liquidez, con el argumento de que "antes de pedir plata, debían sanear su cartera de deudores morosos". La denuncia de Cavallo castigaba el punto débil de los bancos provinciales: la utilización de sus recursos como herramienta de construcción política. El ministro denunció dos casos a modo de ejemplo. El primero involucraba al Banco de Salta, entidad que ostentaba el récord con el 94 por ciento de su cartera de préstamos en mora. En la mayoría de los casos esos créditos se habían otorgado en período preelectoral. El segundo se refería al Banco de Río Negro, provincia donde su gobernador, Horacio Massaccesi, había protagonizado un insólito allanamiento para retirar fondos públicos retenidos por la entidad. En este caso Cavallo denunció maniobras de triangulación de divisas que involucraban al Banco Macro y a la financiera Interfin.

Para Peruzzotti, la difusión de la lista de banqueros sancionados por el Central era una definitiva declaración de guerra. Pero la resistencia pública del banquero no prosperó. Esa tarde, Roque Fernández distribuyó un voluminoso comunicado donde, entre otros, se resumían los siguientes casos:

• Francisco Macri. Apercibimiento por el caso Banco de Italia y Río de la Plata: titular del Grupo Macri, con más de cincuenta empresas controladas o vinculadas, se integra con las compañías Sevel, Sideco Americana, Manliba y Philco. En los últimos años había incorporado a la compañía de telefonía celular Movicom, el sistema de auto transporte de la ciudad de Córdoba y tramos de rutas nacionales por concesión de peaje.

• Gregorio Pérez Companc, Roque Maccarone y Amadeo Vázquez. Llamado de atención por los casos Banco del Oeste, Citicorp-Río Banco de Inversión: presidente, vicepresidente primero y vicepresidente segundo del Banco Río y, a su vez, cabezas del grupo Pérez Companc, integrado por 53 empresas hasta 1987. La sanción correspondía a maniobras entre las tres entidades que, según el Central, habrían provocado el vaciamiento y el posterior cierre del Banco del Oeste. Hasta entonces el Grupo Pérez Companc tenía intereses en los rubros petrolero, pesquero, naviero, financiero, construcción y telecomunicaciones. Durante el período de privatización de empresas públicas resultaron adjudicatarios de las dos compañías telefónicas, concesiones viales por peaje y la adjudicación de áreas petroleras centrales y marginales. El Banco Río fue el principal suscriptor en el proceso de teleacciones tras la venta de ENTeL. En el futuro, Maccarone sería nombrado por Cavallo presidente del Banco Central.

• Güerino Adamo Andreoni –inhabilitado por 7 años desde 1989–, Banco Sindical: nombrado por Menem al frente de la Administración Nacional del Seguro de Salud (ANSSAL), fue secretario general de la CGT San Martín y de la Federación de Sindicatos de Empleados de Comercio.

• José Antonio Allende, por la liquidación de Argemofin: dirigente político del Partido Demócrata Cristiano. Fue presidente provisional del Senado entre 1973 y 1976.

• José María Klix –llamado de atención–, Banco del Oeste, Citicorp-Río Banco de Inversión: fue ministro de Planeamiento durante el gobierno de facto de Videla.

• Horacio Beccar Varela hijo –llamado de atención–, Banco del Oeste, Citicorp-Río Banco de Inversión: integrante de una de las inmobiliarias más importantes de la Capital Federal.

• Goar Mestre –llamado de atención–, Banco del Oeste, Citicorp-Río Banco de Inversión: empresario de televisión, huyó de Cuba luego de la Revolución de 1959 y presidió hasta 1974 el directorio de LS 85 Canal 13.

• Osvaldo Sivak, Buenos Aires Building Society: fue secuestrado y asesinado por un comando parapolicial. Su hermano Jorge, también miembro del directorio, se suicidó en 1991. Marta Oyha-narte, esposa de Osvaldo Sivak, fundó la agrupación Poder Ciudadano y fue legisladora porteña por el radicalismo.

• Rafael Aragón Cabrera –apercibimiento–, Banco Español del Río de la Plata: ex presidente del Club Atlético River Plate, titular de una de las principales cadenas hoteleras del país.

• Mariano Carlos Grondona –inhabilitado por 7 años desde 1989–, Banco de Intercambio Regional: secretario del Interior durante el gobierno de José María Guido, conductor de los programas televisivos Tiempo Nuevo, Videoshow, Análisis a fondo y Hora Clave, y titular de la cátedra de Derecho Político en la Universidad de Buenos Aires. Era uno de los defensores más entusiastas del canje de deudas por empresas, y sus análisis de coyuntura coincidían con los deseos de empresarios y financistas.

• Alfredo Leónidas Spilzinger –inhabilitado por 18 y 22 años desde 1990–, Credibono Compañía Financiera y DAR Sociedad de Ahorro y Préstamo para la vivienda: titular de la consultora Spilzinger y asociados, que participó en la elaboración de los pliegos de licitación de SEGBA. Era, además, presidente de la Asociación Argentina de Consultoras.

• Emilio Weinschelbaum –inhabilitado por 8 años desde 1990–, Credibono: presidió el Consejo para la Consolidación de la Democracia y formó parte de la Fundación Plural.

• Miguel Ángel Vicco –inhabilitado por 25 años desde 1992–, Financiera Maxfin: secretario privado, con rango de secretario de Estado, del presidente Carlos Menem. Debió renunciar a raíz de la serie de denuncias por suministro de leche en polvo en mal estado, no apta para consumo humano. Su primo, Raúl Juan –25 años de inhabilitación por el mismo caso–, era presidente de la Corporación Antiguo Puerto Madero.

• Norberto Antonio Bertaina –inhabilitado por 12 años desde 1992–, Financiera Maxfin: secretario de Hacienda durante la presidencia de Raúl Alfonsín, cuando Bernardo Grinspun se desempeñaba.como ministro de Economía.

• Ricardo Héctor Zunino –inhabilitación permanente–, Banco Hispano Corfin: automovilista, participó en grandes premios de Fórmula 1 Internacional, Fórmula 2 Europea y otras categorías en el ámbito local.

• José Omar Pastoriza, José Omar Pastoriza Cambio, Turismo y Bolsa: ex jugador de fútbol de Independiente, Racing, Colón, Mónaco y la selección nacional. Fue director técnico de Boca Juniors, Independiente y Racing, entre otros.

La nómina de directivos de entidades financieras liquidadas se convirtió en un espejo de la Argentina profunda: las sanciones, surgidas de expedientes con irregularidades comprobadas, no impidió que los integrantes de la lista participaran en el proceso de privatizaciones. O que algunos de los nombrados cumpliesen funciones en el mismo Estado que había sido víctima de sus maniobras. Enmarcada en la disputa entre bancos, la difusión del listado sólo sirvió para acelerar una puja tribal en el seno del Banco Central.

Para la fecha del informe, la conducción del BCRA estaba dividida en dos grupos. Uno estaba orientado por el ministro de Economía, Domingo Cavallo, y el otro aún respondía a la influencia de su predecesor, Antonio Erman González.

Si bien la difusión de la lista fue producto de dos resoluciones presidenciales, la divulgación de nombres de personalidades vinculadas al gobierno provocó el primer sismo entre "cavallistas" y "menemistas". El vicepresidente primero del banco, Felipe Murolo, de la Fundación Mediterránea, fue el primer blanco del "bloque riojano" –como se identificaba a los directores vinculados a Erman, donde se alistaban los directores Manuel Domper y Marcos Saúl–.

Al mismo tiempo que Roque Fernández hacía pública la nómina, desde los despachos menemistas del Central se difundía que Murolo había sido gerente general de la financiera Condecor, una firma acusada de irregularidades en el manejo de su cartera. En esta financiera también se había desempeñado como síndico el entonces secretario de Transporte, Edmundo Soria. Ambos funcionarios integraban el núcleo duro de Cavallo.

Con la difusión del "caso Murolo" los directores del "bloque riojano" intentaron contrarrestar el golpe que acusó Menem luego de que se conociera la deuda de 40 millones de dólares de su ex secretario privado, Miguel Ángel Vicco. Pero el desliz provocó un brote verbal de Cavallo, quien asumió personalmente la defensa de sus funcionarios: "Eso ocurrió hace varios años. No recibieron ni apercibimiento, ni llamado de atención, sólo se les aplicó una pequeña multa", dijo, confundiendo una sanción leve con una exoneración.

En medio del revuelo la Asociación de Bancos de la República Argentina (ABRA, que agrupaba a los bancos extranjeros), terció en el conflicto a través de un comunicado. "La difusión de la nómina es un hecho de publicidad propia del sistema republicano", dijeron, sin perder los modales en el festejo. Para los bancos extranjeros, la difusión de la lista y el conflicto en el Central implicaba una conquista en la batalla por lograr su objetivo: aumentar su participación en el mercado financiero argentino.

El reclamo formaba parte de los puntos no negociables del Plan Brady: si la Argentina pretendía ingresar al programa de refinanciación de deuda externa, antes debía reformar su sistema financiero. El director gerente del FMI, Michael Camdessus lo expresó sin eufemismos durante las rondas de negociaciones: "Su mercado es demasiado chico para tantos bancos. Algunos se van a tener que caer". Cavallo aceptó la directiva, pero la tarea era delicada: con el Plan de Convertibilidad aún en pañales, un estornudo entre las entidades privadas podía provocar un efecto contagio impredecible. Y si bien el ministro impostaba un duro discurso contra los grandes márgenes de intermediación, Cavallo ya había dado muestras de que no tenía intención de confrontar con los banqueros. En lo que iba de su mandato, por cada paso que había dado para abaratar el costo del dinero, otro estaba destinado a asegurar negocios alternativos para la banca. A saber:

• Como lubricante del ajuste, el ministro generó una situación privilegiada para que los banqueros encabezaran la llamada securitización o desintermediación, un mecanismo mediante el cual las empresas salían al mercado de capitales a buscar fondos para trabajo e inversión.

• También concedió a los privados el monopolio para la emisión de *Commercial Papers*, bonos a 180 días con renta fija transferible. En la primera etapa no se autorizó a las empresas el empleo de este instrumento, para que el negocio quedara exclusivamente en manos del sistema financiero.

• La implantación de una tasa de referencia para acotar las tasas activas complicó a las entidades provinciales, pero no tuvo efecto sobre los bancos privados más fuertes, ya que, debido a la muy baja monetización de la economía –relación entre la masa de medios de pago y el PBI–, ya estaban fuertemente capitalizados.

• El castigo aplicado a las entidades financieras a medida que subía su *spread* –margen entre tasas pagadas y cobradas– pretendía exigirles una mayor proporción de capital propio para responder por sus pasivos, relación que no tenía impacto sobre los grandes bancos, ya que les sobraba patrimonio respecto de los magros depósitos captados por la baja monetización.

• La irrupción del negocio bursátil derivó en la creación de las sociedades de Bolsa. Por iniciativa de Cavallo tuvieron la exclusividad para operar como *market makers* (especialistas) con determinadas acciones. Significaba que los bancos privados podían armar una cartera propia de papeles, asumiendo el riesgo. En su momento, el propio Martín Redrado, titular de la Comisión Nacional de Valores, presentó el negocio como "especial para los bancos". Los defensores de este mecanismo alegaron que ayudaba a atenuar los altibajos bursátiles. Los viejos corredores de Bolsa, en cambio, aseguraron que el mecanismo era utilizado para manipular las cotizaciones.

• El paquete de beneficios se completó con la decisión de que las empresas privatizadas debían contar con un banco –o consorcio de bancos– *underwriter* (suscriptor), y con una sociedad de Bolsa "especialista".

Así las cosas, el pedido de Camdessus puso al ministro ante una disyuntiva: o resentía el puente de plata que había tendido con los banqueros privados, o avanzaba contra la banca pública, liderada por el Banco Nación. Al comienzo de su mandato el ministro intentó reducir la importancia de esa entidad a través de un proyecto que limitaba sus operaciones y cerraba buena parte de sus sucursales en el interior. Pero el plan fue resistido por la oposición parlamentaria, por lo que Cavallo se vio obligado a modificar el blanco de su teleobjetivo. Para cumplir con las directivas del FMI decidió comenzar por el eslabón más débil del mercado: la banca pública provincial.

El trabajo sucio quedó en manos del secretario de Programación Económica, el ortodoxo Juan Llach, un economista de coincidencia fina con los banqueros foráneos. La complejidad de la operación podía resumirse con un solo dato: los bancos oficiales de provincia concentraban la mayor parte de los préstamos en moneda nacional del sistema comercial. Según un informe del BCRA, al 29 de febrero de 1991, los bancos públicos de provincia acaparaban el 51,3 por ciento de los créditos en pesos. El Banco de la Provincia de Buenos Aires –segundo en el ranking general de bancos comerciales del país– encabezaba las posiciones entre las entidades crediticias provinciales, tanto en préstamos –con casi dos mil millones de pesos– como en depósitos, con poco más de 1.270 millones. El listado de bancos de provincia por monto de depósitos se completaba con los de Córdoba –382 millones de pesos–, Santa Fe –273 millones– y Mendoza –256 millones–. En cuanto a préstamos, el segundo banco de provincia era el de Chaco –551 millones–, seguido por el de Río Negro –388 millones– y el de Corrientes –347 millones–. Los beneficiarios de los créditos eran en su mayoría pequeños productores agrícolas, que desde siempre habían operado con las sucursales de los bancos locales. Tradicionalmente, la presencia de los bancos extranjeros en el interior se reducía a un puñado de sucursales dispersas en los principales centros urbanos, mientras que la banca local contaba con una extendida red de representaciones. La expansión, claro, había tenido sus costos. En muchos casos, los bancos oficiales habían sido utilizados como herramienta política, tanto en el otorgamiento de créditos blandos

–que con el tiempo se convirtieron en incobrables– como en la captación de personal. Uno de los casos más escandalosos era el del Banco de La Rioja, una entidad que, en tiempos en los que Carlos Menem era gobernador, había llegado al 70 por ciento de su cartera de créditos en mora.[53]

Los manejos de los caudillos provinciales fueron el flanco que atacó Llach. Como era habitual, la avanzada comenzó con un pedido de ajuste:

–La banca provincial está escandalosamente sobredimensionada, y se tendrá que achicar –sentenció el funcionario, mientras otro integrante del equipo económico, Horacio Liendo, gestionaba un crédito de 1.100 millones de dólares ante el BID para financiar el "saneamiento" de las entidades provinciales. Para reforzar la "necesidad" de la medida, Cavallo recurrió a los fantasmas:

–Estos bancos cuentan con un nivel de tasas de interés elevado, que puede perjudicar al sistema financiero global –enfatizó, meneando la posibilidad de una caída en cadena–. Los gobernadores deberían despedir unos 500 empleados por cada entidad para mejorar sus costos operativos.

Con cada palabra del ministro, el "operativo limpieza" se aceleraba. En rigor, los esfuerzos de Cavallo por limar a los bancos públicos provinciales habían comenzado con la sanción misma de la Ley de Convertibilidad, que aumentaba los encajes y prohibía que el Banco Central los asistiera a través de redescuentos. Si bien la decisión los ponía en inferioridad de condiciones con respecto al resto del sistema, los bancos provinciales lograron mantenerse a flote ofreciendo préstamos a tasas de interés inferiores a las de sus colegas privados del interior. Lejos de convertirlos en una "amenaza" para el sistema, la estrategia

---

53 El Banco de La Rioja se privatizó parcialmente en 1991. En ese momento, Cavallo dijo que era "un modelo a seguir". El banco fue otorgado a Elías Saad, un amigo de la infancia de Carlos Menem. En 1998, a raíz de un nuevo escándalo por créditos incobrables –entre los beneficiarios se encontraban empresas que habían financiado la pista aérea de Anillaco– la entidad fue reestatizada.

amenazaba el margen de ganancias de las entidades privadas, que se veían perjudicadas por tasas inferiores a las que ofertaban.

Embanderado en su prédica para abaratar el costo del crédito, Cavallo decidió resolver ambos problemas –la supervivencia de las entidades oficiales y la reducción en el negocio de intermediación de los privados– con un solo disparo: mediante la comunicación A 2006, el BCRA dispuso que los bancos públicos de provincia no podrían cobrar una tasa de interés para préstamos superior a la pactada por el Banco de la Nación Argentina.

Para complacer los deseos de su amigo ministro, el titular del Nación, Aldo Dadone, dispuso que la entidad oficial realizaría operaciones activas al 2 por ciento mensual, un porcentaje que se ubicaba por debajo de la que ofrecían las entidades privadas.

La medida decretó la defunción de buena parte de las entidades provinciales, que no pudieron hacer frente a sus costos operativos debido a la reducción del *spread*. En algunos casos las entidades fueron liquidadas, y en otros el ajuste derivó en el proceso de privatización que auspiciaba el ministro. Tampoco demoraron en aparecer otros perjudicados por las medidas, como los clientes agropecuarios. Si bien la rebaja de las tasas benefició a los grandes productores –que recibieron créditos más baratos–, el ajuste perjudicó a los pequeños, ya que el acceso al crédito se restringió vía selectividad y exigencias en materia de garantías. Finalmente, la disposición de Economía provocó una nueva "bicicleta financiera" que permitió a los privados ganar algunos millones extra: a través de empresas controladas, los banqueros tomaron préstamos al 2 por ciento mensual en los bancos de provincia y depositaron ese dinero a una tasa mayor en sus propias entidades. Claro que ésa no sería la última vez que, para los banqueros privados, la tómbola puesta en marcha con las negociaciones del Plan Brady volviera a marcar "Todos ganan".

Deuda eterna

Horacio Liendo lo presentó como una grata curiosidad: de acuerdo con el orden de próceres iniciado con el Plan Austral, el nuevo billete de un peso debía llevar el rostro de Carlos Pellegrini.

Cavallo tomó el dato como una señal de la providencia. Para el equipo económico era un honor que la flamante moneda tuviese estampada la imagen del mandatario que impuso la Caja de Conversión. Después de todo, la Ley de Convertibilidad se inspiró en la legislación que, a principios de siglo, habían diagramado los gerentes de la Casa Tornquist. Por cierto, las coincidencias entre los planes no se limitaban a la paridad cambiaria con la divisa extranjera. Cavallo asumió la conducción del ministerio de Economía con la misma convicción que Pellegrini: había que "honrar" la deuda externa.

Cuando el gobierno de Carlos Memem asumió, la deuda pública argentina era de 62.000 millones de dólares. De este total, alrededor de 25.000 millones se debían a la banca internacional en concepto de créditos fuertemente concentrados en grandes bancos norteamericanos y europeos. Hacia fines de 1991, el gobierno suscribió la incorporación de la Argentina al Plan Brady. Según anunció el ministro, ese ingreso "solucionaría para siempre" el problema de la deuda.

El gobierno inició las tratativas con una serie de gestos destinados a cortejar a la administración de George Bush, un factor determinante en las negociaciones. En noviembre, Menem emprendió una gira oficial por los Estados Unidos con sus maletas cargadas de concesiones recientes, entre las que se contaba el retiro de la Argentina del grupo de países no alineados –una iniciativa internacional que, en 1973, había contado con el respaldo de Juan Perón–, el desmantelamiento del proyecto Misil Cóndor II, la cancelación del desarrollo nuclear, el envío de tropas a la guerra en Irak, el apoyo a la moción estadounidense de investigar la situación de los derechos humanos en Cuba y la presentación de un proyecto de ley que reconocía el derecho de propiedad intelectual de medicamentos.

El viaje a los Estados Unidos se presentó en público como retribución de la visita que Bush había realizado durante la cruenta rebelión carapintada de diciembre de 1990. Pero, en realidad, la gira del mandatario argentino perseguía objetivos menos protocolares:

las dilaciones del FMI para conceder el "crédito de facilidades extendidas" por más de 3 mil millones de dólares había sembrado dudas sobre la supervivencia del Plan de Convertibilidad.

Recurriendo a artimañas de buen contador, Cavallo había logrado cerrar las cuentas del Estado incluyendo los ingresos por la venta de empresas públicas, pero los técnicos del FMI eran lapidarios: el déficit fiscal no podría sustentarse sin empresas para rematar. Los informes terminaron prorrogando la decisión del otorgamiento del préstamo del FMI, y desataron una histeria de rumores en la City. Las versiones más extendidas indicaban que el organismo había vetado el ingreso del país al Plan Brady. Con la esperanza de aventar las sospechas Cavallo juró ante la prensa que las postergaciones no obedecían a un veto, sino a una estrategia: "Los que manejan los tiempos del acuerdo somos nosotros", aseguró, con la convicción de los engaños. Y agregó: "Vamos a seguir acumulando dólares y a continuar con las privatizaciones, hasta terminarlas en 1992. La capitalización de la deuda nos permitirá reducir el volumen global de los capitales e intereses a pagar, y en esas condiciones, va a mejorar el poder de negociación del gobierno. No tenemos ningún apuro por negociar"[54] El estilo enfático de Cavallo sirvió para mitigar los rumores, pero sus palabras no reflejaban lo que ocurría en los Estados Unidos, donde el presidente volaba de una ciudad a otra con la esperanza de cerrar trato con el Fondo.

El 14 de noviembre Menem comenzó su raid en suelo estadounidense con un desayuno que compartió con los presidentes del FMI, Michel Camdessus, del Banco Mundial, Lewis Preston, y del Banco Interamericano de Desarrollo, el uruguayo Enrique Iglesias. Lejos del protocolo, el mandatario fue al grano:

—Ustedes saben mejor que nadie que necesitamos el préstamo —dijo, ante la mirada inmutable de los banqueros.

—Lo sabemos, pero sus números no cierran, y todavía no tuvimos una señal clara de Bush.

----

54 Convertidas en muletillas que pretenden impostar fortaleza, frases similares fueron repetidas por los ministros de Economía en las sucesivas renegociaciones con el FMI.

Horas más tarde, en su primera reunión a solas con Bush en la Casa Blanca, Menem obtuvo promesas y advertencias en partes iguales:

–Nosotros los apoyaremos, pero sería bueno que lleguen a un acuerdo con los bancos acreedores.

Al día siguiente Menem escuchó palabras similares durante un desayuno con el secretario del Tesoro, Nicholas Brady, y con su segundo, David Mulford:

–Si convence a los banqueros, nosotros nos encargaremos del FMI.

El mensaje del gobierno norteamericano no admitía dobles lecturas: la comitiva oficial debía jugarse el resto en Nueva York, donde lo aguardaban los representantes de la banca.

Los ruegos de Menem en la Gran Manzana comenzaron durante un almuerzo con los ejecutivos de las influyentes The America's Society y del Council of América, dos organizaciones que reunían a la flor y nata de la banca internacional. Uno de los fundadores de ambos grupos, el magnate David Rockefeller, fue el encargado de transmitir la noticia al elenco presidencial:

–Señor presidente, nosotros estamos conformes con los pasos que está dando su gobierno, pero creemos que faltan algunas transformaciones. ¿Por qué no nos comenta las reformas en la cena de esta noche? Ésa sería más que una buena señal.

Menem aceptó la invitación y pulió los detalles de su discurso. Esa noche, frente a los banqueros del Council, Menem iniciaría la cuenta regresiva del ingreso al Plan Brady con una frase sin matices:

–Argentina va rumbo a convertirse en el país más liberal del mundo, incluso mucho más que Japón. Nuestra tierra espera que florezcan vuestros negocios.

De regreso en Buenos Aires Menem firmó dos decretos que formalizaban los acuerdos suscriptos en Washington. El primero incluía una cláusula de garantía de inversiones, que permitía a los inversores extranjeros elegir tribunales fuera de la Argentina para dirimir sus eventuales conflictos con el Estado argentino. El otro impulsaba un ajuste en la coparticipación de impuestos con las provincias y promovía la liquidación de la banca provincial. Pese a que ambos decretos habían surgido de las reuniones en la Casa Blanca como condición para obtener el acuerdo del FMI, el organismo emitía posiciones contradictorias. Por un lado, sus voceros anunciaban la inminente aprobación de la *extended fund facility* (asistencia ampliada) de 3 mil millones de dólares, pero al mismo tiempo sus técnicos no aprobaban la *performance* argentina en el primer trimestre julio-septiembre del *stand-by*, forzando a Buenos Aires a solicitar un *waiver* por el desfase en las metas. Las posturas reflejaban las pujas internas que había disparado el "caso Argentino" en el seno del Fondo.

Para entonces el organismo ya estaba dividido en dos niveles: la cabeza, representada por Michel Camdessus; y el cuerpo técnico, que para el caso argentino estaba encarnado en los funcionarios Ted Beza y Armando Linde. Como instancia final del directorio, Camdessus recibía la presión política del gobierno estadounidense, que operaba a la luz del día en favor de un arreglo con la Argentina. En el nivel técnico, en cambio, operaban los contactos de la banca comercial, que habían hecho público su disgusto por la decisión de Cavallo de utilizar los 300 millones de dólares cobrados anticipadamente por las acciones de ENTeL, para cancelar el rojo del Sistema Previsional con el Banco Central. En una cuidada calesita de divisas, los bancos extranjeros –que cobraron comisión por colocar las teleacciones– pretendían que los fondos de esa venta se destinaran a pagar la cuenta de intereses pendientes con sus casas matrices. Pero la capitalización de este negocio redondo no era el único fin de la presión. A través de los técnicos del FMI, la banca también buscaba forzar un ajuste fiscal para mejorar el perfil de la Argentina como país deudor. De hecho, por efecto de las privatizaciones, los títulos de la deuda ya cotizaban al 40 por ciento de su valor, aumento que aliviaba en parte sus balances. Esta situación les permitía dilatar la negociación con la Argentina, a la espera de que el país les otorgase el aliciente de un pago efectivo por los intereses atrasados y una mayor cuota mensual de amortización de capital. La paciencia de la banca jugaba con la desesperación de Cavallo quien, pese a su prédica, apuraba el acuerdo por el Brady, empujado por un balance comercial que podía virar al rojo en cualquier momento, y que reclamaba abundante financiación. Finalmente la estrategia de la banca dio resultado. Pocos días antes de que comenzara el nuevo año, el FMI aprobó el desembolso de los 3 mil millones de dólares para financiar el ingreso de la Argentina al Brady, a cambio de que el país utilizara ese financiamiento para abonar el *cash* inicial de la refinanciación de la deuda con los bancos privados. Algo así como un gigantesco préstamo *back to back*.

A poco de brindar por la llegada del nuevo año, Domingo Cavallo viajó a Nueva York para iniciar las negociaciones con el Steering Committee. La propuesta oficial constaba de un aumento en los pagos de los intereses adeudados, que se elevaría de 600 millones a 1.100 millones anuales, a cambio de la reducción del 40 por ciento en el capital de la deuda con la banca. Para mostrar su voluntad de pago, y el origen de los recursos, Cavallo llevaba un proyecto de reforma impositiva y la aplicación de un aumento en el IVA, el impuesto que gravaba el consumo. El incremento del IVA afectaba a productos de la canasta básica alimentaria, e indicaba hasta dónde estaba dispuesto a llegar el Gobierno en su afán de conquistar a los banqueros. Sin embargo, los acreedores exigieron un esfuerzo mayor. El 25 de febrero de 1992, el *Washington Post* publicó una carta del Steering Committee que puntualizaba las condiciones para la formalización de un acuerdo. Entre ellas, que la Argentina realizara un pago de mil millones de dólares en tres cuotas –la primera debía depositarse cuando se informara oficialmente el compromiso– y un pago de 1.500 millones de dólares por año. Además, los acreedores externos exigían que la Argentina aceptara todos los bonos de la deuda para el pago de operaciones de capitalización –hasta ese momento recibía uno solo de los seis bonos externos en circulación– y que el país implementara un régimen de tasas flotantes. Respecto de la quita, el documento ofrecía la reducción del 30 por ciento sobre el capital.

El gobierno aceptó la incorporación del resto de los bonos, pero discutió el monto del pago inicial. Tras cuatro meses de negociaciones, el 5 de abril de 1992, Cavallo y el principal negociador de la banca acreedora, el citibanker William Rhodes, firmaron el acuerdo marco del ingreso argentino al Plan Brady. En una entusiasta conferencia de prensa realizada sobre las arenas blancas de Santo Domingo, el ministro y el banquero bosquejaron las bases del trato: el país se comprometía a incrementar sus pagos a los bancos en un 68 por ciento, con un desembolso inicial de 400 millones de dólares al contado, más otros 300 millones con bonos "cupón cero", garantizados por el Tesoro de los Estados Unidos. Como contrapartida, aseguró Cavallo, los acreedores aceptaban una quita del 35 por ciento de la deuda. Aunque el acuerdo distaba de la propuesta original elaborada por el equipo económico, el anuncio provocó festejos en suelo porteño.

–Esto es espectacular, histórico –vitoreó el presidente Menem. En la misma línea, el ex asesor de Martínez de Hoz, Juan Alemann, resumió sus sentimientos con una humorada:

–Este problema de la deuda está resuelto, pero acá sucede algo gracioso –acotó–. En 1982, siendo presidente del Banco Central, Cavallo contribuyó a pasar deuda privada a deuda pública por un mecanismo de seguros de cambio, y ahora el mismo ministro va a crear una mecánica por la cual el país tendrá menos deuda pública y volverá a tener más deuda privada.

Sin embargo, ni la euforia de Menem ni el pronóstico de Alemann se ajustaban a la realidad.

Tras la firma, el ministro sostuvo que el acuerdo significaba una merma de 10.000 millones de dólares en la deuda externa. Pero aún restaba definir qué tipo de bonos elegirían los acreedores, ya que la propuesta argentina incluía tres opciones. Y aunque Cavallo se cuidó de callarlo en público, con la compra de garantías al FMI el Estado asumía nuevas deudas ante el organismo.

Para los banqueros, en cambio, el acuerdo implicaba el cierre de un anillo perfecto que había comenzado a construirse diez años atrás, durante la crisis de la deuda latinoamericana. Con la firma de la Argentina –el último de los deudores fuertes del continente en ingresar al Brady– los acreedores lograron salir del riesgo latino. Al recibir títulos estadounidenses en garantía –los Brady–, se aseguraron además el pago pleno por parte de los deudores, tras una quita sobre la deuda nominal, y reabrían un mercado importante para sus negocios. No obstante, fieles a su filosofía, los banqueros iban por más.

Pese a que Cavallo les había resuelto un problema –generado por ellos mismos al otorgar malos créditos–, la mayoría de los acreedores eligió cambiar los viejos títulos argentinos por los llamados Bonos a la Par, que no reconocían ninguna quita de "principal" –el capital de una deuda–. La decisión complicaba la promoción oficial del pacto, que había resistido las críticas precisamente difundiendo que se había obtenido una quita significativa de capital. Pero el inconveniente no consistía sólo en el costo político que significaba para el gobierno no poder afirmar que el país había conseguido una quita del 35 por ciento: lo cierto era que el capital adeudado seguía siendo de 100, y no de 65, razón por la cual era necesario entregar más bonos del Tesoro estadounidense para garantizarlo, lo que implicaba un mayor desembolso inicial. Para salir del atolladero Cavallo recurrió una vez más a Rhodes, quien maniobró para que las entidades de posiciones más duras –entre las que se encontraban el Crédit Lyonnese, el Dresdner y el Bank Of America– aceptaran recibir un porcentaje de bonos con descuento. Por estas gestiones, meses más tarde Rhodes fue condecorado con la Orden de Mayo, la máxima distinción del gobierno argentino. "Agradezco en mi nombre, pero también en el nombre del Citibank, el banco en el cual trabajo", dijo Rhodes durante el acto. Y no mentía: al banquero, y a su banco, le sobraban motivos para estar agradecidos por la generosidad argentina.[55]

---

55 El plan Brady fue instrumentado principalmente a través de dos clases de bonos: Bonos con Descuento –tenían una quita del 35 por ciento, emitidos a 30 años de plazo–, y Par Bonds (Bonos a la Par), sin descuento, a 30 años de plazo pero a tasa de interés fija.

La década del Gato

Ocurrió en medio de los festejos por el ingreso al Plan Brady. El 6 de diciembre de 1992, rodeado por los suyos durante una conferencia en la sede del Citibank, William Rhodes, a quien todos en su banco llamaban "Bill", disparó una de las confesiones más descarnadas que un banquero podía permitirse: "Antes que nada quiero felicitarlos. Venezuela sufrió convulsiones porque no supo "vender" su programa de ajuste estructural a todos los sectores de la población, como lo hizo la Argentina a través de la prensa".[56]

Relajado y sonriente, Rhodes no reparó en la mirada incómoda de los periodistas –quienes acababan de ser tildados de funcionales a la estrategia oficial– y prosiguió con su discurso: "Los logros del gobierno son importantes, pero deben continuar con el programa de privatizaciones e instrumentar la reforma del sistema previsional" dijo, combinando las advertencias con el *lobby* para promover la creación de Administradoras de Fondos de Pensión, un negocio en el que el Citi había picado en punta.[57] Y el banquero remató:

El total de deuda por capital reestructurada a través de estos bonos fue de 19.300 millones de dólares: 12.700 millones fueron convertidas en Bonos Par, 4.300 en Bonos con Descuento, y el resto en otros rubros. En consecuencia el total de la quita fue de 2.300 millones de dólares –el 35 por ciento del monto de los Bonos con Descuento, que sumaron 6.600 millones–, que representaba sólo el 11 por ciento de los 21.000 millones de dólares renegociados. Una de las claves financieras de esta operación fue el reconocimiento de las deudas –y de los títulos que los bancos habían recibido como respaldo de las mismas– a valor nominal, cuando tales deudas, según la cotización de esos títulos en el mercado, cotizaban a menos de la mitad de su valor.

56 En 1992, un intento de golpe de estado casi derrumba al gobierno de Carlos Andrés Pérez. Venezuela había sido el segundo país latinoamericano en ingresar al Brady.

57 Las AFJP surgieron como resultado de la reforma previsional impuesta por Cavallo. Entre otras cosas, esa reforma combinaba medidas de ajuste, reducción de aportes patronales y desfinanciación del sistema público de jubilaciones, que derivó en una merma en los haberes previsionales. Como respuesta se organizaron marchas frecuentes de jubilados hasta las escalinatas del Congreso para reclamar por aumentos en sus magros ingresos. Pero contrariando el efecto buscado, las movilizaciones se convirtieron en la mejor promoción del sistema previsional privado ya que –según encuestas de la época– los futuros jubilados adjudicaban los pesares de los abuelos a la mala administración estatal. Así las cosas, el manejo de las AFJP se reveló como un meganegocio para las entidades financieras que, casi sin arriesgar capital propio, podían colocar los ahorros de sus clientes en inversiones de

"Por fortuna, el Citi dejó de ser el principal banco acreedor de la Argentina, y calculo que entre las privatizaciones de ENTeL, Celulosa, Llao LLao y Gas del Estado ya hemos logrado capitalizar casi el 70 por ciento de los títulos de deuda. Aspiramos a capitalizar el 30 por ciento restante en las próximas privatizaciones".

Las confesiones de Rhodes, dichas con el entusiasmo de las palabras impunes, explicaban sin eufemismos los beneficios que había recibido su banco en los primeros tres años de gestión menemista. Pero, como es regla para un citibanker, las victorias sólo eran mojones en la carrera por la obtención de nuevos negocios. Richard Handley lo sabía de memoria. Por eso, desde hacía un año, el director local del Citi venía trabajando en el nuevo proyecto del banco: el CEI.

El 18 de febrero de 1992, una asamblea general extraordinaria decidió modificar la denominación Citicorp Venture S.A. –compañía con la cual el Citi participaba en los directorios de las empresas privatizadas–, por la de Citicorp Equity Investment S.A. (CEI), una sociedad cuyo control estaba en manos de International Equity Investment, Inc. –Delaware, Estados Unidos–, a su vez controlado por el Citibank N.A.

Presidida por el ex Citi Gilberto Zabala, pero manejada por Handley, el CEI se transformó en una efectiva colocadora de "papeles basura". Además de las operaciones referidas por Rhodes, desde su creación hasta fines de 1992 el grupo había participado en media docena de operaciones de capitalización de deuda entre las que se destacaban:

---

riesgo, ampliando su menú de ingresos. Pero eso no era todo: por manejar el dinero ajeno las AFJP cobraban jugosas comisiones que oscilaban entre el 2 y el 4 por ciento de los aportes, duplicando –y hasta triplicando– las comisiones acostumbradas en el denominado "Primer Mundo". Por este motivo, simultáneamente a la concentración del sistema financiero durante la segunda mitad de los noventa, se produjo una pronunciada concentración en materia de fondos de pensiones, que quedaron en manos de las principales entidades extranjeras. Entre ellas se destacaba la AFJP Orígenes –controlada por el Bancos Santander Central Hispano–, que adquirió Activa-Anticipa, Claridad y Previnter. Durante el mismo período el Citibank asumió el control total del Grupo Siembra, mientras que el BankBoston se asociaba al BSCH, conformando una mega AFJP tras la unificación Orígenes-Previnter.

• Adquisición del 25 por ciento del capital accionario de Compañía de Inversiones en Electricidad S.A (COINELEC). La sociedad resultó adjudicataria del 51 por ciento de la Empresa de Electricidad de La Plata S.A. (EDELAP), con una inversión de 1.250.000 de dólares en efectivo abonados el 21 de diciembre de 1992, fecha de la toma de posesión, y Títulos de la Deuda Externa e Interna Argentina por valor nominal total de 50.886.396 de dólares.

• Adquisición del 25 por ciento del capital accionario de la Compañía de Inversiones de Energía S.A., sociedad inversora adjudicataria del 70 por ciento del paquete accionario de Transportadora de Gas del Sur S.A. La inversión realizada por la CEI fue 76.250.000 de dólares en efectivo, aportados el 28 de diciembre de 1992, día de la toma de posesión, y de Títulos de la Deuda Externa e Interna Argentina por valor nominal total de 133.321.641,05 de dólares.

• El 28 de diciembre de 1992 adquirió el 25 por ciento del paquete accionario de las sociedades Sodigas Pampeana S.A. y Sodigas del Sur S.A., compañías adjudicatarias del 70 por ciento y del 90 por ciento del capital de Distribuidora de Gas Pampeana S.A. y Distribuidora de Gas del Sur S.A. respectivamente, con una inversión total en Títulos de la Deuda Externa Argentina por valor nominal de 116.139.000 de dólares.

Con el CEI como "pata empresaria" del Citibank, los negocios marchaban según los planes de la dupla Handley-Reed. Pero hacia fines de 1992, la Oficina de Comptroller (OCC) de la Reserva Federal, emplazó al Citi para que redujera su participación en el CEI. La OCC dispuso que la entidad podría mantener hasta el 40 por ciento de las acciones del CEI en diciembre de 1997, fecha en la que la compañía debía ser administrada por un tercero, mientras que el Citi se despojaría definitivamente de las acciones de la *holding*. Handley decidió entonces que había llegado el momento de dejar la jefatura del banco para convertirse en empresario industrial.

Vestido con las ropas de *chairman* del CEI, el "Gato" debutó en su nuevo oficio con una dura crítica a Cavallo: "A la Argentina le hace falta un plan industrial, ningún país es totalmente liberal.

Creen en la competencia y en los mercados abiertos, pero van programando la apertura de una manera inteligente".

Fiel al estilo agresivo del Citi, a Handley no le provocaba insomnio la situación de la industria argentina sino la crisis por la que atravesaba Celulosa, una de las empresas insignias del CEI. Al ex banquero reconvertido le preocupaba la demora en la fijación de cupos para disminuir el ingreso de papel brasileño. Sin embargo la crítica recogió adhesiones entre los castigados industriales locales, que apoyaron su moción. Handley comenzaba a disfrutar de su nueva vida en el sector productivo, pero aún restaba solucionar un detalle: encontrar un socio que reemplazara la paulatina salida del Citibank en el CEI. El "Gato" no tuvo que pensarlo mucho: hacía tiempo que venía trabajando con un viejo compañero del Instituto Saint George.

Raúl Juan Pedro Moneta solía jactarse de su influencia. Hombre de genio agresivo y gestos ampulosos, sus hectáreas en Luján fueron sede de suculentos costillares regados de poder. En la larga mesa de la estancia La República solían compartir achuras personalidades tan diversas como los presidentes Menem y Bush, el ministro Cavallo, la empresaria Amalia Lacroze de Fortabat, los hermanos Juan y Roberto Alemann, los periodistas Marcelo Longobardi, Daniel Hadad y Bernardo Neustadt, el embajador James Cheek, el abogado –y ex titular de la SIDE– Hugo Anzorreguy, el ministro de la Corte Suprema Enrique Petracchi, el titular del Citicorp, John Reed, y el folclorista Horacio Guarany. Las relaciones de Moneta eran tan variadas como sus negocios. Con la misma obsesión se dedicaba a la venta de caballos criollos, a las finanzas, a la construcción o a la compra de medios de comunicación.

La carrera del escribano Moneta comenzó a fines de los años setenta con la compra y caución de Valores Nacionales Ajustables durante el gobierno de Isabel Perón a través de la mesa de dinero Federalia. En esa "cueva", con sede en la calle Perú al 200, se manejaban los fondos del futuro ministro José Alfredo Martínez de Hoz, cuya compañía, Acindar –propiedad de la familia Acevedo–

mantenía relaciones históricas con el tío de Moneta, el ex laminador metalúrgico Jaime Lucini. Luego de que Acindar comprara la laminadora Lucini, la familia Acevedo reclutó como agentes a Lucini, Moneta y Roberto Favelevic, quien años más tarde se convertiría en presidente de la Unión Industrial Argentina (UIA). Luego del golpe militar de 1976, la "cueva" de Moneta se transformó en la Financiera República. El nombre fue copiado del Republic Bank de Nueva York, al que solían llamar "el banco del oro".[58]

Propiedad por partes iguales –33 por ciento cada uno– de Raúl Moneta, su tío Jaime Lucini y la financiera Monfina S.A., el Grupo Moneta nació el 20 de diciembre de 1977 con la fundación de la Compañía República, una financiera organizada para aprovechar los beneficios de la reforma financiera impuesta por Martínez de Hoz. Afincada en plena City porteña, la firma usufructuó la burbuja especulativa propiciada por la "tablita" hasta que, en octubre de 1983, el Banco Central aprobó la propuesta del grupo, es decir la fundación de un banco especializado en operaciones de empresas. Nacía el Banco República, la plataforma desde la cual Moneta construiría su imperio.

Durante los años ochenta el República se especializó en préstamos a firmas vinculadas, y afianzó su relación con el Citibank mediante operaciones con el Banco del Oeste y la sociedad Río-Citicorp. Al mismo tiempo Moneta se enamoraba del suelo mendocino. Entre la compra de viñedos y el cultivo de su relación con Handley –la caída del Banco del Oeste y la ruptura de las relaciones con el Banco Río terminaron de estrechar los lazos comerciales entre los compañeros del *college*–, Moneta emprendió su escalada hacia las cima de las finanzas, tras el derrumbe de los bancos Mendoza y de Previsión Social, dos de las entidades oficiales de

---

58 Propiedad de Edmond Safra, el Republic Bank fue uno de los bancos más utilizados durante la fuga de divisas durante la dictadura, hasta que una denuncia por lavado de dinero lo obligó a interrumpir las operaciones *offshore* con América del Sur. El Republic también fue vinculado por la justicia estadounidense con el caso de tráfico de armas conocido como Irán-Contras. Safra murió en 1999, ahogado por el humo de un incendio producido por el enfermero y guardaespaldas que lo atendía en su villa de Mónaco.

provincia que se desplomaron ante los embates privatizadores de Cavallo. Por cierto, ambas entidades habían hecho méritos suficientes para acelerar su propia caída. En julio de 1991, a raíz de un pedido de informes al BCRA presentado en el Congreso de la Nación por la senadora radical Margarita Malharro de Torres, el BCRA envió a un grupo de inspectores al Banco de Mendoza y al Banco de Previsión Social, quienes objetaron el estado de situación de deudores, la calificación de las deudas por tipos de garantías y la falta de cumplimiento de relaciones técnicas vinculadas con la cartera de préstamos.

Una segunda inspección, realizada a principios de 1992, señaló que el Banco de Mendoza se encontraba en "situación de liquidación". Los funcionarios del BCRA indicaron, además, la "necesidad de radicar denuncias penales y la apertura de sumarios contra los responsables, por las irregularidades detectadas y la confección de balances falsos". Los inspectores puntualizaban que el otorgamiento de malos créditos –sin garantías ni capacidad de repago– había generado quebrantos que los bancos no reconocían en su contabilidad, omitiendo la constitución de previsiones. Esto provocó la absorción del capital propio de ambas entidades, que tuvieron que recurrir entonces a financiamiento externo ofreciendo altas tasas de interés a los ahorristas, lo que generó un desmesurado aumento del pasivo. Entre 1992 y 1995, triplicaron sus depósitos –es decir que triplicaron su pasivo– para financiar su deteriorada e irrecuperable cartera de préstamos. Como resultado de las conclusiones de la inspección, el BCRA requirió al Banco de Mendoza un plan de regularización, que recién fue presentado en julio de 1993. Pero ninguna de las condiciones previstas para la aprobación del plan de regularización fue cumplida, de modo que la situación del Banco se agravó hasta desembocar en un cierre escandaloso que dejó un tendal de ahorristas y denuncias contra el gobierno provincial.

Un grupo de legisladores nacionales criticó la decisión del gobernador Rodolfo Gabrielli de evitar la liquidación de los bancos a través de un crédito del Fondo Fiduciario Nacional, el organismo creado por Cavallo para financiar las privatizaciones de la banca oficial de los estados provinciales. El Estado mendocino se endeudó en 460 millones de dólares para amortiguar las quejas de los ahorristas, y asumió el compromiso de privatizar ambas entidades. Moneta fue el primero en presentar ofertas, en su afán por convertirse en dueño de dos de los principales bancos del interior del país.

La propuesta del banquero era simple: su grupo se haría cargo de las entidades, si la provincia asumía el costo del saneamiento de su cartera. Los deseos de Moneta se cumplieron al pie de la letra. Con la venia del Banco Central, el estado provincial pagó deudas por 841 millones de pesos –577 millones del Banco de Mendoza y 262 del Banco de Previsión Social– y recibió una cartera de préstamos por 1.000 millones, la mayoría de ellos irrecuperables. Con el costo transferido a la provincia, Moneta cumplía su sueño de banquero.

En mayo de 1996 el gobierno mendocino adjudicó las entidades a un consorcio liderado por el Banco República, que además fue designado agente financiero de la provincia, recaudador de sus rentas y caja obligada del gobierno por el término de 5 años. En esos días Moneta era casi un desconocido para el gran público. Pero cuando le entregó la llave del negocio, el Central ya contaba con evidencias de la sospechosa madeja de entidades *offshore* que pondría al banquero bajo la lupa del Senado de los Estados Unidos.

Según consta en documentos internos del BCRA, cuando Moneta obtuvo los bancos mendocinos, su banco, el República, afectaba la mayoría de sus recursos a financiar a las empresas del Grupo o participando en el CEI Citicorps Holding, a través de United Finance Company Ltd. (UFCO) una sociedad constituida en las Islas Vírgenes Británicas el 16 de junio de 1992. Fundado con un capital social de apenas 50.000 dólares, su representante en la Argentina era el abogado Carlos Alberto Basílico, socio del estudio Basílico, Fernández Madero & Duggan. Pocos días después de la constitución de UFCO, Moneta se asoció formalmente a Handley tras la adquisición del 10 por ciento del Citicorp Venture Capital, que luego de esta operación adoptó definitivamente el nombre CEI. Para concretar el arribo de su amigo, Handley concedió a Moneta un crédito blando del Citi por 85 millones de dólares. La conformación de la CEI se completaría con el ingreso del Grupo Werthein, propietarios del Banco Mercantil, y el financista húngaro George Soros. De esta manera, el primer directorio del grupo quedó conformado así:

Gilberto Hernán Zavala, presidente.

Heriberto Ricardo Handley, vicepresidente.

Marcelo Miguel Enrique Gowland, Juan Antonio Gallo, Raúl Juan Pedro Moneta, Benito Jaime Lucini, Leo Werthein, directores titulares.

Gabriel Gustavo Saidón, Jaime Rafael Fernández Madero, Adrián Werthein, directores suplentes.

En 1993 se inició la construcción del edificio República en un predio que pertenecía a Bunge & Born, comprado en 8.000.000 de dólares. UFCO desembolsó esa cifra, pero los papeles de escrituración se hicieron a favor de Citi Construcciones S.A., una sociedad constituida a nombre del abogado Basílico. A través de una cuidada maniobra financiera, Citi Construcciones levantó el edificio con un costo de 64 millones prestados por el Banco República, que recibió la construcción en compensación por la deuda. En contravención con la norma, estos préstamos a empresas vinculadas no fueron informados al BCRA. Según el informe realizado por la comisión Carrió, los préstamos no se declararon pues las maniobras financieras que rodearon a la construcción del Edificio República habrían estado destinadas a "blanquear" dinero sucio.

—Luego de trabajar 27 años en el Citibank, estoy seguro de que la indemnización me va a alcanzar para vivir unos 25 años tranquilo.

El 3 de octubre de 1993, Richard el Gato Handley se despidió del banco que lo vio nacer, luego de repartir su participación en el CEI entre sus socios. Sin embargo continuó ejerciendo la presidencia del Grupo, que para ese entonces proyectaba su ingreso a un nuevo nicho de negocios: los medios de comunicación. En 1994 Handley lideró la compra del 30 por ciento de la operadora de cable Multicanal, hasta entonces propiedad del Grupo Clarín. La adquisición era una prueba piloto de operaciones que, tiempo más tarde, la prensa argentina definiría como la construcción de un "multimedio menemista". El mote tenía relación con las públicas inclinaciones políticas de los integrantes del CEI. Tanto Handley como Moneta respaldaban la reelección de Carlos Menem, y solían organizar reuniones con la intención de contagiar su entusiasmo a otros empresarios. Pero mientras los ex compañeros de *college* hacían campaña, las fichas de su juego financiero comenzaban a caer.

El 19 de abril de 1994, un artículo publicado por el *The New York Times* con la firma del periodista Nathaniel Nash hizo públicas las sospechas que rodeaban la renuncia de Richard Handley. Según el periodista Handley había ubicado sus acciones del CEI en compañías de inversión separadas del Citibank para venderlas cuando el valor de las acciones ascendiera. Para Nash, semejante acto de generosidad con sus amigos –uno de los compradores había sido Moneta–, perjudicó a los accionistas del Citibank, quienes cuestionaron la venta antes de que venciese el período fijado por la Reserva Federal. En este sentido, el artículo refería que gerentes del propio Citibank Argentina habían presentado sus quejas a los auditores del Citibank y a la Comisión de Valores y Bolsa de los Estados Unidos. "En el ámbito de los negocios –apuntó Nash– la generosidad de Handley en el enriquecimiento de sus amigos carece de explicación razonable. No importa la manera de explicarlo, lo cierto es que fue un negocio muy dulce para esos muchachos". El artículo del influyente diario neoyorquino fue uno de los primeros documentos que se acumularon en la oficina del senador Carl Levin, integrante del Subcomité Permanente de Investigaciones del Senado de los Estados Unidos que, hacia fines del siglo, pondría contra las cuerdas a los directivos de una de las corporaciones financieras más importantes del mundo.

Mientras el despacho de Levin comenzaba a recibir reportes sobre el Citicorp, la oficina del titular del *holding*, John Reed, se convertía en un pandemonium de informes y analistas. El aumento de la tasa de interés dispuesto por la Reserva Federal había provocado incertidumbre en los mercados mundiales, y los rumores sobre nuevos retoques amenazaban con derrumbar el valor de los títulos de los países emergentes. Los informes, además, incluían un dato que no era estrictamente financiero: el crecimiento de un foco guerrillero en Chiapas, una región ubicada al sur de México, amenazaba con provocar una severa desestabilización de la región. Aunque apreciaba los informes de sus analistas, por oficio, olfato e información, Reed sabía que la crisis mexicana no era obra de la insurgencia campesina, sino del accionar de sus colegas, quienes desde la reprivatización del sistema financiero mexicano habían iniciado una voraz carrera por recuperar espacio en uno de los mercados más atractivos de América Latina.[59]

Hacia fines de 1994 los indicadores financieros de México anunciaban que la crisis era inminente. El descalabro financiero provocado por la emigración de capitales golondrinas, sumado a la turbulencia política interna y la fuga masiva de capitales hicieron que México perdiera 14 mil millones de dólares de sus reservas en menos de tres meses. Finalmente, el 20 de diciembre, México, hijo dilecto de las recetas del FMI, devaluó su moneda. Antes de que culminara el año, la huida de los inversores extranjeros y la pérdida del 30 por ciento del valor de los títulos derrumbó la Bolsa de Wall Street, iniciando una sucesión de calamidades financieras que se conoció como "efecto tequila".

La crisis en México corrió por América Latina como reguero de pólvora. El impacto fue inmediato en la Argentina. Entre el estallido de la crisis mexicana y el 12 de mayo de 1995, los depósitos totales en moneda local y extranjera del sistema financiero se redujeron en 8.528 millones de dólares, un descenso de casi el 17 por

---

59 En septiembre de 1982, el entonces presidente José López Portillo nacionalizó alrededor de 60 bancos, de los cuales once fueron liquidados. Sólo el Citibank México y el Banco Obrero fueron autorizados a operar fuera del control oficial. En mayo de 1990, el gobierno de Carlos Salinas de Gortari creó el Comité de Desincorporación de Bancos, que permitió la formación de nuevos grupos financieros privados. En octubre de 1994, dos meses antes de la crisis del tequila, la Secretaría de Hacienda y Crédito Público otorgó permisos a más de 50 instituciones financieras extranjeras para operar en México.

ciento del *stock* de 45.300 millones de dólares disponibles al inicio de la crisis. Las mayores pérdidas se concentraron en el mes de marzo. A su vez, entre el 23 de diciembre y el 12 de mayo el Banco Central perdió reservas internacionales por 4.543 millones de dólares.

La caída de depósitos comenzó, principalmente, en algunos bancos mayoristas, y luego se extendió a algunos bancos pequeños y medianos hasta alcanzar a entidades provinciales y cooperativas. La pérdida de reservas y de depósitos provocó una fuerte iliquidez que elevó las tasas de interés. La City se convirtió en una usina de histeria. A orillas del río revuelto, los ejecutivos de los bancos más importantes de la Argentina se sentaron a pescar.

Con el eterno objetivo de lograr mayor presencia en el mercado, el operativo de pinzas se cerró sobre la banca mayorista, un tipo de entidad que sólo negociaba capitales corporativos. Tras la caída del valor de los títulos en cartera y la fuga de depósitos, buena parte de los mayoristas había quedado en virtual bancarrota luego de que las entidades extranjeras cancelaran sus líneas de financiación. El operativo terminó de tomar forma con la complicidad del Banco Central.

A instancias de Roque Maccarone –había pasado del Banco Río a la secretaría de Finanzas, Bancos y Seguros–, el titular del BCRA, Roque Fernández, firmó una serie de medidas que aceleraron la caída de los bancos. A saber:

• Liberación de encajes: según Fernández la medida serviría para propiciar préstamos interbancarios, pero en los hechos la disposición sirvió para acrecentar la fuga de divisas.

• Suspensión de entidades: con la excusa de evitar su caída, el Central suspendía a las entidades que consideraba en "estado de riesgo". Como no podía ser de otra manera, los ahorristas de entidades de menor porte sintieron pánico de que su dinero quedara atrapado. Por lo tanto, para evitar riesgos, transfirieron sus fondos a las denominadas entidades de primera línea, tal y como ambicionaban sus propietarios.

• Otorgamiento de redescuentos –préstamos otorgados por el Central–: esta medida no sólo tuvo el mismo efecto que la suspensión –las autoridades del Central no tuvieron mejor idea que difundir la lista de bancos a los que daba redescuentos, de manera que la entidad que requería fondos por problemas de liquidez quedaba automáticamente en situación de riesgo de cierre–, sino que además resultó onerosa para el Estado. Al concluir el primer período de la crisis, el BCRA había otorgado redescuentos por 2.611 millones de dólares.

Pero esto no era todo. A diario, banqueros y funcionarios alentaban la concentración del sistema con pronósticos temerarios. "Finalmente la Argentina hará la reconversión de la banca, algo que se esperaba desde hacía unos años", festejó Pedro Nowland, titular del Deutsche Bank. "El nuevo cuadro llevará a una concentración, pero no de forma traumática", mintió Manuel Sacerdote, presidente del BankBoston. Casi no hubo banquero que no se sumara a la demolición por goteo.

En enero de 1995, cuando la crisis erosionaba a un centenar de entidades, Cavallo dispuso la formación de una Red de Seguridad Bancaria conformada inicialmente con el aporte de los principales bancos argentinos: Río, Galicia, Francés, Crédito Argentino, Citibank y los oficiales Provincia, Ciudad y Nación. El efecto fue similar al que sufriría un pastor que dejara su rebaño al cuidado del lobo. Ante cada salvataje planteado por el Central el grupo oponía condiciones, el financiamiento se postergaba y las entidades en crisis se desmoronaban, estimulando un nuevo cimbronazo en la confianza de los ahorristas. Por cierto, buena parte de los bancos que no pudo sobrevivir a la crisis había provocado su propio estado de agonía, bajo el amparo del Banco Central. Entre esos casos se encontraban los siguientes:

• Banco Feigin: en 1994 la Superintendencia de Bancos del BCRA dispuso una inspección que culminó con el pedido de liquidación de la entidad en julio de 1995 por una serie de maniobras ilegales: falsos balances para obtener asistencia financiera del BCRA; préstamos a empresas vinculadas o con alto riesgo crediticio; información reticente y dolosa sobre sus disponibilidades –títulos valores, oro y divisas–, violando normas del BCRA para previsiones;

Obligaciones Negociables Subordinadas integradas con fondos propios, alterando así la relación de Capitales Mínimos informados al BCRA; ocultamiento de quebrantos mediante la exteriorización de activos inexistentes o la revaluación de activos; operaciones no contabilizadas y uso indebido de fondos en prefinanciación de exportaciones.

Hasta días antes de su debacle las maniobras sospechosas del Feigin eran un rumor extendido en la City, aunque no impidieron que la entidad recibiera asistencia financiera del Banco Nación y del Central por más de 60 millones de pesos. Para los auditores del Central los préstamos tenían forma de ruinosa dádiva oficial: según sus registros contables, al 31 de enero de 1995 el patrimonio neto del Feigin apenas alcanzaba los 32 millones de dólares.

En cuanto al incremento ficticio de sus activos, la Justicia probó que el BCRA había emitido diversos informes que, en última instancia, habían propiciado esa maniobra. El primero de esos informes –realizado a partir del análisis parcial de la cartera de créditos– obligó a la entidad a incrementar sus previsiones por riesgo de incobrabilidad en aproximadamente 63,4 millones de pesos, un importe que superaba ampliamente el patrimonio neto declarado por el banco. Para conjurar los reclamos de los funcionarios del Central, la entidad comenzó a "mejorar" su cartera mediante la incorporación de "garantías" a los créditos cuestionados, o a la permuta de los mismos por bienes de mayor valor económico.[60]

A través de toda esa ingeniería ilegítima el Feigin desviaba a sus empresas vinculadas fondos de sus ahorristas y, posteriormente, dinero proveniente del BCRA y del Nación.

• Banco Extrader: propiedad de las familias Sosa, Terrado y Gastaldi, irrumpió con fuerza en el mercado a comienzos de los años 1990 gracias a una profusa campaña de publicidad y la exposición

---

60 Para incrementar las garantías el Feigin suscribió con el BCRA un contrato de prenda sobre las acciones de TRANSNOA S.A. Las acciones de la firma, propiedad de la entidad, fueron valuadas técnicamente en 10 millones de pesos, pero el Central las aceptó como garantía de préstamos por 35,9 millones de pesos otorgados por el propio Central.

mediática de uno de sus socios, Marcos Gastaldi. En la operatoria imputada como defraudatoria a partir de las causas judiciales relacionadas con el grupo, se comprobó la relación del Extrader con el banco *offshore* Banque du Crédit et Investissement –BCI–, constituido originariamente por los mismos responsables del grupo. Según pudo determinar la justicia, el Extrader ofrecía los servicios del BCI para realizar operaciones fuera de la Argentina, amparándose en las ventajas del secreto bancario. Pero ese beneficio era apenas un argumento de *marketing*, ya que generalmente los fondos captados no sólo ingresaron para otorgar préstamos a terceros –los menos–, sino que generalmente se desviaron como préstamos a empresas vinculadas al desarrollo de emprendimientos comerciales de los integrantes del grupo. Esos créditos generaron alrededor de 50 causas judiciales. Según consta en uno de esos expedientes, el banco simuló la compra de una cartera del BCI para justificar un desvío de 22 millones de dólares, poco antes de la quiebra de la entidad.

Entre las operaciones que habrían perjudicado a los clientes figuran la toma de plazos fijos para depositarlos en el BCI, que nunca aparecieron; simulación de operaciones de cambio; apropiación de fondos mediante operaciones simuladas con títulos públicos y con falsas operaciones de Call; captación de dinero con *comercial papers*, y otras maniobras de captación de dinero en plazos fijos que produjeron un perjuicio superior a los 60 millones de dólares.

• Banco Integrado Departamental CL (BID): con fuerte presencia en la provincia de Santa Fe, las operaciones ilegítimas de sus directores y accionistas –algunos de ellos funcionarios públicos– se incrementaron a partir de 1993 a través del otorgamiento irregular de préstamos a empresas vinculadas.

Según consta en la causa que investigó su quiebra, además de los autopréstamos se comprobaron maniobras ilegítimas para evitar previsiones –lo que le permitió disponer de dinero que hubiera debido inmovilizar de acuerdo con las normas del BCRA–; maniobras tendientes a generar falsos activos, y obtener fondos del BCRA luego de brindar información fraudulenta. Para la comisión parlamentaria presidida por Carrió este último caso expone el rol de los directores del Central en el desmanejo de las asistencias financieras.

Bajo la presidencia de Roque Fernández y la vicepresidencia de Pedro Pou, el BCRA asistió al BID con 171,3 millones de pesos en efectivo, pese a que para entonces el organismo ya conocía el estado de cesación de pagos de la entidad. Las transferencias incobrables se realizaron entre el 19 de enero y el 14 de abril de 1995, fecha en la que se dispuso la suspensión de actividades del BID.[61]

La nueva reforma financiera del ministro Cavallo, inspirada en los consejos de Gerry Corrigan, ex presidente del banco de la Reserva Federal de Nueva York, determinó la definitiva concentración del sistema financiero. Entre otros puntos, la reforma propiciaba una nueva Carta Orgánica del BCRA y la implementación de una garantía de depósitos –financiada principalmente por los bancos oficiales– que sirvió para estimular la confianza de los ahorristas y su regreso a los bancos.

Entre caídas, fusiones y absorciones, a los principales jugadores del sistema financiero argentino les llevó menos de un año modificar la relación de fuerzas. Para diciembre de 1995 las entidades del sistema se habían reducido a 156, 49 menos que antes de la reforma. Dieciséis bajas se produjeron por revocación de autorización para funcionar, mientras que el resto correspondió a fusiones. Tras estos cambios el sistema financiero quedó integrado por 22 bancos públicos –16 eran provinciales y municipales–; 105 bancos privados –68 de capital nacional, 31 extranjeros, 6 cooperativos– y 29 entidades no bancarias. Los cierres afectaron sobre todo a los bancos cooperativos (32) y a las entidades no bancarias (8), los más perjudicados por el retiro de depósitos del primer semestre.

---

61 El Citibank y el BankBoston insistieron en promover la caída del BID, ya que ambos bancos estaban interesados en ocupar un espacio en la franja agrícola y ganadera santafesina. Tras la liquidación de la entidad, el Citi y el Boston obtuvieron la mayor parte de la cartera del BID.

En el balance, el "efecto tequila" produjo cambios en la estructura de los depósitos que acentuaron la concentración del sistema: las cinco entidades con mayor volumen de depósitos –Nación, Provincia de Buenos Aires, Galicia, Río de la Plata y Citibank– pasaron de reunir el 36,3 por ciento de los depósitos en diciembre de 1994, al 46,1 por ciento en diciembre de 1995, mientras que los diez primeros saltaron del 49,2 al 57,8 por ciento en el mismo período. Por último, mientras los bancos públicos aumentaron menos de un punto el porcentual de sus tenencias del año anterior, los bancos privados registraron un crecimiento de casi tres.

Como banco mayorista, el República de Moneta fue una de las entidades más afectadas por el "efecto tequila", tras una reducción del 57 por ciento de sus depósitos. Pero el auxilio financiero del Central, que le otorgó redescuentos por 20 millones de pesos, sumado a ciertas concesiones del órgano rector y el maquillaje de su contabilidad, le permitieron capear el temporal. Si bien la composición de sus activos –básicamente acciones del CEI y el edificio República– contravenía la norma regulatoria, el directorio del BCRA dictó una resolución especial, la 395/96, que lo autorizaba a mantener las tenencias en sociedades, aunque le imponía a cambio una serie de condiciones: que no incrementase su participación en el CEI y que no otorgara más préstamos a sus vinculados. Pero esas restricciones no se cumplieron. En su lugar, el banco cubrió sus magros resultados operativos –14,1 millones, que no alcanzaban siquiera a cubrir los gastos administrativos de 17,2 millones– con ingresos extraordinarios ficticios, registrando una utilidad de 15,8 millones por el traspaso del edificio República a la firma República Cía. de Inversiones, cuyos accionistas eran los mismos dueños del banco. Por cierto, ese tipo de maquillaje contable no era una novedad. Antes de recibir los efectos de la crisis mexicana, los balances del República ya mostraban quebrantos consecutivos de 5,4 millones de dólares en 1994, 3,6 millones en 1995 y 3,2 millones en 1996. En aquel momento el República logró revertir la tendencia contabilizando un extraño "pago de honorarios" ingresado por Telefónica de Argentina: 2,04 millones de dólares por un "Estudio de las Telecomunicaciones en América"; 2,95 millones por "Asesoramiento en la colocación de acciones bajo el Programa de Propiedad Participada" y 800.000 dólares por la "Evaluación del rebalanceo de las tarifas telefónicas". Los inspectores del Central determinaron que el banco no contaba con "capacidad técnica y operativa" para realizar trabajos de consultoría, por lo cual pusieron en duda la legitimidad de los pagos. El preinforme de la minoría parlamentaria encabezada por la diputada Carrió dio un paso más: sugirió que los desembolsos podrían estar relacionados con el supuesto pago de sobornos a integrantes de la Corte Suprema de Justicia.

Según constataron los legisladores, las transferencias de Telefónica a favor del Banco República coincidieron con una sentencia de la Corte Suprema que habilitó el rebalanceo de las tarifas telefónicas, un mecanismo que aumentó el costo de las llamadas urbanas con el consiguiente beneficio para los operadores de telefonía. Una investigación realizada por los periodistas españoles Antonio Rubio y Manuel Cerdán publicada en el diario *El mundo* en marzo de 2001 describió los pasos de la supuesta operación:

• "Bajo la presidencia de Juan Villalonga, Telefónica Argentina pagó durante 1997 y 1998 al menos 870 millones de pesetas a sociedades de su accionista Raúl Moneta. Moneta exigió dichos pagos a Telefónica para compensar las comisiones pagadas por él a jueces y políticos para conseguir el llamado 'rebalanceo de tarifas'".

• "Villalonga se encontró con la desobediencia de miles de usuarios, quienes se negaron a pagar los nuevos recibos. Incluso, algunos jueces admitieron las reclamaciones de los particulares. Finalmente, las protestas contra Telefónica llegaron hasta la Corte Suprema y al Congreso. La dirección de Telefónica Argentina, ante los hechos, encargó a Raúl Moneta la compra de voluntades a fin de reconducir la situación."

• "Telefónica, cuyo responsable en Argentina era Luis Martín Bustamante, canalizó el dinero para el pago de las comisiones a través de las cuentas del Banco República, la entidad financiera de

Moneta. Para justificar los pagos, acudió a un sistema similar al del Partido Socialista Español (PSOE): pagar fuertes sumas de dinero por informes que nunca se realizaron o, si se elaboraron, no tenían ninguna utilidad".

• "Villalonga también compensó a Moneta con su promoción dentro de la sociedad. En junio de 1998, nombró al empresario argentino como consejero de Telefónica Internacional, cargo del que tuvo que dimitir meses después por su implicación en diversos delitos económicos en Argentina que lo mantuvo prófugo de la Justicia."

Por su parte los legisladores argentinos asociaron el pago de honorarios con tres transferencias de 580.000 dólares cada una realizadas a través del Federal Bank, una firma que, según las investigaciones del senador Carl Levin, formaba parte del Grupo Moneta. En los extractos del Federal Bank, relevados por la comisión del senado norteamericano, dos de esos movimientos correspondían al abogado Alberto Petracchi, un antiguo socio de Raúl Moneta. La tercera transferencia correspondía a su primo, Enrique Petracchi, miembro de la Corte Suprema de Justicia. Durante los primeros tramos de la investigación, Carrió sugirió que la aparición de Petracchi en los extractos abonaba la tesis sobre el pago de sobornos por el rebalanceo telefónico pero, finalmente, el nombre del ministro de la Corte no integró su informe. La historia de esta súbita desaparición ilustra la dura puja de intereses que enmarcó el trabajo de la denominada Comisión Carrió.

Todo comenzó con la investigación del senador Levin. A mediados de 2000, un contador mendocino de pasado peronista y espíritu inquieto se presentó ante la oficina del senador estadounidense con una valija repleta de papeles. Expulsado del justicialismo a principios de la década del noventa, Luis Balaguer había transformado su rencor en un minuciosa investigación sobre el entramado político y financiero que rodeaba a Raúl Moneta. A la asesora del senador, Linda Giustitus, le tomó más de una semana conciliar su ritmo pausado con el verborrágico estilo del contador, pero finalmente aceptó que el argentino se sumara a la investigación. Fueron nueve meses de acumulación paciente, dedicados a desentrañar la madeja de negocios que involucraba al Citibank. En el camino Balaguer sumó a un legislador de su provincia, el diputado demócrata Gustavo Gutiérrez, quien a su vez entabló contactos con la radical disidente Elisa Carrió. Los aportes del trío fueron fundamentales para el senador Levin, quien en febrero de 2001 dio a conocer el resultado parcial de sus investigaciones. En ese informe revelaba por primera vez, y en detalle, los vínculos entre el Grupo Moneta y el Citibank. En buena medida el informe se basaba en una minuciosa revisión de los extractos financieros de transferencias del Federal Bank, una entidad *offshore* no reconocida como propia por el banquero argentino. Las sospechas de que ese circuito financiero hubiese sido utilizado para ocultar el pago de sobornos provocó revuelo en Buenos Aires, y estimuló a Carrió para forzar la creación de una comisión que investigara la relación de los bancos argentinos con el lavado de dinero. Tras varias idas y vueltas –el gobierno del entonces presidente Fernando de la Rúa puso sutiles trabas que demoraron el comienzo de las sesiones– las 25 cajas con las constancias de las transferencias del Federal Bank y otras operaciones financieras, aterrizaron en suelo porteño. Con su experiencia a cuestas, el contador Balaguer estaba convencido de que sería nombrado asesor de la comisión. Pero su convicción chocó con el estilo huracanado de Carrió, quien sistemáticamente se negó a incorporar al contador entre los asesores. Como única explicación la diputada argumentó "incompatibilidad de caracteres". Balaguer se resignó a colaborar con Gutiérrez, pero nunca olvidaría el desplante de la diputada.

El 12 de agosto de 2001 Carrió encabezó el encendido acto político donde dio a conocer un preinforme elaborado sobre la base de los extractos del Federal y el cotejo de una docena de expedientes que se encontraban en trámite en la Justicia Federal. Entre las novedades del preinforme sobresalían las transferencias a nombre de los primos Petracchi y las sugerencias del pago de sobornos por el rebalanceo telefónico. Las repercusiones públicas de la denuncia fueron instantáneas: Petracchi desmintió haber operado con el Federal Bank, aseguró no haber tenido jamás contacto alguno con Moneta, y adjudicó la transferencia a su primo, quien se hizo cargo por escrito de la maniobra. Cuando Carrió aceptó como válidas las explicaciones del ministro, el caso se archivó pero el escándalo aún no había terminado. Balaguer tomó la decisión de la diputada como una traición, después de todo había sido él quien la había conducido hasta las cajas del Federal Bank, y ahora veía cómo su trabajo se diluía en un marasmo de declaraciones con tono de campaña. El enojo terminó en ruptura y el contador decidió hacer públicas sus sospechas sobre los motivos que habrían determinado la exclusión de Petracchi del informe. En su pedido de juicio político al ministro de la Corte, Balaguer puntualizó que:

"Inmediatamente que su nombre tomó estado público, Petracchi desmintió [la transferencia] asegurando que solamente tenía una cuenta en el Citibank de Nueva York con 150.000 dólares, que compartía con su esposa María Bustamante, y que la tenía declarada [ante la AFIP]. En ese momento formulé declaraciones haciendo saber que en los registros de la cuenta 3601-7146 del Federal Bank en el Citibank de NY figuraba que el día 14 de julio de 1998, Enrique Petracchi había cobrado 580.000 dólares por una orden de pago emitida por el Federal Bank de Montevideo contra una cuenta del Banco Santander, y que había dos operaciones por la misma cifra a favor de su primo Alberto Petracchi, [realizada por] los mismos bancos ordenantes a través de una orden de pago emitida por el Federal Bank de Montevideo contra una cuenta del Bankers Trust Company. (...) Enrique Petracchi desmintió nuevamente dicha operación y se la adjudicó a su primo Alberto, apoderado y socio de Raúl Moneta, quien ese mismo día emitió un comunicado adjudicándose la transferencia, diciendo que 'salió a reconocer que ese dinero era suyo porque lo vio mortificado al juez'. Frente a ello ratifiqué mis dichos y expuse que la transferencia estaba a su nombre y ningún otro pudo cobrarla, o usar su nombre como pretendía hacer creer, dado que por tratarse de una transferencia, que es un instrumento bancario no endosable, no había dudas de que era [el magistrado] quien había percibido dicha cifra. Como respuesta, Enrique Petracchi dijo que me demandaría, cosa que no hizo. (...) [en su descargo] Enrique Petracchi hizo una presentación en la causa penal que se sigue en su contra [instruida ante el juzgado federal que dirige Rodolfo Canicoba Corral] y ante la comisión antilavado, aportando un comprobante de la compañía uruguaya The Winterbotham Trust Company Limited, administradora del Federal Bank, mediante el cual ésta le certificaba que no había operado con el clausurado banco radicado en Bahamas. Winterbotham es una compañía del Grupo Moneta, y fue una de las principales compañías introductoras de fondos en el circuito de lavado de dinero del Federal Bank. O sea que fue el propio Moneta quien le extendió el referido 'certificado de buena conducta' a Petracchi, a su requerimiento. Esa presentación fue acompañada por una amplia operación de prensa, donde dieron como un hecho [que el ministro] había demostrado su inocencia en el giro de esos fondos, a la par que se aseguró mendazmente que en las tres sentencias que la Corte dictó el 7 de julio de 1998 por los casos del rebalanceo telefónico –Prodelco, Defensor del Pueblo y Telefónica contra Poder Ejecutivo– él siempre votó en contra de la pretensión de Telefónica, lo cual es falso".

Más adelante Balaguer revela que Petracchi rechazó el recurso de amparo presentado por la ex diputada Cristina Zuccardi, y sostiene que el ministro nunca rechazó el planteo de fondo impulsado por la telefónica: "En este punto, debo dejar sentado que después de haber formulado manifestaciones en distintos medios de prensa sobre el cobro de la transferencia del Federal Bank por Enrique Petracchi, la diputada Elisa Carrió me citó en su domicilio para pedirme que *'bajara los decibeles sobre el tema Petracchi porque se lo había pedido Horacio Verbitsky, que como yo sabía es su amigo íntimo, y que su esposa era su médica'*. Antes de eso, el mencionado periodista llamó por teléfono al diputado Gustavo Gutiérrez con la misma finalidad".

Para cimentar su pedido de juicio político, el ex colaborador del senador Levin y de la comisión antilavado argentina detalló la relación de Petracchi con el Caso Bader, una investigación sobre maniobras *offshore* en manos del juez de instrucción penal Mariano Bergés.

Juan María Bader, titular de la mesa de dinero Mercados Mundiales, había sido compañero de estudios de Paula Di Tella, hija del ex canciller Guido Di Tella, y era íntimo de Henri y Patricio Supervielle, titulares del Banco Exprinter. Hombre de finos contactos y reputación mediática –escribía sobre economía en *Ámbito Financiero* y era invitado habitual del programa televisivo de Bernardo Neustadt–, Bader no tuvo mayores inconvenientes para atraer a su mesa a alrededor de 200 clientes. Su propuesta era seductora: el financista ofrecía una tasa de retorno de 35 por ciento anual, y aseguraba que el dinero sería transferido al fondo Paine Webber de los Estados Unidos, previo paso por la firma panameña Watch Inc. De modo que, si así lo deseaban sus clientes, el dinero podía permanecer a salvo de indiscreciones fiscales. Bader obtuvo depósitos por alrededor de 30 millones de dólares, muchos de ellos provenientes de altos funcionarios de la Cancillería. Pero el dinero nunca llegó al Paine.

Según constató Bergés, Bader recibía los fondos de sus clientes, a quienes entregaba a cambio recibos de la compañía panameña Watch Inc. Pero a través del Banco de Crédito Argentino o del Exprinter, el financista remitía el dinero a una cuenta a su nombre en el European American Bank de New York –cuenta 129-2377-6–. Luego, enjuagados y escurridos, esos fondos eran reinvertidos en distintas entidades argentinas, entre otras Cambio Mercurio S.A., Multicambio, Exprinter y Merril Lynch.

Bader utilizó como referencia al Banco Exprinter para abrir una cuenta en el Banco de Crédito Argentino. Según sospechaba Bergés, Bader había recaudado fondos para operar en las mesas clandestinas de estos dos bancos.[62]

---

62 El Banco de Crédito Argentino fue absorbido por el Banco Francés, del Grupo español Bilbao Vizcaya. Uno de sus antiguos dueños, Fernando de Santibáñez, fue titular de la SIDE durante el gobierno de De la Rúa. Por su parte, el Banco Exprinter compró el Banco de San Luis y hoy opera bajo el nombre Banex.

Todo se precipitó en noviembre de 1993, cuando Bader dejó de pagar, y uno de sus clientes formuló en su contra una denuncia penal por estafa. Bader desapareció quince días, pero luego alegó que había sido víctima de un secuestro. Según su testimonio los secuestradores lo habían obligado a firmar papeles en blanco a través de los cuales retiraron los dólares depositados en el fondo Paine Webber.

Cuando la causa penal tomó estado público los inversores resignaron su anonimato y radicaron sus denuncias. Entre los diplomáticos, desfilaron por tribunales Estanislao Ángel Zawels –primer secretario de la representación argentina en las Naciones Unidas, con 70.000 dólares–, Juan José Caselli –alias Cacho, entonces representante argentino ante las Naciones Unidas y luego operador en el Vaticano–, Alejandro Horacio Piñeiro –ministro plenipotenciario de primera clase en Manila, Filipinas, con 900.000 dólares–, Miguel Horacio Piñeiro Aramburu –400.000 dólares–, Pablo Martín Piñeiro Aramburu –diplomático de la embajada argentina en Pekín, con 152.000 dólares–, Gerardo della Paolera –rector de la Universidad Torcuato Di Tella y profesor del CEMA–, y Alejandro Julio Piñeiro Aramburu –diplomático en Brasil, 192.000 dólares– quien en su testimonio indicó que también eran depositantes de Bader los entonces ministros Carlos Ruckauf, Guido Di Tella y Hugo Anzorreguy.

Entre los denunciantes de Bader también se encontraba su compañera de estudios María Paula Di Tella –con 40.000 dólares–, quien había oficiado de llave ante el mundo diplomático. Al prestar declaración indagatoria, Gustavo Javier de la Vega, empleado de Mercados Mundiales, dijo que Bader, además de sus estrechos vínculos con la diplomacia, manejaba el dinero de gran cantidad de funcionarios, e incluyó en la nómina al ministro Enrique Petracchi: "Tenía depositados 93.000 dólares, pero hasta donde sé no hizo ningún reclamo", reveló el empleado.

El 16 de diciembre de 1993 el Juez Bergés dispuso el allanamiento del domicilio particular de Bader, donde secuestró la documentación de las cuentas numeradas de Watch Inc., y una computadora, que su esposa intentó ocultar y que registraba todas las operaciones.

Cada inversor estaba identificado bajo una letra y un número. Enrique Petracchi era P-550. Poco después del allanamiento Bader se suicidó de un disparo en la sien.

A raíz de la declaración del segundo de Bader, el 4 de marzo de 1994 el juez Bergés citó a declarar a Petracchi para que confirmara su depósito. Pero el ministro no se presentó. En su lugar asistió su esposa, María Morales Bustamante de Petracchi, patrocinada por el primo de su marido, Alberto Federico Petracchi. Bustamante reconoció el dinero y la relación con Bader, pero deslindó responsabilidades en su abogado: "Fue Alberto quien nos presentó a Bader. Él nos manejaba la plata". Siete años más tarde, en medio del escándalo por las transferencias del Federal Bank, sería el propio ministro de la Corte quien descargaría responsabilidades sobre su primo.

El informe final antilavado no fue uno sino cuatro, tantos como integrantes tenía la comisión. El grupo liderado por Carrió suscribió el despacho de mayoría que se trató en el recinto. Como ya se dijo, ese texto no incluía el caso Petracchi. En cambio el caso fue analizado en el escrito presentado en minoría por los diputados Franco Caviglia, Carlos Soria y Cristina Fernández de Kirchner. En el punto "Informe de la operación", los legisladores desmintieron los dichos de Petracchi sobre una cancelación de la transferencia. El texto decía: "La segunda operación que, según el magistrado fue un movimiento de reversión, no se efectuó con débito al Banco Santander –como indica la más elemental noción de un contraasiento– sino a la cuenta Middle East Latam Return Account. Esto indica, en principio, que los fondos transferidos por la primera operación al banco mencionado no quedan sin efecto por la segunda operación".

En otras palabras, los diputados que firmaron este informe contradijeron la coartada presentada por el ministro de la Corte. Sin embargo el caso no pasó del estruendo inicial. Cosas de la Argentina insólita: al cierre de este trabajo, el 17 de noviembre de 2003, Enrique Petracchi fue nombrado presidente de la Corte Suprema de Justicia. Para la misma fecha presidía la nación Néstor

Kirchner, esposo de Cristina, la actual senadora que cuando era diputada había mantenido dudas sobre la relación entre Petracchi y .el Federal Bank.

Pedro, el jabonoso

Hasta su caída, ocurrida el 9 de abril de 1999, las operaciones del Banco República fueron objetadas en más de una oportunidad por los inspectores del Banco Central quienes, en los días finales de la entidad, le otorgaron una calificación CAMEL 4 –1 es la mejor y 5 la peor–.[63] Los funcionarios detectaron graves deficiencias, especialmente en la particular relación que unía al Banco República con el Citibank, vínculo que permitía que se otorgaran créditos a sus empresas vinculadas, o se realizaran contrataciones que, a entender de los inspectores eran dudosas.

A medida que analizaban cada ejercicio fueron sumando sospechas. En el informe 540/24/98 observaron los antecedentes de República Holding –ex UFCO–, una sociedad constituida en las Islas Vírgenes Británicas. Fundada en 1992, en su declaración por cierre de ejercicio realizada al 31 de diciembre de 1996 la compañía declaraba un patrimonio neto de 278 millones de dólares, con resultados no asignados de 121 millones de dólares. A los inspectores les llamó la atención que la firma hubiese obtenido semejante ganancia en tan poco tiempo. Según su experiencia, los resultados no se correspondían con la rentabilidad media de ninguna empresa legal. Las sospechas agudizaron su mirada de sabuesos.

Entre las observaciones más frecuentes brillaban los reiterados movimientos de fondos hacia firmas constituidas en paraísos fiscales. En este sentido los inspectores constataron que al 31 de diciembre de 1997 República Holding informaba que era propietaria de acciones del CEI por 505,9 millones de dólares, y que había tomado créditos del Federal Bank por el equivalente a 6.904.120

---

63 La calificación CAMEL surge de considerar diversos indicadores que determinan la solvencia y eficiencia de una entidad: capital, activos, *managment*, rentabilidad, liquidez.

acciones clase B de Telefónica de Argentina y un millón de acciones de Telecom Argentina Stet France Telecom. Del mismo modo la firma declaró el pago de dividendos por 120 millones de dólares a Adamson Inc., mediante la entrega del 100 por ciento de las acciones de Heywood Management Co. Ltd. Respecto de Adamson Inc., los funcionarios observaron que esa sociedad había sido constituida con un capital mínimo en las Islas Vírgenes Británicas el 16 de mayo de 1990, y que su patrimonio neto, al 31 de diciembre de 1996, era de 340 millones de dólares, con ganancias de 332 millones. Al año siguiente la misma firma distribuyó dividendos por 301 millones de dólares mediante transferencias de acciones equivalentes al 100 por ciento de UFCO Ltd., según el siguiente detalle:

• Raúl Juan Pedro Moneta, 28,57 por ciento.
• Benito Jaime Lucini, 28,57 por ciento.
• Monfina S.A. –sociedad de Moneta–, 28,57 por ciento.
• International Investments Union Ltd., 14,28 por ciento –firma constituida en Uruguay, accionista de Los Cuatro Vientos, otra sociedad del grupo Moneta–.

La distancia entre la inversión inicial y las ganancias distribuidas llamó la atención de los inspectores, quienes alertaron a las autoridades del Central que la firma *offshore* podría haber sido utilizada como pantalla para vehiculizar el dinero negro del grupo. Pero, como era habitual, sus advertencias se desintegraban apenas llegaban al Directorio.

Los inspectores del BCRA también cuestionaron que mientras al 30 de junio de 1998 el pasivo del República era de 444 millones de dólares, el origen principal de sus fondos provenía de líneas del exterior otorgadas por sociedades constituidas en Bahamas, cuyo representante local era el abogado Basílico. Como prueba de la fragilidad del República, los informes destacaron que los diez principales depositantes, que representaban el 56,77 por ciento del total, eran:

• República Holding Ltd. –ex UFCO–, 30,97 millones de dólares.
• CEI, 17,93 millones de dólares.
• Dresdner Bank Lateinamerika AG, 10,43 millones de dólares.
• Kipp, Enrique, 9,55 millones de dólares.

- Handley, Heriberto, 5,25 millones de dólares.
- Romay, Alejandro, 5,21 millones de dólares.
- Telefónica de Argentina, 5,03 millones de dólares.
- Cairo Holding Ltd., 4,60 millones de dólares.
- Bladex Panamá, 4,01 millones de dólares.
- Republic National Bank Gran Cayman 3,12 millones de dólares.

En 1998 la inspección advirtió sobre la secuencia de depósitos y retiros de un grupo de empresas radicadas en Bahamas: "Se seleccionó una muestra para determinar cómo ingresan o egresan dichos depósitos –decía el informe–, surgiendo que los mismos en general se realizan a través de la cuenta abierta en el Citibank NA de Nueva York. (...) Como puede advertirse, es importante la incidencia de los depósitos y retiros de un grupo de empresas constituidas en Bahamas: Ludgate Investments Limited, Southwark Asset Management Limited, Lolland Socks Limited, Scott & Chandler Limited. En general todas ellas efectúan transferencias a una cuenta del Banco República abierta en el Citibank NA Nueva York, desde y hacia el Federal Bank Ltd."

En este sentido, basados en la norma conocida como "conozca a su cliente", los inspectores señalaron que "los elementos recabados no resultaban suficientes para la correcta identificación de los mismos, más aún cuando se trata de empresas radicadas en el exterior y en zonas de riesgo".

Por último, los funcionarios comprobaron que esas sociedades *offshore* realizaron importantes retiros poco antes de la caída del República, lo que incrementaba las sospechas de vaciamiento en perjuicio de la entidad. Entre las extracciones se destacaban las realizados por firmas y personas vinculadas al banco, como República Cía. de Inversiones S.A. –6,3 millones de dólares–, República Holding Ltd. –30,9 millones de dólares–, la CEI –4,2 millones de dólares– Alberto Petracchi –1,8 millones de dólares–, Southwark Assets Management Ltd. –1,2 millones de dólares–, Bladex Panamá –4,1 millones de dólares–, y el propio Richard Handley, que retiró 3,01 millones de dólares.

Ante las sucesivas evidencias, los inspectores del BCRA propusieron diversas medidas para conocer la naturaleza de la relación de dichas empresas con el República, entre las que se destacaban requerimientos de información a los bancos centrales de Bahamas y Uruguay, pedido de antecedentes a la Inspección General de Justicia y consulta a Estudios y Dictámenes Jurídicos acerca de la pertinencia de requerir información al Citibank NA. Sin embargo los requerimientos de la inspección nunca fueron atendidos por los directores del BCRA. Los funcionarios veían cómo cada una de sus advertencias sobre el República era archivada por el Directorio, cuyos miembros llegaron a solicitar nuevos dictámenes que hicieran menos evidentes los desmanejos del República. Al frente de ese Directorio se encontraba un economista ultraortodoxo llamado Pedro Pou.

Educado en la monetarista escuela de Chicago, Pou terminó de ganarse la gratitud de los banqueros por su activo rol durante el proceso de concentración del sistema. Y no sólo eso: una de sus primeras propuestas al llegar al máximo sillón del Central fue la bancarización forzada de todos los salarios. Hasta ese momento, sólo los empleados públicos cobraban a través de cajeros automáticos. La universalidad de la medida fue obra del aplicado Pou, quien de un plumazo obtuvo liquidez para el sistema y nuevos negocios para la banca. Claro que en ese oficio no existen los respaldos infalibles. La cuenta regresiva de Pou al frente del Banco Central comenzó a correr a mediados de 1998, cuando los diputados Juan Pablo Cafiero y Darío Alessandro se preguntaron por qué razón un edificio cuya construcción había demandado 44 millones de dólares, había sido hipotecado poco después en favor de República Compañía de Inversiones, con una financiación del Banco República, por 85 millones de dólares. En aquel momento, los diputados se habrían espantado si hubieran sabido que, además, en abril de 1999 el Banco República recibió del BCRA cuantiosos redescuentos garantizados, en parte, con el bendito edificio. El caso configuró un extraño caso de inflación en plena convertibilidad.

Para evaluar la garantía presentada por el República, el tasador del Banco Nación convocado por el Central para fijar el precio de plaza del inmueble lo justipreció en 75 millones. Sin embargo, sin ofrecer explicaciones, las autoridades del BCRA ordenaron rehacer y elevar la tasación. La funcionaria del Central que firmó el encargo de sus jefes dejó constancia de sus dudas: "Se señala que por instrucciones recibidas de la superioridad, la garantía presentada [la hipoteca del Edificio República] fue tomada al 146 por ciento" de su valor real. Por cierto, ésta no sería la única concesión del BCRA al Grupo Moneta. Tras el cierre del banco de Mendoza, la entidad solicitó que se le concediera la facultad de autoliquidarse. El pedido no era menor: ese paso evitaba la extensión de una eventual quiebra a otros bienes de los accionistas, y sustraía la documentación del control de la Justicia y del Banco Central. La funcionaria del área de dictámenes del BCRA, María del Carmen Urquiza, se pronunció en contra de la solicitud de Moneta. Pero Pou, una vez más, refutó la opinión de un integrante de su *staff*. En medio del intercambio de opiniones, María del Carmen Urquiza, empleada con 19 años de experiencia en el Central, recibió amenazas de muerte y renunció a su puesto. Pero antes de abandonar sus funciones dejó una carta de despedida a sus compañeros: "...no es mucho lo que puedo decirles dadas las circunstancias actuales (...) sólo que las instituciones sobreviven a los hombres".

Poco después de la renuncia de Urquiza, Moneta se convirtió en prófugo de la justicia. Un magistrado de su provincia, Luis Leiva, a cargo de la investigación por el cierre del Banco de Mendoza, procesó al banquero por subversión económica, una ley de la dictadura que penaba los vaciamientos financieros. Sin embargo, la acción judicial no evitó que el titular de Central le otorgara nuevas dispensas. Tras una serie de efectivos recursos jurídicos, la defensa de Moneta, a cargo del prestigioso penalista Alfredo Iribarren, logró que la causa pasara a los juzgados federales de Capital Federal.[64]

64 En mayo de 2002, el Consejo de la Magistratura destituyó a Leiva bajo la acusación de haber orquestado un complot contra Moneta. Se comprobó, por ejemplo, que el

Ya con el expediente en manos del juez Gustavo Literas, Pou designó como perito de parte –del Central– a Federico Maggio, integrante del estudio jurídico de Daniel Saint-Jean, que entendía en las causas penales que afectaban al Citibank. Al mismo tiempo, el miembro del Directorio del Central encargado de monitorear el área de lavado de dinero, Manuel Domper, tenía como asesor personal al otro hermano del contador, el abogado Pablo Maggio, también socio del estudio Saint-Jean. Precisamente en ese carácter Pablo Maggio asistió en 1998 al allanamiento realizado a las oficinas del Citi, en una causa en la que la entidad estaba bajo sospecha de haber realizado actividades ilegales de evasión de divisas y lavado de dinero. En ese expediente, la pereza del Central fue decisiva: demoró dos años –de 1996 a 1998– para abrir y leer el escrito remitido desde el fuero penal económico para que determinara si había delito en las actividades realizadas por los funcionarios del Citi. En esa causa se investiga la apertura de cuentas en el exterior desde su área de *private banking* reservada a grandes clientes. Las dependencias estaban declaradas por el Citi ante el BCRA, aunque el banco les atribuía otra función. Ante la presión del denunciante, en 1998, el Central actuó sin vacilaciones: resolvió que no había nada que investigar.

El Citibank se convirtió en la piedra que precipitó la avalancha sobre Pou el día en que el Subcomité del Senado estadounidense presentó su informe sobre el Federal Bank. El senador Levin detallaba en su trabajo cómo los casi 10 mil millones de pesos que se habrían blanqueado durante ocho años a través del triángulo formado por los bancos República, Citibank y el *offshore* Federal Bank parecían haber pasado inadvertidos para los controles del BCRA. Ante la difusión del informe, Pou admitió que los datos divulgados por el senador habían sido elaborados sobre información propor-

---

juez había recurrido a escuchas ilegales para apresar al banquero. En cambio el Consejo no dio por probada la denuncia de extorsión interpuesta por Moneta. Poco tiempo antes el Senado había derogado la ley de subversión económica, que se blandía como una amenaza contra los banqueros tras la instauración del corralito.

cionada por la propia autoridad monetaria pero, en extraña pirueta, afirmó desconocer las cifras del lavado en la Argentina. Para salir del aprieto cargó la responsabilidad por la falta de precisión de sus propios datos sobre las autoridades locales del Citibank, a quienes amenazó con el inicio de una causa penal: "Dos informes firmados por Carlos Fedrigotti, titular de la entidad, son absolutamente contradictorios", afirmó Pou, con gesto indignado. La frase hacía referencia a dos informes presentados por el Citi ante el Central, que habían sido utilizados por Levin como muestra de la relación entre el banco norteamericano y el Grupo Moneta. En el primero de esos escritos, fechado en 1999, el Citi informaba que "no tenía elementos que justificaran que el Federal funcionara como afiliado *offshore* del República". Pero tras la investigación que dejó al descubierto la operación, en agosto de 2000, el Citi rectificó los datos suministrados inicialmente al BCRA. Aunque desde el comienzo del escándalo el Citi había optado por capear las denuncias con el silencio, la estocada del titular del Central rompió la veda: "El banco lamenta las declaraciones de Pou y rechaza enfáticamente su interpretación de los hechos. El Citi aclarará el tema directamente con el Banco Central y no a través de la prensa", contestó la entidad. En el medio tono de los buenos modales, uno de los bancos más poderosos del mundo decidió que era tiempo de renovar la cúpula del Central.

El asunto no era sencillo. Desde el inicio de su Presidencia del BCRA, en noviembre de 1996, Pou se había granjeado el respaldo de dos bancos de peso: el Banco Galicia, liderado por Eduardo Escasany, y el BankBoston, presidido por Manuel Sacerdote. Ambas entidades habían anudado una sólida relación con Pou en los febriles días del tequila, en los que el entonces director del organismo había jugado fuerte en favor de la concentración del sistema. La caída de los bancos Mayo y Patricios –dos jugadores fuertes del mercado– colaboró para consolidar la supremacía del Galicia entre las entidades de capital nacional. Para Sacerdote, en cambio, la relación con Pou se definía por su compacta comunión de ideas.

Desde la presidencia del BankBoston Sacerdote se constituyó en mecenas de las dos principales escuelas de la ortodoxia económica vernácula: FIEL –encabezada por Ricardo López Murphy– y CEMA –fundada, entre otros, por Pou y el economista Carlos Rodríguez–. Cuando la puja por espacios de poder entre Menem y Cavallo se hizo intolerable, Sacerdote pujó por la nominación de Roque Fernández como relevo del mediterráneo, al tiempo que promovió a Pou para la Presidencia del Central. Los oportunos rechazos de los economistas Roberto Alemann y Miguel Ángel Broda para ocupar la cartera de Economía, sumado al respaldo del entonces senador Eduardo Bauzá –pariente lejano de Pou–, terminaron por inclinar la balanza a favor de los deseos de Sacerdote. Con el apoyo de economistas y banqueros, Pou sobrevivió al ocaso menemista y congenió con la política de ajustes implementada por José Luis Machinea, el ex funcionario alfonsinista reconvertido en primer ministro de Economía del gobierno de Fernando de la Rúa. La relación parecía mantenerse sin sobresaltos hasta que la crisis amenazó con devorarse a su creadora: la convertibilidad.

"Mi misión es proteger las reservas. Para aliviar el déficit tienen dos opciones: ajustar el gasto público o pedirle al FMI". Dichas en los primeros días de diciembre de 2001, las palabras de Pou rebotaron en el despacho del presidente con la severidad de las sentencias. Para De la Rúa era otro chorro de lava en medio de un fin de año caliente. En menos de once meses su gobierno ya había acumulado: un escándalo por el supuesto pago de coimas para obtener la aprobación de la reforma de la Ley Laboral, la renuncia de su vicepresidente, Carlos "Chacho" Álvarez, el traspaso de un nutrido grupo de legisladores de la alianza gobernante a la oposición, la ruptura con los sindicatos estatales que lo habían apoyado, y la amenaza justicialista de oponerse a las medidas de ajuste. La última gota sobre ese mar de problemas eran los inminentes vencimientos de la deuda externa. Según los pronósticos de Machinea, la Argentina iba camino al *default*:

–La única solución posible –sostuvo– es usar las reservas para pagar a los acreedores.

Pero la estrategia del ministro chocó con el fundamentalismo monetario de Pou y la negativa del principal asesor delarruista, Fernando de Santibáñez, un ex dueño del Banco de Crédito Argentino devenido jefe de la Secretaría de Inteligencia del Estado (SIDE).

–Pedro tiene razón. Si tocamos las reservas la convertibilidad se muere, y la gente nos mata –resumió Santibáñez en aquella reunión en la Casa de Gobierno. Y concluyó:

–Lo único que nos queda es negociar con el FMI.

Esa noche nació el "blindaje", el último eslabón de una cadena de errores que terminaría sepultando la gestión de Machinea.

Hacia fines de 2000, la Argentina estaba virtualmente en *default*. El cierre de los mercados internacionales había obligado al gobierno a pedir dinero a los bancos y las AFJP a tasas que oscilaban entre el 13 y el 16 por ciento anual. Los banqueros amparaban su usura en la crecida del "Riesgo País", que por entonces había escalado a los 1.000 puntos. El índice era elaborado por el J.P. Morgan, y evaluaba la capacidad de pago de los países. Hasta esos días casi nadie le daba mayor importancia a sus variaciones. Pero la persistencia de economistas y periodistas especializados le otorgó status de mandamiento financiero, y el riesgo país comenzó a marcar el "ritmo político" de la nación. Anunciado con pompa en enero de 2001, el gobierno aseguró que el denominado "blindaje financiero" servía para proyectar un crecimiento del 5 por ciento de la economía y a la creación de un millón y medio de puestos de trabajo. Lo que había sido presentado como una ayuda era en realidad una gigantesca operación financiera patrocinada por el FMI, el Banco Mundial, el Banco Interamericano de Desarrollo y los tesoros de las naciones que integran el Grupo de los Siete –España, Estados Unidos, Francia, Alemania, Italia, Gran Bretaña y Japón–. El blindaje se conformó con 13.700 millones de dólares del exterior y otros 25 mil millones de bancos y AFJP locales, que cobrarían intereses por dinero que el gobierno sólo podía utilizar para cubrir los baches del sistema financiero. Otra curiosa maniobra de autopréstamos cuyos costos quedaban a cargo del Estado.

El efecto del blindaje se evaporó antes de que el gobierno terminara de distribuir los afiches diseñados por el hijo del presidente, Antonio de la Rúa, un muchacho con tendencia a la vacuidad y afición por las cantantes de pop latino. El 2 de marzo de 2001 José Luis Machinea renunció al Ministerio de Economía. Su lugar fue ocupado por el hasta entonces ministro de Defensa, Ricardo López Murphy, quien dejaría dos escenas a la posteridad tras su breve paso de quince días por la cartera de Hacienda: el anuncio de un duro ajuste en los gastos del Estado con incidencia en la Universidad pública, y las marchas de los alumnos universitarios festejando su destitución.

Cerca de la medianoche del 20 de marzo de 2001, De la Rúa interrumpió sus cavilaciones para anunciar el regreso de Domingo Cavallo al Ministerio de Economía. "Éste es mi verdadero debut como político", dijo el nuevo ministro, marcando el perfil que tendría su *rentré*. Contagiados por el entusiasmo de banqueros y empresarios, los argentinos recibieron la asunción de Cavallo como la tabla de salvación del Titanic delarruista. La Casa de Gobierno se transformó en un pasarela de financistas congraciados. Desde David Mulford y Rockefeller hasta los representantes locales del Citi y del Banco Santander de España, De la Rúa recibió con gusto las felicitaciones por su decisión. Cavallo le esparció un pátina de hiperquinesia a su remozado traje de ministro. Lo hizo en forma de condiciones: antes de nombrar a su equipo, el gobierno debía otorgarle "superpoderes". El Parlamento aprobó el pedido con velocidad asombrosa. De la noche a la mañana se votó un nuevo impuesto a las transacciones bancarias –el impuesto al cheque–, la reducción de aportes patronales, la bancarización forzada de las operaciones superiores a mil pesos y la asignación de potestades especiales al ministro. La sesión que transfirió la suma del poder público a Cavallo –denominada con el eufemismo "Competitividad"– alcanzó su punto culminante con la exposición de la diputada Elisa Carrió, autora de un encendido discurso que advertía: "Ahora vienen por la República".

La tenacidad de la legisladora chaqueña impidió que la Cámara de Diputados aprobara un artículo que garantizaba el pago de la deuda externa con recaudación impositiva, un sueño largamente acunado por los acreedores. Durante el debate Carrió anunció que acusaría por "traición a la patria" a los legisladores que votaran a favor del paquete exigido por Cavallo. La amenaza de la diputada llevó al Senado a incluir una cláusula que justificaba la cesión de poderes en aras de la "emergencia pública". El 29 de marzo, con los superpoderes en el bolsillo, Cavallo tomó juramento a su equipo. Esa misma tarde un grupo de inversores convocados por el J.P. Morgan interrogaba a Daniel Marx:

–¿Debemos confiar en un país de un solo hombre?

El eterno negociador de la deuda respondió sin rodeos:

–No nos queda otra opción que confiar en el milagro Cavallo.

Es justo recordarlo: por esos días, De la Rúa seguía siendo el presidente formal de los argentinos. Pero el poder ya no estaba en su despacho.

Envalentonado por el 70 por ciento de aceptación popular que le otorgaban las encuestas, Cavallo emprendió una cruzada para remover a Pou. El chispazo que provocó el incendio fue la negativa del titular del Central a flexibilizar los encajes bancarios. Cavallo pretendía modificar el tope de dinero que los bancos tenían inmovilizado para favorecer la liquidez, pero Pou se negaba con un argumento de hierro:

–Si flexibilizo el encaje, ustedes van a tomar más plata de los bancos, plata que no van a devolver, y que va a poner en riesgo el sistema.

En rigor, Pou traducía con excusas un argumento que por esos días alcanzaba consenso en la City: los bancos no financiarían al "nuevo Cavallo", quien se mostraba proclive a implementar políticas neokeynesianas –reactivación productiva con inversión estatal– que conspirarían contra el negocio financiero.

–Si quiere plata, que haga el ajuste que no le dejaron hacer a López Murphy –resumió Sacerdote, entre la furia y el rencor por la efímera suerte que había corrido su economista de cabecera, durante una reunión informal en la sede de la Asociación de Bancos Argentinos (ABA).

Aunque se prodigaban un trato respetuoso, Sacerdote y Cavallo tenían pocas cosas en común. Ingeniero electrónico de oficio, y banquero de profesión, Sacerdote había llegado a la cima del BankBoston en 1978, luego de que sus jefes abandonaran la Argentina temerosos de la guerrilla urbana. Desde entonces, Sacerdote llevó a su banco a los primeros planos y se consolidó como una de las voces más influyentes del mercado financiero. Uno de sus gestos de influencia fue patrocinar al CEMA, un tanque de ideas ortodoxas creado con la intención de fomentar un relevo no traumático en el palacio de Hacienda. De hecho el reemplazante de Cavallo durante el gobierno de Menem, Roque Fernández, había integrado la plana fundadora de esa organización.

Cavallo, que conocía esos detalles, cultivó con Sacerdote una relación táctica durante su primer paso por el Ministerio, pero desconfiaba del trato personal y directo entre el banquero y el presidente. En palabras del mediterráneo, no se podía considerar a Sacerdote "tropa propia". Por eso el banquero no fue invitado al almuerzo en el que el ministro expuso su estrategia contra Pou:

–Los mercados están jugando al *default*, y el Central los está ayudando.

Eduardo Escasany –Galicia y entonces presidente de ABA–, Norberto Peruzzotti –ABA–, Marcelo Podestá –J. P. Morgan Chase–, Carlos Fedrigotti –Citibank–, Patricio Kelly –Deutsche Bank–, Emilio Cárdenas –HSBC–, Miguel Kiguel –Hipotecario– y Enrique Cristofani –Banco Río–, escucharon las palabras Cavallo sin carraspear. Cavallo siguió:

–Yo sé que ustedes confían en él, pero también sé que confían en Maccarone. Ya tengo su compromiso para ocupar el cargo.

Cavallo interpretó el silencio de los banqueros como una bendición, pero antes de concluir la velada recibiría un consejo:

–Ministro, haga lo que tenga que hacer, pero no nos involucre a nosotros.

Más que una advertencia, la frase de Fedrigotti era casi un ruego personal. Desde que el informe del senador Levin se hizo público, los cruces entre Pou y su banco fueron cada vez más violentos. El presidente del Citi en la Argentina ya había comprobado que, acorralado, el titular del Central resistía con desbordes irremediables. Uno de ellos, incluso, había llegado a poner en jaque su próspera carrera en el Citibank.

Carlos Fedrigotti alcanzó la cumbre del Citi local rodeado de elogios por su destreza al frente de la sede del banco en Uruguay, donde había obtenido una ventajosa refinanciación de la deuda externa. Pero a poco de comenzar, su gestión se vio envuelta en el escándalo provocado por el informe del senador Levin. De hecho, Fedrigotti, Jorge Bermúdez y Martín López fueron los tres ejecutivos del Citi que transpiraron frente a las preguntas del legislador durante la audiencia pública celebrada por el Senado norteamericano. En esa oportunidad Fedrigotti tuvo que reconocer que, pese a lo que había sostenido con anterioridad, su banco conocía la vinculación entre Raúl Moneta y el Federal Bank. Y en tren de deslindar responsabilidades, dijo algo más:
–Si el Banco Central argentino quiere información sobre las compañías *offshore* del escribano Moneta, debe dirigirse al Citibank Nueva York.

Fue un mensaje a dos puntas: por un lado el banquero remitía a un banco que estaba fuera del alcance regulatorio de las autoridades argentinas. Por otro, Fedrigotti sugirió que las maniobras bajo sospecha habían sido desarrolladas bajo el amparo del mismísimo John Reed, titular del Citicorp. La finta había dejado expuesto, incluso, a su predecesor en el cargo, Richard Handley, en una actitud que violaba los códigos de honor y complicidad del Citibank. Fedrigotti logró retener su cargo argumentando que las palabras habían salido de su boca en estado de emoción violenta. El estrés por la declaración ante el Subcomité del Senado estadounidense, y la pelea con Pou –dijo–, lo habían desviado de su sano juicio. El asunto parecía superado, hasta que el anuncio de Cavallo despertó los fantasmas.

–Ministro, mire que no queremos más problemas –insistió Fedrigotti antes de despedirse del almuerzo.

–No se preocupe, déjelo en mis manos –lo tranquilizó finalmente Cavallo.

En rigor, el embate final sobre Pou no quedó en manos del ministro sino en las de una comisión bicameral creada especialmente para recomendar la destitución del titular del Banco Central. Por disposiciones de la Carta Orgánica –reformada a pedido de Pou– los legisladores sólo tenían potestad para sugerir la remoción del funcionario por "mala conducta". Y eso hicieron. El 26 de abril de 2001, los integrantes de la comisión recomendaron destituir a Pou por su "clara ineptitud, desidia y desinterés" en el cumplimiento de sus funciones, y por su "deficiente gestión en materia de policía del sistema financiero, que Pou no sólo no ejerció, sino que negó explícitamente que le correspondiera". La comisión basó su dictamen en los dichos del propio Pou en el Congreso, donde el funcionario había recitado un abanico de provocaciones. La primera tanda fue presentada por los legisladores como "una actitud racista".

En su afán de aventar las sospechas sobre su participación en la caída de los bancos Patricios y Mayo –dos entidades con fuerte presencia en la comunidad judía–, Pou protagonizó un revelador debate con el diputado radical Raúl Baglini:

Pou: –La total devolución de los depósitos constituyó un factor sumamente importante que fue tenido en cuenta para frenar los impactos sistémicos que se estaban observando a raíz de la caída del Banco Patricios, sobre todo en aquellas entidades cuyos accionistas eran judíos. Y de alguna forma los depositantes pensaron –como lo hicieron antes, cuando cayeron todos los bancos cooperativos– que la naturaleza de los accionistas podría determinar la solvencia de los bancos. Y bancos muy solventes, muy sólidos, de accionistas judíos, como el Banco Mercantil o como el Banco del Buen Ayre, sobrevivieron al embate. Hubo otros que no, como el Banco Mayo y el Banco Israelita de Córdoba; no así el Banco Israelita de Rosario, que sobrevivió el embate, que fue muy duro sobre estos bancos. Todo el mundo retiró sus depósitos.

Baglini: –Quiere decir que los depositantes pensaban que todos los judíos tenían plata...

Pou: –No, quiero decir lo que dije. Lo que dije es que los depositantes pensaron –como sucedió cuando se cayeron los bancos cooperativos– que el problema era de la estructura accionaria y que los otros bancos se iban a caer y fueron sacando sus depósitos. Así, cuando vieron que se cayó un banco –propiedad de accionistas de origen judío–, pensaron que el resto de los bancos de origen judío podían tener problemas similares. El Banco del Buen Ayre se vendió a un precio fabuloso –uno o dos años después– al banco brasilero Itaú, y es de la familia Garfunkel, de origen judío.

Baglini: –¿Esa apreciación que hace usted es producto de algún análisis de la situación o de algún criterio científico?

Pou: –Sí; es un criterio sumamente científico. La corrida estaba concentrada en los bancos cuyos accionistas eran judíos. Eso es lo que se llama criterio científico. Los bancos cuyos accionistas no eran judíos, no tenían corrida y recibían los depósitos que huían de los bancos cuyos accionistas eran judíos. No es que yo tenga algo en contra de los accionistas judíos. Quiero aclararlo porque tengo una imputación que se me ha hecho y causas penales ya sobreseídas, pero igual la gente sigue con esto.

Pocos párrafos más adelante, el que "seguiría con esto" sería el propio Pou:

Pou: –El que hizo caer al Patricios fue [Sergio] Spolsky, un rabino. El que inventó la maniobra fue un rabino, para conocimiento de todos ustedes.

Baglini: –¿La maniobra del banco?

Pou: –Sí. Ese señor fue el que me dijo: "Yo soy experto en tarjetas de crédito". Y yo le dije: "Usted es un delincuente". Se lo dije a los gritos, porque es la única forma en que uno llega al término de estas situaciones. A los gritos y a las tres de la mañana. Al final, Spolsky, el rabino, me dijo: "Sí, tiene razón, es así". Y ahí se suspendió al banco. Era un rabino el que ideó esta maniobra con las tarjetas de crédito, pero lo hizo de manera tan burda que inventó tarjetas de crédito correlativas a las que le imputaba un cargo. Esa maniobra la inventó un rabino, Sergio Spolsky, que era el tesorero de la AMIA. Si me hubiese dado la maniobra a mí, no la encuentra más. Yo agarraba el padrón electoral, sacaba aleatoriamente 20 mil personas, le cargaba aleatoriamente un monto de entre 200 y 2.000 pesos de compra, y me generaba una carterita de 50 millones de dólares de activo, que ni Dios hubiera podido encontrar.

A esta altura, Pou no sólo había mostrado su obsesión por las religiones. Además, se había promocionado ante los legisladores como un hábil prestidigitador financiero, capaz de armarse "una carterita" ilegal de 50 millones de dólares burlando los controles oficiales que él debía tutelar.

Pero ésta no sería la única declaración que terminaría con los días de Pou al frente del Banco Central. En su presentación del 15 de marzo de 2001 –documento 065 de la comisión–, el funcionario solicitó autorización para referirse a un asunto "de alta gravedad institucional que creo que es conveniente tenerlo en mente. Pido a los señores Legisladores la mayor reserva sobre el contenido de la apreciación que voy a formular (...) La Argentina vive en una situación económica sumamente delicada. La situación fiscal está claramente fuera de las pautas fijadas por el Fondo Monetario Internacional al momento en que, junto con otros organismos internacionales, comprometieron la asistencia financiera que la Argentina necesitaba para evitar el *default*. Estas dificultades fiscales complican seriamente el acceso del país a los mercados financieros y por ende la posibilidad de crecimiento de la economía".

Pou dirigía ante los legisladores un misil al corazón de la gestión cavallista, completando su descargo con un pronóstico temerario: "Es posible y altamente probable que en dos o tres semanas, meses o trimestres –dependiendo del optimismo del interlocutor– enfrentemos una nueva crisis, pero esta vez será de una magnitud superior a la que vivimos hacia fines del año anterior".

Lejos de tratarse de una profecía azarosa, el funcionario sabía que, en lo que iba del año, los índices marcaban un incremento en la fuga de depósitos. Durante ese lapso los depósitos bancarios habían caído en alrededor de 7 mil millones de dólares, mientras el sistema perdía 2 mil millones de reservas internacionales en menos de tres meses. Pou conocía de sobra los motivos de ese goteo: amparados en la remisión de utilidades a sus casas matrices, y con la colaboración de los bancos, los inversores extranjeros se estaban llevando su dinero del sistema. Antes de fin de año, esa salida de divisas desataría uno de los sismos institucionales más intensos de la historia política argentina.[65]

Narco sur

La posibilidad de los clientes bancarios de realizar o recibir pagos de un país a otro es una de las operaciones interbancarias más relevantes, ya que mueve diariamente billones de dólares por medio de transferencias electrónicas. Para cumplir eficazmente con este servicio las instituciones financieras han generado una amplísima red

---

[65] Cuando fue despedido por decreto, Pou acumulaba media docena de causas judiciales en su contra. La mayoría investigaba su responsabilidad en la caída de entidades liquidadas. Entre esos casos estaban:
• Bancos Patricios y Mayo. Pou fue procesado por el juez federal Gabriel Cavallo por asociación ilícita e incumplimiento de los deberes de funcionario público por la responsabilidad del BCRA en la caída del Patricios. Actualmente está implicado en la investigación que el mismo magistrado lleva adelante por la caída del Banco Mayo. En la causa se cuestiona la autorización para la compra del banco a quienes no estaban en condiciones. El ex titular del malogrado Banco Mayo, Rubén Beraja, denunció oportunamente que fue inducido a adquirir el Patricios por el propio Pou, sobre la base de información falsa sobre el estado financiero de la entidad.
• Banco Integrado Departamental (BID). En la denuncia presentada ante el juez federal Claudio Bonadío se afirma que el Central asistió financieramente al BID muy por encima de lo que le permitía la Carta Orgánica de la entidad. En los días previos a su suspensión, en abril de 1995, recibió una sucesión de redescuentos que superaron los 100 millones de pesos.
• Banco Medefín UNB. Los responsables del grupo suizo español Socimer declararon que el titular del Central les había entregado la entidad con pasivos ocultos por 70 millones de pesos.
• Banco Basel. Aunque el BCRA no disponía de la información contable presentada en tiempo y forma, en una causa presentada en el juzgado federal de la jueza María Servini de Cubría se denunció la asistencia financiera a la entidad liquidada, por casi 10 millones de pesos. Por esta investigación Pou y Roque Fernández fueron procesados y embargados en cinco millones de pesos.
• Banco Austral. Se acusó al Central por no haber investigado ni advertido operaciones irregulares de comercio exterior.

de relaciones que les permite satisfacer esa necesidad con rapidez, precisión y gran alcance geográfico. Uno de los instrumentos disponibles para realizar esas operaciones es la cuenta corresponsal, es decir, la cuenta que un banco le abre a otro para mover fondos, cambiar moneda o realizar transacciones financieras. Pero el Subcomité del Senado de los Estados Unidos descubrió que las cuentas corresponsales se utilizaron con otros fines: "En varias oportunidades, este medio fue utilizado para que el dinero sucio fluyera dentro del sistema financiero y, como resultado, ha facilitado las actividades ilícitas, incluyendo el tráfico de drogas y el fraude financiero. Las cuentas corresponsales en bancos de los Estados Unidos brindaron a los titulares y a los clientes de bancos extranjeros –mal regulados, mal administrados y a veces corruptos, con controles escasos o inexistentes contra el lavado de dinero–, acceso directo al sistema financiero de los Estados Unidos y la libertad de mover dinero dentro del país y alrededor del mundo".

Una de las cuentas corresponsales analizadas fue la que mantenía el Banco República en el Citibank de Nueva York. Según pudo rastrear el equipo del senador Levin, el Citibank había abierto su cuenta corresponsal para el Banco República en 1989, y poco más tarde, en 1992, habilitó una cuenta corresponsal para el Federal Bank. En su declaración ante el Subcomité, Martín López, gerente de relaciones de Citibank para las entidades del Grupo Moneta entre 1995 y 2000, explicó que el objetivo del Federal Bank era asistir a los clientes de banca privada del Banco República que pretendían mantener sus depósitos fuera de la Argentina "por temor a la inestabilidad económica del país". López explicó que, para poder competir con bancos internacionales, los bancos locales como el Banco República establecían este tipo de bancos *offshore*.

–El Federal Bank es un pequeño banco *offshore* con no más de 200 o 250 clientes –dijo López–, y sus depósitos pertenecen a clientes del Banco República. El Grupo Moneta usaba estos depósitos para dar préstamos a través del Federal Bank a otra entidad del grupo, el República Holding.

El ejecutivo agregó que, según entendía, el República era un banco especializado, que trataba con empresas y clientes de banca privada en la Argentina, y confirmó que el Federal Bank se había creado para reemplazar a la American Exchange Company, otro vehículo *offshore* del Grupo Moneta domiciliado en Panamá, pero con una oficina en el Uruguay.[66]

La cuenta de American Exchange Co. en el City Bank de Nueva York llevaba el número 3695728. El oficial a cargo era Franklin Mcintyre, quien atendía en el piso 21 de la sede del Citibank en el número 111 de Wall Street. Pese a que American Exchange era una compañía *offshore* constituida en Panamá, cuyo apoderado visible era el homónimo Jorge Videla, el registro de cada transacción realizada por su intermedio solía ser enviado por el Citibank a Boulevard Artigas, entre calles 2 y 3 de Punta del Este, Uruguay. En esa misma dirección se encontraba emplazada la Casa Sunrise, propiedad de la familia Lucini. En esa mansión, a principios de la década del noventa, el entonces canciller Domingo Cavallo encabezó reuniones con banqueros y financistas para conspirar contra Erman González.

El relevamiento realizado por el Subcomité del Senado norteamericano comprobó que cada operación entre el American y el Citi tenía su número de registro. Algunos ejemplos:

• La transferencia de 85.000 dólares en favor de Richard Handley del 8 de octubre de 1992 se identificaba en el Citi con el código LCG22820165700/39228269123. Bajo el rubro Otras Referencias, se mencionaba la cuenta "ZI06", bautizada así en homenaje a Zina Schreiber, la esposa de Handley.

---

66 En el informe de minoría, la comisión antilavado del Parlamento argentino sostuvo que "las operaciones para lavar o blanquear dinero de origen no justificado permitieron que los mismos sean aplicados a la compra de activos, especialmente medios de comunicación, y empresas sujetas a privatización. Así podemos citar a Celulosa de Argentina, Telefónica, Alto Paraná, Altos Hornos Zapla, Frigorífico Rioplatense, TELEFE, Editorial Atlántida y Azul TV", entre otras. Todas las empresas fueron manejadas por Moneta y Handley en su carácter de máximos responsables del CEI, que fue liquidado en 2002. Tras la caída de sus bancos Moneta siguió relacionado con los medios. El banquero desmintió su vinculación con el periódico *El Guardián*, pero en octubre de 2003 reconoció un acuerdo con el empresario Daniel Hadad para sumarse a Canal 9.

• La transferencia de 230.000 dólares que Bridas Austral –del Grupo Bulgheroni– hizo el 1 de octubre de 1992 llevó el número de referencia E1222750001001/29227569073.

• Una operación del 22 de octubre de 1992 consignaba el pago de 274.000 dólares en dividendos de Telefónica. Se trataba de acciones de Lucini, en poder de Laib Bahamas Argentina. Las cuentas negras de Lucini en el Citi se identifican como LU01 y Six Brothers, de una compañía panameña del propio Lucini, denominada así por sus seis hijos.

El anillo comenzó a cerrarse alrededor del Grupo Moneta cuando el Citibank de Nueva York remitió al senador Levin los registros de las transferencias realizadas en la cuenta corresponsal del Federal Bank. Entre los extractos analizados se encontraron operaciones de los siguientes bancos: Banco Galicia, por 50,6 millones de dólares; Banco Macro, 43 millones con Macrovalores y 5 millones con Macro Misiones; Banco Comafi, 19,2 millones, y 26,5 millones con Comafi Cayman; Banco Hipotecario, 11,6 millones; Banco Nación, 5,1 millones; Lloyds Bank, 9,8 millones; Banco Río, 2,9 millones; Banco Francés –Cayman–, 3,9 millones; y Merryll Lynch, 2,2 millones.

Por su parte, los extractos también dieron cuenta de operaciones ordenadas por distintas personas físicas o jurídicas, por ejemplo, Bunge & Born –holding cerealero–, por 4,5 millones de dólares; Javier Madanes Quintanilla –empresario–, 25 millones; Huberto Roviralta –polista y ex marido de la conductora televisiva Susana Giménez–, 1,3 millones; Jorge Blanco Villegas –ex titular de la UIA, 1 millón–; Alan Faena –ex modelo y empresario–, 867 mil dólares; y Raúl Moneta, 4,1 millones. Los extractos analizados por el Subcomité revelaron, además, cinco operaciones del Federal Bank con el Banco Central de la República Argentina. Las transferencias, por 3,1 millones entre julio de 1997 y mayo de 1998, se concretaron por orden de Alto Paraná S.A., una empresa vinculada a Richard Handley. El caso era una muestra palpable de la fragilidad de los controles argentinos respecto de las operaciones *offshore*: al BCRA no le llamó la atención recibir fondos de una entidad cuya existencia no constaba en sus registros, salvo por las observaciones presentadas por los inspectores que auditaban el Banco República. Financistas entrenados, la guardia pretoriana del Central no se alarmó ante la posibilidad de que el dinero que entraba a las cuentas públicas fuese producto –en el mejor de los casos– de la evasión fiscal. Pese a las sospechas sobre el dinero que circulaba a través del Federal Bank, el BCRA nunca requirió explicaciones sobre el origen de los fondos que ingresaban en sus bóvedas.

En febrero de 2001 el equipo del senador Levin concluyó el cruzamiento de datos y ultimó los detalles de su informe. La fecha establecida para la difusión del trabajo fue el lunes 5 de febrero. Ese día, desde su banca en Washington, el legislador haría pública sus sospechas sobre las maniobras del Citigroup, uno de los conglomerados financieros más importantes del planeta. En Buenos Aires, los ejecutivos del Citi, reunidos en las oficinas con aire acondicionado de la sede de Florida 183, sudaban de nervios. La difusión del informe presagiaba un escándalo. Pero no era sólo eso lo que los hacía transpirar. Esa misma mañana los cables de las agencias difundieron una noticia conmocionante: la muerte de un financista llamado Isidoro Mariano Losanovsky Perel.

No muchos conocían sus cuatro nombres. En las reuniones sociales, el hombre solía identificarse con su versión reducida, Mariano Perel. Sólo en los contratos constaba la longitud de su nombre completo. Hasta el día de su muerte, uno de esos contratos se encontraba en los archivos de las oficinas del Citibank.

Perel y su esposa, Rosa Golodnitzki, se volvieron un misterio en la madrugada del 4 de febrero de 2001, cuando descansaban en el apart hotel Puerto Hamlet de la exclusiva Cariló. Allí había llegado el matrimonio el día anterior en una camioneta cuatro por cuatro, desde Buenos Aires. El pequeño departamento que ocupaban en un segundo piso con acceso desde el jardín a través de una escalera al aire libre, estuvo cerrado hasta el mediodía del domingo. Cuando un empleado del lugar abrió la puerta encontró a los huéspedes en la cama, boca abajo: cada uno tenía un tiro en la nuca. Fue allí donde la policía encontró, bajo un plato, una nota que decía: "Soy un gringo muerto por no pagar el rescate de Antfactory del Citigroup". La nota se convertiría en la primera pista de una investigación con derivaciones sorprendentes.

Cinco meses antes de los disparos fatales, la inglesa Antfactory Holdings Limited y CVC Latin America (Citicorp Venture Capital, una unidad del Citigroup Inc.) habían anunciado el comienzo de un negocio conjunto: una inversión de 100 millones de dólares para que la nueva Antfactory Latin America se desarrollara como "incubadora" de proyectos ligados a la informática. Mariano Perel formó parte del grupo inicial, pero la dirección de la oficina en Buenos Aires del nuevo emprendimiento quedó en manos de Julio Hardy, ex gerente general del Correo Argentino durante la gestión del cavallista Haroldo Grisanti.

El *staff* directivo de Antfactory era pequeño, aunque cuidadosamente seleccionado. Perel no sólo era un adelantado en el potencial de la informática –había escrito sobre el negocio cuando Internet era casi una fantasmagoría en la Argentina–, sino que además había trabajado para el Citibank de Nueva York. La nueva compañía había anunciado una primera inversión de seis millones de dólares destinados a crear un portal latinoamericano de comercio electrónico interempresario (B2B, *business to business*) para comercializar productos de salud. Su lanzamiento incluyó oficinas en Brasil, la Argentina y México, y si bien era muy escaso el tiempo transcurrido desde su creación, el nuevo inversor –Antfactory Latin America– no había logrado aún captar negocios de interés. En medio de los devaneos laborales, Rosa convenció a su marido de que tomaran un fin de semana de descanso en Cariló.

–Estás agotado –le había dicho, poniendo énfasis en sus palabras–. A este ritmo, te vas a morir.

La noticia del crimen heló la sangre de los empleados de Antfactory, quienes en la madrugada del lunes recibieron la sugerencia de no acudir a las oficinas de Juan Domingo Perón 949:

–Opinen lo menos posible, el Citi se va a hacer cargo de la comunicación del asunto.

A los empleados les informaron que sería el propio Carlos Fedrigotti quien asumiría el contacto con la prensa. Sin embargo, por la mañana del martes se conoció un comunicado a cargo de los directivos de Antfactory. "[La firma] confirma muertes en la Argentina", titulaba la nota. Y reseñaba: "Se anuncia con profunda pena las muertes del señor Mariano Perel, [quien] durante cinco meses trabajó como director de servicios comerciales y financieros, y su esposa. Dejan una hija y un hijo. El hecho está siendo investigado por las autoridades argentinas".

El comunicado llevaba la firma del director ejecutivo de Antfactory, Geoff Crosllley, pero fue distribuido a los medios por la consultora Nueva Comunicación, empresa encargada de la comunicación institucional del Citibank. Entre la muerte de Perel y el informe del senador Levin, los empleados de la consultora tuvieron un día agitado.

—Acá hay algo raro, son demasiadas casualidades.

La diputada María Graciela Ocaña tenía por costumbre desayunar mate, galletitas y diarios. Hasta la mañana del martes 6 de febrero, su vida parlamentaria se encontraba en un encrucijada. Licenciada en Ciencias Políticas, experta en derecho exterior y militante peronista de toda la vida, había asumido empapada de entusiasmo aliancista el 10 de diciembre de 1999, convencida de que el país había dado un vuelco moral. Pero a poco de empezar, las lecturas matinales amenazaron con magullar sus bríos. El golpe de gracia fue la renuncia a la vicepresidencia de su jefe político, Carlos "Chacho" Álvarez. Entre la dispersión de sus compañeros de bloque y los giros conservadores del gobierno delarruista, el inconsciente de la diputada comenzó a martillar una pregunta incómoda:

—¿Qué hago yo acá?

La respuesta apareció en las páginas policiales del diario *Clarín*:

—A este tipo lo mataron para que no hable, Juan. Es un crimen mafioso.

Juan, su compañero de vida, asintió mientras le alcanzaba un mate recién cebado. Uno de los últimos que la pareja pudo compartir en paz.

Al tiempo que en los medios el caso Perel fue tomando forma de novela por entregas, para Ocaña la muerte del financista se transformó en una obsesión. Con la ayuda de sus colaboradores más estrechos –un grupo de jóvenes diestros, leales y entusiastas– la diputada fue transformando su pequeño despacho parlamentario en un pandemónium de papeles desordenados. Bautizó a uno de esos documentos "Testamento financiero de Perel", un escrito incendiario en el cual el financista dejaba testimonio de sus andanzas como empleado del Banco Mercurio.

La entidad había sido fundada en 1993, y su directorio estaba integrado por Daniel Mercurio, Jorge Mercurio, Claudia Navarro de Flommenbaun y Jacobo Benadon, un banquero con pretensiones que se hacía llamar Jacques. Famoso en la City por su destreza para operar con firmas *offshore*, el Mercurio tuvo sus cinco minutos de fama cuando, a fines de 1997, el juez Julio Cruciani dispuso un allanamiento que dejó expuestas sus transacciones. Como consecuencia del operativo, la Justicia constató que el Mercurio había establecido una relación sistemática y privilegiada con el Intercontinental Bank of Uruguay (IBU), cuyo titular era Eduardo Sciaky, cuñado de Benadon. En las transferencias de dinero ingresadas como préstamos o salidas como depósitos solía intervenir el Citibank de Nueva York. Cuando Cruciani interrogó a los ejecutivos por la razón de esa rutina, las autoridades del Mercurio contestaron que ese sistema "ofrecía mayor seguridad" a su actividades. El gerente financiero del banco investigado señaló que el IBU –el banco uruguayo dirigido por Sciaky– no era "corresponsal" del Mercurio, dado que no tenían cuentas recíprocas. "Nuestro corresponsal es el Citibank", puntualizó.

El relato escrito por Perel en su "testamento" comienza el 11 de noviembre de 1996: "La maniobra central para sacar el dinero al exterior que realizaba el Banco Mercurio con sede en la Capital Federal se hacía por medio del Intercontinental Bank del Uruguay (IBU) y American Bank & Trust (ABT) con sede en Bahamas, las que manejaban fondos de inversión en Bahamas a través de Capital Investment Found, cuyo operador era Bond Market".

Según el financista, "este grupo manejaba decenas de millones de dólares en negro de sus clientes en Buenos Aires. La contabilidad de todas las operaciones se llevaba a cabo en el IBU y en el American Bank de Montevideo, y en una oficina alquilada frente al American Bank. Todo ello se realizaría mediante un sistema de computación secreto realizado por la empresa Ingemática de Buenos Aires".

Perel explicaba además que las operaciones se realizaban a través de dos series distintas de un fondo común de inversión organizado en Bahamas, donde "invertían" su dinero sucio Mauricio Benadon, Daniel Benadon, Leilani Benadon, Manuel Brunstein –tío de Perel–, Massimo Dal Lago –conocido empresario italiano que ganó fama tras regalarle un Ferrari Testarrosa al ex presidente–, Elías Goijberg –otro tío de Perel–, Manuel Sacerdote –presidente del BankBoston–, y Roberto Pelusso, ex secretario de Salud durante la gestión de Saúl Bouer en la Intendencia de Buenos Aires.

Otro de los "inversores" que mencionaba el "testamento" de Perel era Pedro Pou, quien según el relato operaría a través de un holding uruguayo manejado por Jorge Mercurio.[67]

El relato de Perel continuaba: "Las empresas vinculadas al Banco Mercurio serían ABT de Nassau Bahamas, un banco pantalla manejado por Deloitte Touche de Nassau. Si bien ninguno de los titulares del Mercurio figuraría como titular de este banco, existiría en el Banco Central de Bahamas un registro en el que llevan la verdadera identidad de los titulares de los bancos donde se encuentra la real vinculación entre el Mercurio y el ABT. La vinculación además se comprobaría mediante un poder irrevocable de Jacques Benadon a nombre de Jacobo Benadon Tiano".

----

67 En su informe de minoría, el grupo de legisladores encabezados por Elisa Carrió sugiere que la mención "se referiría a la sociedad uruguaya Punta Lucía S.A., presidida por Juan Pou, hermano del ex titular del BCRA. La firma es avalista de los créditos que la sociedad argentina Estancias Unidas del Ibicuy S.A. tomó en el Banco Río. Por otra parte la mencionada sociedad uruguaya también arrienda varios campos en las provincias de Buenos Aires y Entre Ríos a Estancias, donde Pedro Pou ostenta el 99 por ciento del paquete accionario".

El ABT es el único accionista del IBU y estaría registrado en los libros ante el Banco Central del Uruguay. Según pudo rastrear la diputada Ocaña, Eduardo Sciaky, presidente del Directorio del IBU, sería cuñado de Jacobo Benadon Tiano.

En su escrito Perel revelaba que "las operaciones en negro realizadas [por el Mercurio] eran contabilizadas por medio de varias computadoras en suelo porteño. Todo el dinero que entra y sale durante el día en el Banco Mercurio es contabilizado partida por partida en forma individual desde Buenos Aires directamente en la mencionada terminal de cómputos, sin que queden papeles de este lado. Al final del día la cantidad de dinero que quedaba en la caja de Buenos Aires se justificaba a través de la compraventa de títulos públicos de las holding uruguayas que manejaba el estudio de [Juan Pedro] Damiani. O sea que una operación oficial legal de una holding uruguaya resume el dinero en negro que habría pasado por la capital argentina".

En el informe de minoría encabezado por la diputada Carrió, Damiani es identificado como un abogado uruguayo especializado en la constitución de firmas *offshore*. Entre las supuestas sociedades "blanqueadoras", Perel cita a Transaction North Capital, que correspondería a un firma creada por Damiani.

Según Perel, "otras de las operaciones realizadas [por el Mercurio] son para justificar pérdidas o ganancias de empresas argentinas, con la intención de "acomodar" sus presentaciones impositivas. Las empresas que armaron operaciones de este tipo son Coto [supermercados], que presentó una pérdida de 13 o 14 millones de dólares, el grupo Soldati, Ciccone Calcográfica [imprimía los pasaportes argentinos], Omega y Cenit Seguros".

Otra operatoria que el Banco Mercurio facilitaba –siempre en forma no declarada– era la apertura de tarjetas de crédito Visa Gold a través del I.F.E. Intercontinental Bank de Uruguay, para evitar que el consumo de las tarjetas de crédito quedara registrado en la Argentina, y de ese modo evadir el impuesto a las ganancias. Según Perel habría mil tarjetas en estas condiciones y todas comenzarían con la numeración 4563-5700, a la que se agregan cuatro números correspondientes a la clave de cada cliente.

El Banco Mercurio se ocupaba de cobrar los resúmenes desde Buenos Aires girando los fondos a través del IBU. Entre los tenedores de estas tarjetas Perel señala a Jorge, Andrés y Rafael Garfunkel, ex propietarios del Banco del Buen Ayre. El informe de la comisión antilavado asegura que Juan Pou poseía este tipo de tarjetas, y que sólo durante 1997 giró pagos por 13.700 dólares mensuales, en promedio.

Perel continuaba: "Otro de los mecanismos montados para evadir impuestos era el descuento de cupones de tarjetas de crédito violando la normativa del Banco Central. Esta maniobra de lavado y transferencia en negro viene desde su antecesora Cambio Mercurio. Al parecer, en aquel momento todo el dinero se manejaba por medio de un holding denominado Inteco que operaba a través del Republic National Bank de Nueva York. Una inspección de la DGI descubrió transferencias del Mercurio no registradas en su cuenta del Republic. Pero el descubrimiento hecho por la DGI quedó en nada gracias a la coima dada a dos inspectores del organismo, a quienes les pagaron 220.000 dólares para olvidar el asunto".

Para la diputada Ocaña el "testamento financiero" de Perel resultó una revelación doble. Por un lado puso ante sus ojos, de manera descarnada, los mecanismos turbios de los bancos. Por otro, terminó forjando su misión parlamentaria: descubrir los pliegues ocultos del sistema financiero argentino.

A medida que el caso comenzó a perder espacio en la prensa, la investigación judicial por la muerte del matrimonio Perel se hundió en un pantano. La multitud de pistas originó un tumulto de hipótesis, que iban desde la venganza –los enemigos del financista se contaban por decenas– hasta una fabulosa conspiración relacionada con el espionaje y la crisis en Medio Oriente –Perel tenía afición por la armas y se investigó su supuesto vínculo con el Mossad, el organismo de inteligencia israelí–. Con los meses, el caso parecía tener destino de archivo. Hasta que un testimonio obligó a releer la causa desde sus primeras fojas.

"Soy un gringo muerto por no pagar el rescate de HP Pompeya DG". La nota, casi idéntica a la hallada junto al matrimonio Perel –"Soy un gringo muerto por no pagar el rescate de Antfactory del Citigroup"–, fue recogida por la policía colombiana el 31 de enero de 2001. El mensaje –escrito en inglés– apareció junto al cuerpo de Ron Sander, un empresario norteamericano que murió acribillado en Colombia mientras el financista argentino viajaba hacia Cariló. Sander era un especialista en tecnología petrolera y, según se informó, había sido secuestrado por la guerrilla colombiana junto a otros siete técnicos: cinco norteamericanos, un chileno y el argentino Juan Rodríguez. Todos trabajaban para una empresa contratista –Hewelchi & Payne– que a su vez realizaba trabajos para Repsol-YPF en Ecuador. Informados del hecho, los investigadores del caso Perel anotaron el dato como una coincidencia. La pista recién terminó de tomar forma al año siguiente del asesinato, cuando un testigo de identidad reservada sugirió que el crimen de Perel podría haber sido cometido por sicarios colombianos que trabajaban para el Cártel de Juárez, la organización narco más importante de México. El testigo se presentó ante los pesquisas como "un experto" en los movimientos del narcotráfico mexicano en la Argentina: "Hace años que el país fue elegido por el cártel para lavar su dinero –dijo el hombre, y abundó–. Perel viajó a México para arreglar negocios con quienes le confiaban el dinero para que lo blanqueara".

El dato coincidía con otros testimonios de la causa que referían que poco antes del crimen el financista había realizado un "viaje de negocios" a México. En primera instancia los familiares aseguraron que Perel había viajado por negocios vinculados con Antfactory, pero los directivos de la empresa lo negaron por nota ante el juzgado: "El señor Perel jamás negoció transacciones para la compañía en México".

El testigo de identidad aportó más detalles sobre el misterioso viaje: "Perel fue a México para tranquilizar a sus patrones. Aunque no era un engranaje importante del Cártel en el país, los narcos le confiaron una serie de operaciones que nunca se cumplieron. En México creían que se había quedado con un 'vuelto'".

En el lenguaje de la mafia, un "vuelto" significa que un emplea-do ha robado dinero a sus jefes, una práctica riesgosa que puede derivar en una sentencia de muerte.

"Parece que las explicaciones de Perel no los convencieron, y los mexicanos contrataron a sicarios colombianos para liquidarlo", detalló el testigo.

Según ese testimonio, los asesinos de Perel ingresaron a la Ar-gentina por la Triple Frontera –el límite geográfico entre la Argenti-na, Paraguay y Brasil– desde donde viajaron en una camioneta cuatro por cuatro hasta Cariló. Allí rociaron las narices de sus víc-timas con éter para inmovilizarlos, y luego los fusilaron sin que nadie, ni uno de los 120 huéspedes del apart hotel, escuchara o viera algo sospechoso.

El testigo encubierto aportó además datos y números telefó-nicos que sólo podían ser chequeados en el Distrito Federal de México. La falta de presupuesto de la Justicia bonaerense terminó convirtiendo el testimonio reservado en una anécdota. Sin embargo, las asombrosas coincidencias entre el crimen de Cariló y el Cártel de Juárez no parecían obra de una mente febril: el mismo día del crimen, el informe del Subcomité del Senado estadounidense sobre la operaciones del Citibank, también expuso las maniobras finan-cieras del narcotráfico mexicano en la Argentina.

En diciembre de 1996, el líder del Cártel de Juárez desembarcó en Buenos Aires. Cada mañana, Amado Carrillo Fuentes salía al balcón de su suite en el Hyatt Hotel para contemplar el Río de la Plata. Re-gistrado bajo el nombre Francisco Mora, "El señor de los cielos", co-mo lo conocían en México, pasó fin de año mirando el Obelisco, rea-lizó contactos, se marchó y murió mientras le practicaban una cirugía estética facial. Tres años después su fantasma regresaba a la Argentina.

El 2 de diciembre de 1999, Juan Miguel Ponce Edmonson, direc-tor de Interpol México, anunció: "Se detectaron fuertes inversiones del Cártel de Juárez en la Argentina, donde Amado Carrillo Fuentes lavó unos 25 millones de dólares a través de una financiera y una inmobiliaria vinculadas a personajes de la política".

La financiera era Mercado Abierto S.A., propiedad de Aldo Ducler, un ex asesor de campaña del ex cantautor, gobernador y candidato a la vicepresidencia por el justicialismo Ramón "Palito" Ortega. La inmobiliaria señalada por Edmonson era la marplatense Di Tulio, propiedad del *broker* Nicolás Di Tulio. La denuncia inició un expediente en el juzgado federal porteño a cargo de Rodolfo Canicoba Corral. Pero en su informe, los pesquisas mexicanos daban por cerrado el caso. El texto desglosaba sus conclusiones:

• "Nicolás y Domingo Di Tulio viajaron a los Estados Unidos. Ellos habrían tenido los contactos con la gente del Cártel y habrían contactado al M. A. Bank, el nombre con el que Mercado Abierto S.A. opera en ese país".

• "Entre agosto de 1997 y abril de 1998 se realizaron transferencias a diversas cuentas del Bank of America, el National Bank of Florida y el Citibank".

• "Ese dinero llegó a Mercado Abierto S.A. en la Argentina y los Di Tulio invirtieron en el barrio Los Troncos de Mar del Plata. También habrían comprado estaciones de servicio y el hotel Tourbillón. Además adquirieron campos, como la estancia Rincón Grande, y unas cinco mil hectáreas en Bahía Blanca". El escándalo se precipitó sobre la cabeza de Ducler, un financista que había amasado buena reputación en la City tras su paso por la Secretaría de Hacienda durante la dictadura militar. El día en que se conoció la denuncia, sus empleados le escucharon decir en las oficinas de Corrientes 415:

• Temo por mi vida. Y que les quede claro: no tengo intención de suicidarme.

En público, Ducler dirigió los dardos hacia Nueva York: "Yo recibí dinero de un banco norteamericano. ¿Qué tengo que ver con el origen? Si alguien quiere saber sobre el origen de los fondos tiene que preguntarle al Citibank".

Eso fue exactamente lo que hicieron un año más tarde los asesores del senador Levin. Y las respuestas superaron su entrenada capacidad de asombro.

En los extractos relevados por los investigadores del Subcomité figuraban las transferencias realizadas entre Mercado Abierto y el Citibank. El detalle: las operaciones se realizaron mientras Carrillo Fuentes integraba la nómina de los diez prófugos más buscados por la Justicia norteamericana.

En noviembre de 1988, el magistrado de la Corte para el Distrito Sur de Florida, Estados Unidos, libró una orden de captura contra Amado Carrillo Fuentes –expediente número 88-685-CR– por delitos contra la salud, conspiración y asociación delictuosa para distribuir heroína y marihuana, e intento de importación de drogas. Sin embargo el pedido no evitó que el jefe narco escogiera personalmente a la Argentina para enjuagar los fondos ilícitos de su organización.

Durante enero y febrero de 1997, los miembros de la apócrifa familia Mora se dedicaron al turismo: visitaron las cataratas del Iguazú, en la frontera con Paraguay, y contemplaron la imponencia de la cordillera en Mendoza. Carrillo compartió el recorrido con sus principales lugartenientes. Entre ellos se encontraba Eduardo González Quirarte, quien tenía a su cargo el armado de la conexión local. El primer contacto de Quirarte fue la empresa de bienes raíces argentina Nordheimer, especializada en campos y estancias. Según la investigación de Canicoba Corral, el titular de la firma, el abogado Pedro Nordheimer, designó a cargo de los nuevos clientes al operador inmobiliario Nicolás Di Tulio.

Luego de determinar las propiedades a vender, Di Tulio se conectó con Ducler para ultimar los detalles de la operación financiera. El dúo mantuvo varias reuniones con los integrantes del Cártel, tanto en la Argentina como en México, y la relación se volvió tan estrecha que las visitas se mantuvieron incluso tras la muerte de Carrillo quien, según su acta de defunción, falleció el 4 de julio de 1997 mientras le practicaban una cirugía estética facial. A esa altura el nombre de Ducler ya lucía junto al de Carrillo en los tribunales norteamericanos.

La reunión se celebró el 28 de noviembre de 1995 en la ciudad de Aurora, Illinois. Luego de firmar un acuerdo de inmunidad con el Servicio de Aduanas norteamericano, el narcotraficante colombiano Fred Mendoza entregó a las autoridades una nómina de los intermediarios mexicanos encargados del lavado de divisas. Uno de ellos, identificado por el arrepentido como "Código 26", era Víctor Manuel Alcalá Navarro, quien trabajaba para el Cártel de Juárez. Las investigaciones sobre esta pista condujeron hasta un nuevo intermediario del Cártel, José Reyes Ortega González, ex funcionario bancario mexicano y amigo íntimo de Alcalá Navarro. Capturados por las autoridades estadounidenses, Ortega González y Alcalá Navarro reconocieron que, entre otras actividades, habían autorizado transferencias del Cártel a favor de Nicolás Di Tulio y su socios: Rodolfo Trolio, Alfredo Rodríguez y Rosendo Miguel Llorente.

Los financistas detallaron que la ruta del dinero se iniciaba con una transferencia a Nueva York, que luego era enviada a la cuenta denominada M. A. Bank Mercado Abierto S.A., una entidad fundada en las Islas del Grand Cayman. El representante argentino del M. A. Bank era Aldo Luis Ducler.

Investigaciones posteriores realizadas por el Departamento del Tesoro comprobaron movimientos bancarios por 10,8 millones de dólares realizados por Nicolás Di Tulio a través de la cuenta del M. A. Bank en el Citibank de Nueva York.[68]

Si bien varios testimonios indicaban lazos directos entre Ducler y los representantes del Cártel de Juárez –Aquilino Vázquez, encargado de la estancia Rincón Grande, declaró que el financista

---

[68] El juzgado argentino descubrió inversiones del supuesto "grupo inversor mexicano" por casi veinte millones de dólares, cifra superior a la detectada en las transferencias. No se descarta que el dinero haya sido ingresado al país a través de valijas o de los denominados "chalequeros", personas que habrían entrado por Ezeiza. Las inversiones realizadas con dinero presuntamente originado en el narcotráfico incluirían: un departamento en la Avenida Alvear 1853 2° A de Capital Federal, la estancia Rincón Grande en el Partido de General Pueyrredón, un chalet en la calle Almafuerte 1541 del Barrio Los Troncos de la ciudad de Mar del Plata, el hotel Tourbillón de Mar del Plata, las estancias El Estribo y Santa Venera, Petrolera Mar del Plata S.A., una casa en 11 de abril 250 7° de la ciudad de Bahía Blanca, la Cabaña Las Lanzas y la estancia San Juan del Espejo, ubicada en la localidad de Gil.

festejó allí su cumpleaños junto a "los mexicanos"–, el titular de Mercado Abierto repitió su coartada ante el juez Canicoba Corral: no tenía motivos para sospechar sobre el origen de los fondos. La plata era girada desde bancos de primer nivel que, se supone, realizan los controles correspondientes. La réplica del Citi, por cierto, tampoco ahorró en cinismo.

Desde su sede neoyorquina, "el banco de primer nivel" se limitó a responder los requerimientos del juzgado argentino con un escrito: "Efectivamente, por nuestras cuentas circularon sumas destinadas a Mercado Abierto. Pero no se investigó su origen debido a que la Drug Enforcement Agency (DEA) y la Reserva Federal nos dijeron que la circulación del dinero permitiría seguir desarrollando una investigación especial". La excusa presentada por la entidad refería a la Operación Casablanca, una de las redadas antinarcóticos más difundidas por el gobierno de los Estados Unidos.

La operación se llevó a cabo en mayo de 1998, cuando diecisiete banqueros mexicanos fueron invitados a la fastuosa inauguración de un casino en Mesquite, Nuevo México, a unos 65 kilómetros al este de Las Vegas, donde se les enseñarían nuevos modos de lavar dinero a través de casinos. Los que cayeron en la trampa de lujo al menos pudieron disfrutar de un último banquete: los arrestos se concretaron luego de que los financistas comieran y bebieran por más de seis horas. Un acuerdo con el Departamento del Tesoro permitió que un equipo de la Cadena ABC filmara la detención de 142 supuestos integrantes de los carteles de México y Colombia, junto a la confiscación de 35 millones de dólares, dos toneladas de cocaína y cuatro de marihuana. La investigación permitió acusar a tres bancos mexicanos –Bancomer, Banco Serfín y Confía– de beneficiarse institucionalmente de una operación criminal, ya que los bancos recibían comisiones de entre cuatro y cinco por ciento por cada transferencia. La Justicia norteamericana exculpó al resto de los bancos –la mayoría estadounidenses– argumentando que no se encontraron evidencias de que sus dueños conocieran el origen de los fondos. El sobreseimiento incluía al Citibank, banco que según el informe Levin había realizado al menos

40 operaciones con el M.A. Bank Ltd. a través de su cuenta corresponsal número 36111386.[69] La "clemencia" del Departamento de Estado con los bancos estadounidenses alcanzaba a una entidad de Miami que también mantuvo lazos con la Argentina: el Hamilton Bank.

Ramón "Palito" Ortega pudo haberlo presentado como una devolución de favores. A principios de los años 1980 el cantautor estaba prácticamente en la ruina. Su primer intento como empresario –dos recitales de Frank Sinatra en el Sheraton Hotel– derivó en un fracaso por obra de la devaluación, y sus deudas lo convirtieron en un prófugo fiscal de la dictadura. Tras el fiasco Ortega encontró refugio en las doradas playas de Miami. Allí trabó amistad con Eduardo Masferrer, un cubano anticastrista diestro para las finanzas. Masferrer no sólo estimuló a su amigo sino que, en su condición de gerente general del Banco del Istmo, colaboró con la financiación de Chango Producciones Internacionales, la compañía que permitiría el renacimiento comercial de Ortega. En 1988 el cubano desembolsó 4,4 millones de dólares para convertirse en uno de los principales accionistas individuales del Hamilton Bank. Y no pasó mucho para que su amigo argentino intentara devolverle el favor desde la Gobernación de Tucumán.

En mayo de 1995, la Legislatura tucumana aprobó la venta del 60 por ciento de las acciones del banco provincial. El precio base fue de 9,48 millones de dólares, a pagar al contado o en cuotas. Se interesaron en la licitación cuatro oferentes: Banco de Corrientes S.A., Nuevo Banco de La Rioja S.A., Banco Macro S.A., y Hamilton Bank N.A.

El 25 de agosto de 1995, cuando se abrieron los sobres, se conoció la integración del grupo ganador. El Hamilton, del amigo Masferrer, ostentaba el 45 por ciento de participación en la oferta

---

69 El total de operaciones relevadas sumaba 18.417.299 de dólares. De éstas sólo veintiséis, por 11.752.199, formaron parte de la denuncia, en tanto que las catorce restantes, por 6.665.000, no se consideraron sospechosas.

de compra, acompañado por el Czarnikow Rionda Sugar Trading Inc. de Nueva York, con el 33 por ciento. El consorcio se completaba con el 22 por ciento de Mercado Abierto S.A., la financiera de Aldo Ducler, quien en esos tiempos se desempeñaba además como director de la Bolsa de Comercio de Tucumán y asesor financiero del gobierno provincial. Los festejos del grupo durante esa noche tucumana fueron similares a la bacanal que precedió al Operativo Casablanca, génesis de un megaexpediente sobre lavado donde el Hamilton Bank N.A. se lució con cuatro menciones. Sin embargo el cambio de vientos políticos aguó la alegría.

La adjudicación del banco fue anulada el 1 de marzo de 1996 a través de un decreto firmado por el sucesor de Ortega en la Gobernación, el ex represor Antonio Domingo Bussi. En reemplazo del Hamilton y Ducler, Bussi firmó contrato con el Banco Comafi S.A., una entidad porteña que tampoco adolecía de sospechas.

El Comafi fue uno de los "casos especiales" incluidos en el informe final presentado por los diputados Gustavo Gutiérrez, José Vitar, Graciela Ocaña, Elisa Carrió y Mario Cafiero. Tanto los legisladores como los inspectores del BCRA coincidieron en cuestionar "la presencia de una mayoría de firmas constituidas en paraísos fiscales, cuya existencia sólo es justificable cuando se realizan negocios poco claros o se necesita ocultar la verdadera identidad de los accionistas, ya sea por motivos impositivos, cambiarios o de otro orden". Algunas de las firmas que poseían acciones del Comafi eran:

• Comafi LDC, una empresa de inversiones radicada en Islas Cayman.

• Banco Comafi Cayman Ltd., cuyos apoderados son residentes uruguayos.

• West Holding Cayman Ltd., propietaria del 75 por ciento del paquete accionario del Banco Comafi Cayman. Su presidente era un ciudadano colombiano, Hernando Franco Bravo, sin ninguna actividad comercial acreditada en el país.

Para quedarse con el Banco de Tucumán, el Comafi desembolsó apenas 10,25 millones. A cambio recibió una entidad saneada –sus deudas fueron asumidas por los tucumanos ante el BID y el Banco Mundial–, y la gratificación de un negocio atado como agente financiero de la provincia. A través de un "contrato de vinculación" Tucumán se obligó a depositar todos sus ingresos en el banco adquirido por el Comafi hasta el año 2011, y a "canalizar todas las operaciones financieras provinciales". Una auditoría del Tribunal de Cuentas tucumano realizada en 1997, reveló que las cajas de ahorro que el Estado provincial había abierto a los empleados públicos y jubilados le otorgaban al Comafi el "negocio de los préstamos personales a sola firma y por descuento de haberes, por los cuales el banco cobraba elevadísimas tasas de interés". La rentabilidad de la adquisición quedó plasmada en un informe del Banco Central, que valuaba en casi el 53 por ciento el aporte del Banco de Tucumán a la "rentabilidad" del grupo, mientras que el Comafi contribuía con el 43,8 por ciento. Ese solo dato explica por qué la compra de bancos provinciales fue uno de los negocios más codiciados de los años noventa.[70]

Enjuagues

—En el cono sur, la Argentina es un centro de lavado tan importante como Panamá, por eso hubo tantas resistencias para aprobar una ley antilavado.

Abel Reynoso era un agente atípico. Argentino de nacimiento, a los 14 años emigró a los Estados Unidos y regresó 28 años más tarde como el hombre de la DEA en Buenos Aires. Pese a que había crecido fuera del país el espía conservaba el más característico de los vicios porteños: la charla de café.

El ritual se repetía con obsesión paranoica. Antes de ingresar a Donney, la confitería de Lafinur y Libertador, Reynoso daba dos vueltas a la manzana para observar a los parroquianos. La manía le había quedado como resabio de su experiencia como agente

---

70 Durante la crisis financiera de 2002, el Comafi amplió su presencia en el mercado al adquirir parte de los activos del ScotiaBank Quilmes, una entidad que abandonó el país tras la retención de depósitos de fines de 2001.

encubierto en América Central, pero no era la única. Una vez en el bar el agente se sentaba siempre de frente a la entrada, para controlar cada movimiento.

–No es lindo que te maten por la espalda –decía, mientras se golpeaba la axila izquierda para comprobar que la mágnum 357 estuviese en su lugar.

En Donney, Reynoso comenzó a armar el rompecabezas que lo eyectaría de la Argentina. Y de la DEA. La organización investigada por el agente tenía epicentro en Montevideo, pero sus tentáculos se extendían a Buenos Aires, San Pablo y Nueva York. Según Reynoso la punta de la madeja se encontraba en el estudio jurídico uruguayo Posadas, Posadas y Vecino. El *buffete* pertenecía a Ignacio de Posadas, un abogado y economista de renombre que había oficiado de ministro de Economía durante el gobierno de Luis Lacalle. A mediados de 1999 el agente solía comentar que el monto total de la operación de sus desvelos superaba los mil millones de dólares, y que ya había logrado identificar a tres bancos de primera línea y a unas catorce firmas *offshore*. Entre otros, Reynoso había anotado los siguientes datos:

• Comprar una sociedad fantasma en Montevideo cuesta entre 1.000 y 1.500 dólares. Como en un mercado persa, la oferta se aglutina alrededor de la Plaza Independencia, el límite donde la capital uruguaya se transforma en la Ciudad Vieja.

• El 60 por ciento de las operaciones de la banca uruguaya se realiza con firmas *offshore*.

• Los clientes argentinos de los bancos orientales cruzan el dinero en maletas o a través de bancos locales que poseen sucursales en ambas orillas del Río de la Plata. En ese caso las transferencias se encubren mediante la compra de títulos o cauciones.

Con sus libretas cargadas, Reynoso se sentía cada vez más cerca de la meta. Sin embargo, el 23 de julio, un despacho urgente de la oficina central de la DEA lo desmoronó: "Ha sido relevado de su puesto. Tiene 30 días máximo para presentarse ante sus superiores". La charla de café, esa pasión argentina, lo había traicionado.

Reynoso partió hacia Washington convencido de que su despido había sido gestionado por el entonces encargado de Negocios, a cargo de la Embajada de los Estados Unidos en la Argentina, Manuel Rocha, a pedido de los tres bancos que tenía bajo la lupa: el Citibank, el Chase Manhattan y el BankBoston. Lo dijo sin medias palabras un año después, ante el periodista argentino Carlos Lauría:

–Detrás del lavado hay bancos de primera línea que están haciendo dinero, amigos del sistema político y diplomático.

Aquel 6 de mayo de 2000, Reynoso, ya retirado de la DEA, disparó palabras envenenadas bajo el sol de Los Ángeles:

–En la Argentina no sólo se lava dinero del narcotráfico, sino también del tráfico de armas, de oro y de sobornos.

Como en una hilera formada con fichas de dominó, el camino marcado por Reynoso conduciría, una vez más, al banco de los hermanos Rohm.

La delegación partió con más expectativas que certezas. El grupo llevaba en sus maletas ropa para dos días, copias de la causa Pharaon y una orden de la jueza Servini de Cubría para allanar media docena de oficinas en Montevideo. El 12 de octubre de 1994, el grupo compuesto por los fiscales Alicia Perroud y Luciano González Valle, el oficial de la Policía Federal Carlos Alberto Gesto, y la especialista del Banco Central Alicia Beatriz López llegó al 477 de la calle Rincón, un enorme complejo de oficinas que custodiaba los secretos más explosivos de la Argentina reciente.

La experiencia del grupo en ese edificio fue detalladamente descripta en el acta confeccionada por el oficial Gesto.

"Comenzadas las requisas, logró determinarse que en el piso 2º funcionaba Rofin International Bank & Trust, una empresa Offshore del Banco Roberts de Buenos Aires", comienza diciendo el texto, y prosigue: "Del allanamiento efectuado en el piso 8º se estableció que Merrill Lynch Group de Uruguay era una empresa Offshore que efectúa transacciones internacionales, muchas de ellas destinadas a Buenos Aires. Se encontraba a cargo de esa oficina el

Lic. Wilfredo Bunge, de nacionalidad argentino. Del análisis de parte de la documentación observada (listado de transacciones) se determinó la existencia de una cuenta denominada Merrill Lynch Bank de Gran Cayman, la que provee los fondos a Merrill Lynch Group a través de una transacción que ellos denominan Merrill Lynch Dragon. Esos fondos se canalizaban a través de diversas cuentas denominadas M-16 o N-16 e identificadas como confidenciales [cuentas numeradas], que eran manejadas directamente por esa oficina".

El grupo de pesquisas argentinos comprobó la existencia de planillas de movimiento de fondos codificadas: "Se estableció que algunos de esos códigos correspondían a empresas del grupo Pharaon, ya que se halló el cuaderno con las codificaciones respectivas. En otros casos, los movimientos correspondían a empresas argentinas privatizadas tales como: Telecom, Telefónica, Edenor, Edesur, YPF, Petroquímica Bahía Blanca y Banco Santander. Por último, también se hallaron movimientos vinculados con empresas brasileñas, tales como Telebras, Bras Motor y Rio Doce. Cabe destacar que este tipo de operatoria se elaboraba en Merrill Lynch Luxemburgo".

El grupo también halló una carpeta de un estudio jurídico de Panamá –Icaza, González Ruiz & Aleman–, que contenía instrucciones para la ejecución de distintos proyectos. Anotó Gesto: "Este estudio era uno de los encargados de formar las empresas del grupo Pharaon en aquella jurisdicción, y a su vez fue el liquidador del BCCI por contratación del mismo grupo en Panamá y Gran Cayman. Esta documentación fue hallada en la oficina de Wilfredo Bunge".

La tarea de los argentinos marchaba según lo previsto, hasta que dos abogados locales lograron interrumpir la pesquisa. Esta irrupción y sus derivaciones expusieron el rol de las autoridades y la plaza financiera uruguaya en el lavado de dinero. Describía el acta: "Los patrocinantes de las empresas presentaron oposición al procedimiento, indicando que se estaba vulnerando el secreto financiero vigente en el Uruguay. Los abogados indicaron que

estaban dispuestos a brindar información sobre las firmas solici-
tadas, pero dijeron que de ninguna manera podía efectuarse una
revisión total de sus archivos. En este punto es necesario destacar
que, al momento de los allanamientos, las oficinas revisadas no
funcionaban como casa bancaria, motivo por el cual no correspondía alegar que 'se estaba violando el secreto bancario'". El detalle no impidió que los empleados de las oficinas formaran una
sutil barricada alrededor de los archivos.

En un intento por destrabar el conflicto, la inspectora López
decidió poner a prueba la palabra de los abogados: "Se les requirió
entonces –escribió Gesto– que informaran si poseían documentación
relacionada con un estudio jurídico de Panamá, a lo que respondieron que no. Es de destacar que, apenas unos minutos antes, la
delegación había logrado la documentación del estudio panameño
Icaza, González Ruiz & Aleman".

Era un hecho: los abogados no tenían intenciones de colaborar con la investigación. Es más, finalmente, lograron anularla:
"Los patrocinantes presentaron un recurso ante la Suprema Corte del Uruguay, al tiempo que denunciaron la vulneración del secreto bancario ante el Banco Central del Uruguay, haciéndose
presentes funcionarios de este último organismo en las oficinas.
Estas características llevaron a que el Juez exhortado suspendiera
las diligencias, no permitiendo el secuestro de la documentación
seleccionada. Pese a las innumerables tramitaciones efectuadas ante la Fiscalía del Tribunal uruguayo, y ante el mismo Tribunal, no
se autorizó a que se prosiguiera con las diligencias".

Un dato imprescindible: los allanamientos habían sido autorizados por el tribunal del 2° turno de Montevideo. Sin embargo la
influencia de los abogados uruguayos resultó más efectiva que las
decisiones de la Justicia. Una pista sobre los motivos de la suspensión del allanamiento quedó asentada en el acta: "Resulta importante destacar que los abogados de Merrill Lynch Group, Tomás
Guerrero Costa y Juan C. Oreggia Carrau –quienes habían inter-
puesto el recurso por los procedimientos efectuados–, pertenecían al
estudio que corre con la denominación Posadas, Posadas & Vecino,

ubicado en la calle Juncal 1305 Piso 21 (Montevideo, Uruguay). Precisamente, el mismo domicilio de la firma Comeral S.A., una empresa de servicios del grupo Pharaon".

No era la primera vez que ese estudio jurídico se ubicaba en el centro de las sospechas. En 1992, la firma quedó envuelta en un escándalo internacional cuando se descubrió que le había facilitado al entonces presidente de Brasil, Fernando Collor de Mello, una "coartada" de 5 millones de dólares para justificar los fondos provenientes de la venta de influencias que realizaba su jefe de campaña, Paulo César Farías, alias PC. La treta se descubrió por las infidencias de una secretaria infiel, y el caso terminó en remoción y tragedia: Collor fue depuesto de la presidencia, y PC apareció muerto con un disparo en la frente.[71]

Poco tiempo antes, en 1990, la influencia de Ignacio de Posadas había sido clave para que los hermanos José y Carlos Rohm se quedaran con el Banco Comercial, el segundo banco del Uruguay. La historia de esa venta provocó bullicio desde sus orígenes, y podría resumirse así: el Estado uruguayo pagó 1,3 millones de dólares para que los argentinos se quedaran con el banco. Según una investigación del Parlamento oriental, los hermanos compraron la entidad con títulos de la deuda uruguaya por un precio nominal de 30 millones de dólares. Pero los títulos, por supuesto, cotizaban al 50 por ciento de su valor, de modo que el rescate real de la deuda externa uruguaya no superaba los 15 millones de dólares. Pero eso no fue todo: el Estado depositó 16 millones para sanear la cartera de morosos y cumplir con otros gastos, de modo que la transferencia del banco no sólo resultó onerosa para los uruguayos, sino que significó una cesión gratuita para los Rohm.

71 El 16 de marzo de 2000, el oficial uruguayo Gonzalo Cozzolino, responsable de la Brigada Antidrogas del Este, envió un oficio a la juzgado penal del 4º turno de Montevideo que decía: "Mediante información reservada, aportada por el Servicio de Aduanas de los Estados Unidos, se puede establecer que en nuestro país se podrían estar llevando a cabo operaciones tendientes al lavado de activos producto del narcotráfico". El escrito sostenía que el estudio de De Posadas había participado de la compra de propiedades del Cártel de Juárez en Punta del Este.

Por cierto, los hermanos no estaban solos en el emprendimiento. La mayoría del paquete accionario del Comercial quedó en manos de San Luis Financial & Co., una firma con sede en Panamá controlada por los socios extranjeros del BGN: el Crédit Suisse, el Deutsche y el Chemical Bank. Los Rohm participaron del negocio con el 28 por ciento de las acciones, y se hicieron cargo de la gerencia de la entidad. Desde entonces, el Banco General de Negocios tuvo dos firmas uruguayas para movilizar divisas: el Banco Comercial y la Compañía General de Negocios (CGN), la histórica financiera que en los años 1990 serviría para triangular el dinero sucio de los principales escándalos de corrupción de la Argentina.

El 26 de octubre de 1993, el Banco de la Nación Argentina llamó a licitación pública para la contratación de un sistema informático que integraría a la casa central con las sucursales del interior del país. El ministro de Economía, Domingo Felipe Cavallo, había dejado la tarea –y el banco más importante del país– en manos de dos amigos de la adolescencia, los hermanos Mario y Aldo Dadone, quienes bautizaron el contrato con pompa. Lo llamaron "Proyecto Centenario".

Debido a que el pliego no permitía la presentación de Uniones Transitorias de Empresas como oferentes, la empresa IBM integró su oferta con socios solidarios: ITRON –del Grupo Macri–; las ignotas Consad, CCR y Availability S.A; y una veintena de empresas integradas en calidad de proveedores, entre las que se encontraba Latin Trade, una consultora de negocios presidida por Jorge Cavallo, hermano de Domingo Felipe. La licitación fue adjudicada a IBM Argentina S.A. y sus socios, el 17 de febrero de 1994. En el camino quedaron dos oferentes descartados por "insuficiencias técnicas". Según el contrato, de los 250 millones que pagaría el Nación, alrededor de 37 millones irían a CCR, la firma que, supuestamente, tenía a su cargo la elaboración de un sistema muleto. Durante un año los desembolsos se cumplieron según el cronograma previsto hasta que en febrero de 1995 el jefe de la DGI, Carlos Tacchi, presentó una denuncia contra Consad y CCR por el presunto delito de evasión fiscal. La indiscreción de los sabuesos abrió la grieta por donde se filtraron las verdaderas cifras del contrato, suscripto con un sobreprecio cercano a los cien millones de dólares. De ese monto, aproximadamente 37 millones se habrían destinado al pago de sobornos.

Durante sus investigaciones, los inspectores fiscales habían encontrado un rosario de irregularidades. La más frecuente era la utilización de empresas fantasmas cuyos dueños desconocían su participación en el negocio o habían fallecido, un mecanismo mediante el cual CCR y Consad abultaban su facturación. En el mismo informe, el titular de la DGI incluyó otro dato: desde la firma del contrato con IBM, CCR había percibido más de 21 millones de dólares del Proyecto Centenario. El primero de los cheques, por 10.628.526 dólares, había sido depositado en la cuenta 3494/4 que CCR tenía en el Banco General de Negocios. Poco tiempo después esa cuenta sería considerada por la Justicia como el punto de partida de la "ruta de la coima" del caso IBM-Banco Nación.

Lo primero que llamó la atención de los investigadores fue la correlación de fechas entre la apertura de la cuenta y la transferencia de fondos. El BGN habilitó la cuenta de CCR el 5 de mayo de 1994, el mismo día en que se efectuó el primer depósito de IBM. Al día siguiente, Alejandro de Lellis, presidente de la firma, dispuso la transferencia de 6 millones de dólares a la cuenta 4287/1 en la Compañía General de Negocios (CGN). Con el dinero restante De Lellis solicitó la cancelación de un supuesto préstamo de 3,2 millones de dólares otorgado por CGN a CCR. Pero el Informe de la DGI agregaba que el crédito aludido no existía. La transferencia, en realidad, fue urdida entre la firma y el BGN para ocultar el verdadero destino del dinero: el pago de sobornos.

El avance de las pesquisas puso en aprietos al entonces titular de CGN, Carlos Rohm, quien debió comparecer ante el juez federal Adolfo Bagnasco para explicar el rol de su banco en la maniobra. Escudado en el sacrosanto secreto bancario, Rohm adujo que la ley le impedía revelar los movimientos de fondos de sus clientes.

La persistencia de los hermanos Rohm para encubrir las transferencias de CCR anotaría otro dato curioso cuando Vicente Fernández Ocampo –polista y oficial de cuenta del BGN, quien había vinculado a De Lellis con el banco– intentó otra coartada: sostuvo en su declaración judicial que con el dinero de IBM, CCR había comprado bonos en CGN. Sin embargo pocos días antes, el mismo Charly Rohm había repetido la historia del préstamo presentada por CCR. Para Bagnasco, las diferencias entre empleado y empleador demostraban la oscuridad de la maniobra. Para quebrar el pacto de silencio, el juez procesó a Charly por encubrimiento y se sentó a esperar: sabía que, tarde o temprano, la perspectiva de ir a la cárcel terminaría rompiendo el silencio del BGN. La estrategia funcionó, pero no de la manera que Bagnasco esperaba. El encargado de brindar las primeras pistas firmes sobre la ruta de la coima fue el ministro Domingo Cavallo, quien realizó una presentación ante el tribunal en la que decía que el dinero había sido transferido a la cuenta N° 6523 HSR de la Banque Bruxelles Lambert de Ginebra, en la Confederación Suiza.

En su momento Cavallo dijo que había obtenido ese dato por intermedio de funcionarios helvéticos. Pero en realidad el informante había sido José "Puchi" Rohm, horrorizado ante la posibilidad de ver a su hermano en la cárcel. La confesión de Puchi otorgó inmunidad a los hermanos e inició el recorrido que llevó hasta los verdaderos destinatarios del dinero transferido por CCR.

El rastreo final de los fondos demoró casi seis años, y el relato constituye un ejemplo impecable del entramado financiero que suele utilizarse para el blanqueo de dinero sucio. El cuadro se puede resumir así:

• El 6 de mayo de 1994 se transfirieron 9,2 millones de dólares de la cuenta 3494/4 del BGN a la cuenta 126241 que la Compañía General de Negocios de Uruguay tenía en el Crédit Suisse de Nueva York. De ese monto, alrededor de 6 millones se depositaron en la subcuenta 4287/1 correspondiente a CCR S.A.

• El 10 de mayo de 1994, De Lellis ordenó transferir esos 6 millones a la cuenta 6523 HSR de la Banque Bruxelles Lambert de

Ginebra, según el siguiente desglose: 3,5 millones de dólares a la orden de FILASA y 1,5 millón a la orden de ABFICUS. El millón de dólares restante fue transferido a la cuenta 36017146 del Citibank N.A. de Nueva York, correspondiente al Federal Bank. Según la investigación encabezada por Carrió, ese millón habría terminado en una cuenta atribuida a Gastón Figueroa Alcorta, un ex asesor de la funcionaria menemista Claudia Bello que había participado en la aprobación del contrato informático.[72]

La 6523 HSR era una cuenta "corresponsal" que la Banque Privée Edmond de Rothschild poseía en la Banque Bruxelles Lambert y fue utilizada como "cuenta de paso", con el objetivo de proteger la confidencialidad de sus clientes. Según pudo reconstruir la Justicia, la ruta del dinero incluyó como postas a media docena de entidades, entre las que se encontraban el Citibank, el MTB Bank, el Brown Brothers Harriman, el Crédit Suisse, la Unión de Bancos Suizos y el Intercontinental Bank de Uruguay. Tras el agitado recorrido electrónico el dinero finalmente llegó a sus destinatarios. Hasta la fecha se han identificado las siguientes cuentas:

• Cuenta 127.511 Ewad ante el Citibank de Zurich: 480 mil dólares. La titularidad de la cuenta correspondía a Walter Pascual de Fortuna, un ex administrador de Aduana durante la gestión de Cavallo. El funcionario compartía su cuenta con otro cavallista, Hugo Gaggero, uno de los ex directores del Banco Nación que aprobó el Proyecto Centenario.

• Cuenta 745.985 de la Unión de Banques Suisses de Zurich: 1.159.656 dólares. La cuenta está a nombre de Mabel Norma Caldara, esposa de Mario Jorge Dadone, quien operaba a través de un poder otorgado por Mabel.

• Cuenta Flexi 976.208 del Banque Bruxelle Lambert de Suiza: abierta por la sociedad *offshore* uruguaya Faxiland Investment el 10 de agosto de 1989 a nombre del ex director del Nación

---

72 La Secretaría de la Función Pública encabezada por Claudia Bello tuvo a su cargo la aprobación de los contratos entre IBM y el Estado. Indagado por la Justicia, Figueroa Alcorta negó ser titular de la cuenta donde se depositó parte del dinero investigado.

Genaro Contartese y su esposa, María Josefa Rafael. Al 30 de septiembre de 1995 la cuenta tenía un saldo de 1.499.978 dólares.

• Cuenta Duquesa 976.214 del Banque Bruxelle Lambert de Suiza: abierta por la *offshore* Granada Group el 13 de marzo de 1994 a nombre del ex director del Nación Alfredo Aldaco y el ex subsecretario de Industria de Cavallo Jorge Alladio.

• Cuenta Gateway 976.213 del Banque Bruxelle Lambert de Suiza: abierta por la *offshore* Gateway Trading el 1 de abril de 1994 a nombre de Jorge Antonio Alladio y su esposa Ana María Giner, con un saldo de 816.444 dólares.

• Cuenta Putter 976.210 del Banque Bruxelle Lambert de Suiza: abierta por la *offshore* Altajir el 28 de febrero de 1994 a nombre de Aldaco, su esposa Susana Deseo y tres hijos. En septiembre de 1995 tenía depositados 2.882.612 dólares.

En su descargo, Mario Dadone juró que el dinero hallado en su cuenta correspondía a Ricardo Imposti, un ex director del Nación. "Esa plata no es mía. Imposti me pidió la cuenta prestada para depositar su dinero", dijo, sin dar muestras de temor al ridículo. El dato, claro, era imposible de confirmar: Imposti, la coartada de Dadone, estaba muerto. Por cierto, ésta no sería la única vez que un personaje vinculado con el caso se llevaba secretos a su tumba.

—Yo no soy, no fui yo.

Éstas fueron las últimas palabras de Marcelo Cattáneo ante la Justicia. Poco tiempo después su cuerpo aparecería colgado de una soga en un baldío de la Costanera Norte. Encontraron dentro de su boca el recorte de un artículo sobre el caso IBM-Banco Nación.

Cattáneo era uno de los accionistas de CCR S.A., empresa que compartía con su hermano Juan Carlos, quien había ocupado la Subsecretaría de Presupuesto de la Secretaría General de la Presidencia donde reportaba a Alberto Kohan. Pocos días antes de que apareciera muerto, Aldaco y Contartese, directores del Nación, declararon en el tribunal que Cattáneo les había entregado el dinero en nombre de IBM. Los directores del Nación denominaron estas transferencias millonarias con el simpático eufemismo "gratificaciones".

Cattáneo había negado esas acusaciones. Sin embargo los investigadores tenían motivos para sospechar que el empresario sabía más de lo que decía. Su firma no sólo había iniciado el recorrido externo de la coima. Cattáneo tenía la llave para abrir el cofre del dinero pagado en efectivo a través del BGN a proveedores inexistentes de CCR S.A. Según se sospechaba, por ese agujero negro se escurrieron 11 millones de dólares cobrados por ventanilla en el banco de los Rohm.[73]

De ese monto, la Justicia sólo pudo confirmar un giro inferior a un millón de dólares al MTB Bank de Nueva York. De todos modos el hallazgo no era dato menor. El MTB y el Banco General de Negocios también se encontraban enlazados en otro escándalo: el contrabando de oro.

Todo empezó en 1992, cuando tres empleados de la principal firma de metales preciosos de los Estados Unidos –Handy & Harman– viajaron a Buenos Aires para reunirse con el empresario Enrique Piana. Así se gestó una intrincada operación internacional que terminaría defraudando al Estado argentino en 130 millones de dólares. Ocho años más tarde, el 17 de marzo de 2000, el fiscal de Nueva Jersey, Robert Cleary, expuso los pormenores de la maniobra ante una audiencia cargada de curiosos e imputados.

"No existen dudas de que éste fue un operativo planeado para defraudar al fisco argentino", comenzó diciendo el fiscal, antes

---

73 Otra denuncia realizada por los sabuesos fiscales disparó el escándalo informático conocido como IBM-DGI. En este caso se investigó la contratación directa por parte del organismo fiscal de la unión transitoria de empresas conformada por IBM y Banelco. El objetivo del contrato –firmado por 525 millones de pesos– era la informatización de la DGI. Un estudio de la Universidad de Buenos Aires determinó que el sobreprecio del contrato habría ascendido a 190 millones de dólares. Según el dictamen de la Fiscalía, de allí habrían salido las coimas, estimadas entre los 50 y los 70 millones de dólares. Por esta causa fueron procesados una decena de ejecutivos informáticos y funcionarios, entre los que se encontraban los hermanos Cattáneo y el ex titular de la DGI, Ricardo Cossio. Al igual que en el caso IBM-Banco Nación, el supuesto dinero de la coima circuló a través del Banco General de Negocios y la Compañía General de Negocios del Uruguay. Sin embargo los hermanos Rohm fueron despegados de la causa por "falta de méritos".

de fundamentar su acusación. Y detalló: "En los primeros embarques, Casa Piana –la firma argentina– exportó oro verdadero a Handy & Harman, varias partidas de medallas valuadas en 80 millones de dólares con sobreprecios del 10 por ciento. Al llegar a los Estados Unidos el oro se fundía, se triangulaba a Suiza y luego volvía a la Argentina, libre de impuestos, en lingotes que Casa Piana recompraba". A esa altura, los imputados, entre los que se encontraban cuatro argentinos, seguían el relato entre bostezos y garabatos. Pero Cleary continuó con lo suyo: "Esta calesita permitió a Casa Piana hacerse de reintegros aduaneros y créditos impositivos que luego repartió con sus contactos en Handy & Harman, a quienes giraba dinero en concepto de 'servicio de marketing'". Según la acusación fiscal, fue en 1994 cuando la estafa terminó de perder las formas. "[Ese año] Casa Piana empezó a exportar medallas y cajas de relojes de plata, cobre, bronce y acero con sobreprecios astronómicos que llegaban a más del 1.000 por ciento. Estas exportaciones generaron facturas millonarias que los importadores nunca pagaron. Y esas facturas millonarias en favor de Casa Piana fueron utilizadas como pantalla por el MTB Bank, para justificar los depósitos provenientes de las cuentas negras de la entidad argentina a cargo del blanqueo, el Banco Baires". En este punto Cleary detuvo su exposición, miró sobre sus anteojos y corroboró sus sospechas: la mención del banco norteamericano había logrado despertar los sentidos de los imputados, que lo observaban entre la ira y la desazón.

Esa tarde, seis imputados en la causa –Barry Wayne, Richard Searle, Michael Verleysen, John Bartholomew, Amanda Aymar y Visitación Souto, todos integrantes del MTB Bank– tuvieron que comparecer ante el juez Joseph Irenas para responder si se declaraban culpables o inocentes de los 51 cargos que les formuló el fiscal. Los cargos incluían fraude, conspiración y lavado de dinero. Por ellos, la ley estadounidense preveía penas de 5 a 30 años, además de multas millonarias.

En su acusación, el fiscal Cleary explicó cómo Amanda Aymar y Visitación Souto, dos empleadas del MTB, habían transferido fondos de cuentas de entidades financieras de las Islas Caimán, Panamá y Uruguay para "crear la ilusión" de que realmente se estaba exportando oro a empresas falsas, permitiendo que Casa Piana obtuviese la documentación para cobrar el ansiado reintegro del gobierno. Aymar, incluso, había formado parte de la comitiva que en junio de 1994 acompañó al presidente del MTB, John Bartholomew, en un viaje fugaz a Buenos Aires para ultimar los detalles de la operación. Según Cleary, en ese viaje los delegados del MTB aceptaron usar los servicios de ese banco a cambio de una comisión.[74]

Pero la exposición del fiscal aún guardaba algunas revelaciones. Cleary deslizó durante la audiencia los nombres de Aníbal Guzmán Menéndez, presidente del Banco Baires, y Antonio Lanusse y Luis María Mazziotti, los dos vicepresidentes de esa entidad. El trío se encontraba prófugo de la Justicia norteamericana por la causa del oro, pero la mención de Cleary abrió una nueva sospecha sobre sus cabezas: la triangulación de parte de las coimas del *affaire* IBM-Banco Nación.

El círculo sobre los directivos del Baires había comenzado a estrecharse el 6 de agosto de 1998, cuando el Departamento de Estado norteamericano envió al juez Adolfo Bagnasco un escrito que identificaba a los dueños de una cuenta del MTB por la cual, se suponía, había circulado 1,4 millones de dólares de los 11 millones que se escurrieron por las ventanillas del Banco General de Negocios.

En ese momento el aporte del organismo norteamericano no sirvió de mucho. Si bien el escrito explicaba que la transferencia al MTB se había realizado a través de una cuenta de la firma Nuborn, los apoderados de la cuenta estaban identificados por sus seudónimos. Bagnasco interpretó el envío como un nuevo gambito de

---

74 La magnitud de la defraudación puede medirse por el volumen operado en esos años: las importaciones del Banco Baires y el Banco de Galicia –principales involucrados en la maniobra–, alcanzaron el 50 por ciento de las reservas de la Argentina. En términos físicos la operación incluyó un desplazamiento de oro a gran escalda desde Suiza hacia los Estados Unidos, donde los bancos de este país lo adquirían, sobre todo, en el Crédit Suisse de Zurich. Luego de pasar por la Argentina era remitido a los Estados Unidos y, en menor medida, nuevamente a Suiza.

la Justicia estadounidense –que a menudo se resistía a aportar información a la causa– y archivó el documento. Sin embargo la exposición de Cleary reanimó la pista. "Una de las firmas utilizadas para blanquear el dinero [de la causa del oro] fue la financiera Nuborn Inc. –puntualizó el fiscal de New Jersey, y prosiguió–. Se trata de una sociedad constituida en Panamá el 18 de agosto de 1983, dirigida por los propietarios del Banco Baires. El 1 de mayo de 1993 Nuborn abrió la cuenta 62.539 en el MTB Bank".

–Ya está, eran éstos –se entusiasmó finalmente Bagnasco, mientras escribía a mano alzada el nombre real de los seudónimos: Roy Harper (Guzmán Menéndez), Thomas Cary (Mazziotti) y Henry Mornau (Lanusse). Desde ese día, los directivos del Banco Baires debieron repartir sus preocupaciones judiciales entre el tráfico del oro y las coimas del caso IBM-Banco Nación. Sus socios estadounidenses, los directivos del MTB Bank, no la pasaron mejor. Desde hacía tiempo, a su récord de sospechas se había sumado el pago de coimas por el tráfico ilegal de armas.

Fueron tres embarques a Ecuador y siete a Croacia. Pero, según los decretos que autorizaron los traslados, las armas argentinas nunca tendrían que haber llegado allí. Ambos países estaban en guerra y sufrían embargos internacionales. Ése fue el inicio de uno de los escándalos de corrupción más profundos de la Argentina reciente. El pago de sobornos vino después.

Los decretos firmados por el ex presidente Carlos Menem y sus ministros especificaban que el armamento destinado a "Panamá" –desviado luego a Croacia– se vendería a través de la empresa uruguaya Debrol S.A. International Trade, mientras que la venta a "Venezuela" –Ecuador– se autorizó por medio de la empresa uruguaya Hayton Trade. En ambos casos el Estado argentino dejó las operaciones en manos de dos empresas *offshore* fundadas en Montevideo, dirigidas por el coronel retirado Diego Emilio Palleros, quien actuó como intermediario.

En abril de 1994, un mes después de zarpar el penúltimo buque a Croacia, Palleros solicitó a Fabricaciones Militares el depósito de 400.000 dólares en la cuenta 69.393 de la empresa uruguaya Daforel en el MTB Bank de Nueva York. La cifra representaba la mitad de la comisión legal que le correspondía por su intervención en la exportación, y su recorrido llevaba la impronta del dinero sucio: Fabricaciones Militares ordenó el giro de 400.000 dólares a la sucursal del Banco Nación Argentina en Nueva York, que a su vez se lo ordenó al Chemical Bank, corresponsal del Banco Nación en territorio estadounidense. Por último, el Chemical transfirió el monto a la cuenta de Daforel en el MTB Bank. El 2 de julio de 1995, antes de huir de la Argentina, Diego Palleros envió al juez Urso una declaración escrita: "Tuve que abonar comisiones, siguiendo instrucciones de mis mandantes, a personas que cumplían algún *lobby* especial con el más alto nivel político para que las exportaciones se realizaran". Desde entonces, todas las miradas se dirigieron hacia Emir Yoma.

El primer indicio que apuntó al influyente ex cuñado del entonces presidente Menem se encontró durante un allanamiento al Banco Baires, mientras se investigaba el tráfico ilegal de oro. Durante ese operativo se halló un documento que indicaba que el 28 de diciembre de 1994 el MTB Bank había girado dos millones de dólares, provenientes de Daforel, a la cuenta de la curtiembre Yoma S.A. en el Banco Baires. Según esa constancia, Daforel había recibido una orden de transferencia por parte de la firma Elthan Trading Co., una sociedad *offshore* con la que Yoma mantenía fluidos contactos comerciales.

Indagado al respecto por el juez Urso, Emir negó la propiedad de Elthan Trading: "Es una firma de Hong Kong", repitió hasta el hartazgo.

Sin embargo, a los investigadores del caso les llamó la atención que la empresa hubiera sido constituida en Uruguay por Rubén Weiszman, un contador uruguayo que solía trabajar para los Yoma. Elthan Trading era, a la vez, titular del 74 por ciento del paquete accionario de Yoma S.A. Y por último, uno de los presidentes de la firma negada por Emir había sido Yalal Nacracht, su sobrino.

En los primeros años de la década del noventa, Elthan Trading giró a Yoma S.A. más de 30 millones de dólares, que fueron recibidos a través de los bancos Feigin, Baires, Macro y la agencia financiera Multicambio. En una declaración presentada por escrito ante el juzgado, Pedro Stier, titular de Multicambio, admitió que las transferencias asentadas como provenientes de Hong Kong, en realidad se habían realizado desde Buenos Aires. Un dato más: a mediados de 2000, cuando Luis Sarlenga recuperó la memoria y comenzó a hablar, el ex titular de Fabricaciones Militares expuso ante el juez el siguiente relato:

–El número de la cuenta de Daforel en el MTB Bank de Nueva York lo obtuve de la oficina de Emir Yoma. Él cobró la coima.

Claro que ésas no fueron las únicas palabras explosivas que Sarlenga dijo ante el juez Urso durante aquella semana de indagatorias:

–Uno de los bancos que participó en el reparto de la coima fue el Banco General de Negocios. Sé que por ahí pasaron unos 400.000 pesos, pero tal vez fueron más. Yo mismo cobré 30.000 pesos de Yoma, y supe que también cobró mi segundo en Fabricaciones Militares, Norberto Emanuel.

Para corroborar estas confesiones, la diputada Graciela Ocaña, quien por entonces ya se había ganado el mote de "hormiguita trabajadora", viajó al Uruguay.

A pocos metros de la estatua donde Artigas cabalga inmóvil de cara a la avenida 18 de Julio, las dos principales puertas del edificio blanco exhiben el mismo número. Plaza Independencia 749 Bis, justo en la esquina con Ciudadela, identifica la puerta que lleva a la Compañía General de Negocios. A pocos pasos de distancia, Plaza Independencia 749 corresponde a un sector de oficinas del edificio, con entrada propia. En el segundo piso funcionaba Exterbanca Institución Financiera Externa (IFE), el banco uruguayo *offshore* propiedad de la familia Werthein. De larga tradición en los negocios, Adrián y Leo Werthein eran propietarios del Banco Mercantil e integraron el directorio del CEI en tiempos de privatizaciones. Según los investigadores, por Exterbanca había pasado buena parte del dinero blanco y negro de los envíos ilegales de armas. Allí tenían cuentas Palleros –la de Hayton Trade y la 11.748, a su nombre–, Sarlenga –cuenta 12.255– y el capitán de navío Horacio Estrada –cuenta 12.099–, un ex represor de la ESMA que también intermedió en ese negocio. En vida Estrada usó su mano derecha para todo, salvo para dispararse un tiro en la sien izquierda el 25 de agosto de 1998, cuando las investigaciones golpeaban a su puerta.

En tiempos en los que el trabajo abundaba, Diego Palleros solía caminar por la calle Treinta y Tres hasta Exterbanca, hacía sus trámites, y luego invitaba a almorzar una parrillada en el Mercado del Puerto. Ocaña repitió en Montevideo los pasos del traficante. Llevaba en su portafolios la constancia de la cuenta 12.147-1 que Palleros había abierto en Exterbanca a nombre de Hayton Trade. Los datos era precisos: el 3 de marzo de 1995, desde esa entidad *offshore* salió una transferencia de 400.000 dólares al Banco Comercial de Montevideo, el banco de los hermanos Rohm. La diputada tenía la certeza de que ésa era la coima que, según Sarlenga, había sido destinada a Norberto Emanuel. Pero todavía no podía probarlo: la cercanía entre la CGN y Exterbanca sólo era un indicio, casi una curiosidad. Sin embargo no pasaría mucho sin que sus certezas se confirmaran.

En sus años como empleado del Banco Rural, Emanuel había trabado amistad con un joven y ambicioso compañero llamado Carlos Pando Casado. A principios de los años 1980 ambos solían compartir sus sueños de grandeza. Veían un futuro de campos, autos de lujo y cenas glamorosas. Las aspiraciones de Emanuel no se cumplieron. Pero Pando las superó de la mano de los Rohm. Junto a los hermanos el hombre construyó un pequeño imperio comercial que incluía desde la cría de caballos de polo hasta la venta de maquinarias a YPF. En 1989, junto con el debut del gobierno menemista, su facilidad para hacer contactos y su fidelidad hacia los Rohm le otorgaron un sillón en el Directorio del Banco Central de la República Argentina. El cargo terminó de consolidarlo como pieza clave en el Banco General de Negocios. Y potenció sus opciones comerciales.

El ascenso, sin embargo, no impidió que siguiera manteniendo contactos con su viejo compañero del Rural. Cada vez que Emanuel necesitaba un favor, Pando estaba ahí. Y viceversa. Uno de esos favores quedó registrado en las intervenciones telefónicas dispuestas por la jueza Servini de Cubría en la causa Pharaon.

Las "escuchas", como se las denomina en la jerga tribunalicia, suelen ser reveladoras. A menudo las conversaciones de los investigados aportan pistas hasta entonces insospechadas. Eso fue, precisamente, lo que ocurrió con la conversación del 9 de agosto de 2001 entre Claudio Pando Casado –hermano de Carlos– y Emanuel:

–Norberto, mi pariente me pidió por favor que nos juntáramos vos y yo urgente. Es por unos papeles que tenemos que arreglar.

Aunque escueto, el llamado pondría a los investigadores en la ruta de uno de los escándalos más impactantes de la Argentina reciente.

Si bien Carlos Pando, como director del BGN, tenía una oficina en la sede de Esmeralda 130, su verdadero centro de operaciones se encontraba un poco más al centro de la ciudad. En el 3° y 4° piso del edificio de Roque Saenz Peña 740 funcionaba una decena de sociedades relacionadas con Pando y el BGN. Entre ellas se encontraban las petroleras Drillers y Covey, la financiera Compañía General de Mandatos, y dos firmas agropecuarias cuyo directorio estaba integrado por Emanuel: Doña Diana y 29 de Junio S.A. El administrador de estas oficinas era Jorge Inocencio Novoa, y entre los accionistas, además de Pando y Emanuel, figuraba otro directivo del BGN, Enrique Gómez Palmes. Las intercepción de sus teléfonos permitió descubrir la utilización de estas firmas para ocultar dinero que, según presumieron los investigadores, provenía de la venta ilegal de armas.

Hacia el 31 de julio de 2001, el escándalo estaba en su clímax. En una decisión histórica, el juez Jorge Urso había dispuesto el arresto del ex presidente Carlos Menem quien, por cuestiones de edad, fue confinado en una quinta de la localidad de Don Torcuato. Ese día, Enrique Gómez Palmes se comunicó con Novoa.

Novoa –Cómo te va, ¿Alguna novedad?

Gómez Palmes –Sí, me tenés que hacer un par de cositas...

Novoa –Decime.

Gómez Palmes –Me tenés que hacer unos recibos [antedatados] de Drillers.

Novoa –Sí.

Gómez Palmes –Pero no en recibos oficiales, eh, hacelo en carta nomás. Que diga: el 7 de marzo de 95 recibí 251 mil pesos, el 16 de marzo 26 mil, el 5 de abril 50 mil, el 5 de junio 20 mil, el 14 de julio 20 mil, y el 31 de agosto 38.920.

Novoa –¿Y quién lo firma?

Gómez Palmes –Norberto Emanuel.

Novoa –Perfecto.

La suma de los montos transmitidos por Gómez Palmes redondeaban los 400.000 pesos que, según Sarlenga, Emanuel había cobrado de Yoma a través del BGN. La conversación iniciaba un complejo operativo destinado a encubrir la transferencia de fondos, que prosiguió así:

Llamada de Enrique Gómez Palmes a Hugo Esquivel –otro empleado de las oficinas de Roque Sáenz Peña 740–:

Gómez Palmes –Hugo, me tiene que preparar unos papeles de Drillers.

Esquivel –Dígame

Gómez Palmes –Una carta de Drillers fechada el 31 de agosto del '95 que diga: "Compañía General de Negocios, autorizo a transferir la suma de 38.920 pesos a la cuenta de Norberto Emanuel número 223/5..."

Esquivel –Sí...

Gómez Palmes –Espere, antes tenemos que hacer una nota de recomendación para que pueda abrir la cuenta [en CGN]. Escriba: "Por la presente le presentamos al señor Norberto Osvaldo Emanuel, persona de nuestro conocimiento, el cual nos merece el mejor de los conceptos, a fin de que le abran una cuenta en esa institución... y una vez que ello se haya formalizado se acepta transferir de nuestra cuenta la suma de 38.920 pesos...". Hugo, la carta hágala con fecha de 28 de agosto del '95, no con el 31 de agosto, que es la fecha de la transferencia. ¿Me la lee?

Esquivel –Sí, un minuto que la estoy escribiendo... A ver: "Por la presente le presentamos al señor Emanuel, persona de nuestro conocimiento (...) a fin de que procedan a la apertura...

Gómez Palmes –¡No, No! A fin de que procedan no... Ponga: "quien tiene interés en abrir una cuenta" ¿Me entendió?

La escucha continúa con la confección de recibos, poderes y transferencias adulteradas hasta completar los 400 mil pesos que se debían encubrir. Los empleados del juzgado de Servini de Cubría confeccionaron un resumen de la documentación adulterada después de la charla:

• Balances de Drillers correspondientes a los años 1995, 1996, 1997, 1998, 1999 y 2000.

• Una carta de Drillers dirigida a la Compañía General de Negocios fechada el 28 de agosto de 1995, por la cual se presenta a Norberto Emanuel como "persona de su conocimiento, que merece el mejor de los conceptos, quien tiene interés de abrir una cuenta en esa institución; y si la misma se efectiviza, solicitan les informen y asimismo les transfieran la suma de 38.920 dólares a la cuenta de 223/5".

• Otra nota del 22 de enero de 1992 de Drillers a Compañía General de Negocios Casa Bancaria, por la que autorizan a Enrique José Gómez Palmes a operar la cuenta de Drillers en su nombre y representación. En la conversación se destaca que la nota debe hacerse en formularios nuevos, que tenían otra dirección, por no tener más de los viejos: "...no van a ser tan detallistas de ir a verificar en qué piso estamos o estábamos...".

• Una nota de Drillers dirigida a Compañía General de Negocios fechada el 14 de julio de 1995 autorizando a su portador, Rubén Castiñeiras –un allegado a Emanuel–, a retirar 20.000 dólares y, relacionado con esto, una carta también del 14 de julio de 1995 de Emanuel dirigida a Drillers autorizando a Castiñeiras a retirar esa suma.

• Una carta de Drillers fechada a fines de febrero de 1995 dirigida a Compañía General de Negocios por la cual le informan que están esperando una transferencia de 400.000 dólares –vía Banco Comercial–, rogando les avisen cuando llegue la misma. Se genera en el medio de la directiva dada en la conversación, un comentario acerca de que "...esto no está contabilizado en ningún lado...".

• Carta de Emanuel dirigida a Compañía General de Negocios con fecha 17 de octubre de 1995, autorizando a Castiñeiras a retirar en pesos argentinos la suma equivalente a 20.040 dólares, y otra del 8 de noviembre de 1995 autorizando a Emanuel a retirar el equivalente a 18.800 dólares en pesos argentinos.

El resumen incluía la transcripción de otra escucha registrada el 31 de agosto de 2001, en la que Jorge Novoa le manifestaba a Enrique Gómez Palmes su preocupación por una noticia publicada ese día en el diario *La Nación*:

Novoa –¿Cómo está?

Gómez Palmes –Y más o menos. Todo tranquilo, pero hoy en *La Nación* hay una noticia que indica que cada vez están más cerca, ¿no?

Novoa –Después la voy a buscar.

Gómez Palmes –En la página diez, debajo de todo.

Novoa –Bueno, tranquilo, hemos arreglado tantos quibombos, vamos a arreglar éste también.

Gómez Palmes –Sí pero...

Novoa –Si, ya sé, el mal rato hay que pasarlo.

Gómez Palmes –Aparentemente ahora la cosa es puntual viste... Leelo y vas a ver...

La publicación a la que se refería el ejecutivo del BGN informaba sobre un oficio librado por el juez Jorge Urso a Uruguay para obtener datos de dos cuentas, una abierta en el Banco de Montevideo y otra en Exterbanca. "Doctora, hay que hacer algo pronto. Estos tipos están hasta las manos, y se van a rajar", concluyó, con palabras llanas, uno de los investigadores de la causa Pharaon ante Servini de Cubría. Y agregó: "Tenemos que acelerar los trámites". Ese día la jueza activó la cuenta regresiva de un expediente que cambiaría la vida de los hermanos Rohm.

La caída

Postales de la Argentina impune. La participación del Banco General de Negocios en la transferencia de las coimas del escándalo IBM-Banco Nación no perjudicó la imagen de José y Carlos Rohm, quienes siguieron cultivando sin inconvenientes sus relaciones sociales y su participación en negocios con el Estado.

En 1997, mientras el *affaire* copaba la tapa de los diarios, el BGN participaba en la venta de las compañías Eseba y Atanor; realizaba colocaciones para Molinos, Bunge & Born, Acindar, Alpargatas y Banco Hipotecario. Además, ese año obtuvo el control accionario de Química Estrella, elaboradora de la yerba Cruz de Malta, el café Arlistán, el polvo chocolatado Toddy y el Arroz Gallo, entre otros productos de consumo masivo. Al frente del directorio fue nombrado el ex ministro de facto José Martínez de Hoz, secundado por el empresario Armando Braun –había sido directivo de CGN– y el ex Saint George, Rodolfo Kirby. Los hermanos obtuvieron dos vocalías.

Como muestra de que sus relaciones seguían inmaculadas, el 21 de febrero de 1998 Puchi ofició de anfitrión durante la visita patagónica del ex secretario de Estado norteamericano Henry Kissinger. Ambos se hospedaron en la coqueta estancia Valle Verde de Bariloche, propiedad de Mauricio Larriviere, hermano de Felipe, quien ejercía la presidencia de la Administración de Parques Nacionales durante la gestión en Medio Ambiente de María Julia Alsogaray.

La visita de Kissinger coincidió con los esfuerzos de Puchi para comprar el banco provincial de Santa Fe, considerado una de las veinte mejores entidades de la Argentina. Como fue habitual en las privatizaciones, para los compradores el negocio estaba asegurado: quien se quedara con el banco oficiaría como agente financiero de la provincia, y por su medio se pagarían los salarios de unos 150 mil agentes públicos. La negociaciones formales comenzaron el 24 de marzo de 1998, cuando el BGN y el Banco Mayo presentaron sus ofertas en la licitación. Cuatro meses más tarde, el 1 de julio de 1998, la provincia oficializó la transferencia de su banco al BGN. Si bien el acto estaba presidido por el gobernador Jorge Obeid y el ministro de Economía Roque Fernández, las palabras más encendidas corrieron por cuenta del entonces titular del BCRA, Pedro Pou, quien luego de denostar a la banca pública se congratuló: "En el caso del banco que se entrega hoy tenemos un gran motivo para felicitarnos. El hecho de que el adquiriente sea un consorcio de bancos como el que ha sido conformado por un importante banco nacional, el Banco General de Negocios, asociado con tres importantes bancos del exterior, probablemente los bancos más grandes de cada uno de los países que representan, el Chase Manhattan de los Estados Unidos, el Crédit Suisse-First Boston de Suiza, y el Dresdner Bank de Alemania".

Es preciso recordarlo: en ese momento cada uno de los bancos elogiados por Pou estaba sospechado de haber canalizado coimas del tráfico de oro, armas y corrupción institucional.

La privatización del Banco Provincial provocó un duro pedido de informes del legislador provincial Alfredo Cecchi, quien investigó durante dos años las consecuencias del contrato. "Para que se tenga una idea del negocio redondo que se le regaló al Banco General de Negocios, es necesario que expongamos los números más significativos de la privatización", comenzó diciendo Cecchi en su informe, y detalló: "La provincia le transfirió al Nuevo Banco de Santa Fe 70 millones de pesos de la cartera de deudores categoría 1 y 2 [considerados recuperables], cuyo cobro se le garantizó con 43 millones de pesos en Bonos PRO I a valor de mercado más su producido; se le transfirió Bienes Inmuebles por 20 millones de pesos, y Muebles por 2 millones. Luego, por Decreto 1229/00 se le otorgaron más inmuebles por 3,761 millones de pesos en compensación de deudas, y se le garantizó ser agente financiero oficial de la Provincia. Por este concepto, entre lo que cobra de comisión por recaudar y pagar, más la acreditación de los fondos coparticipables, al banco le ingresaron 18 millones de pesos por año".

En su pedido de informes Cecchi comparaba los ingresos con el monto desembolsado por el BGN para quedarse con la entidad: "Por el banco se pagó un total de 57 millones de pesos, un veinte por ciento menos que el valor de la cartera transferida. Pero eso no es todo: entre el 1 de julio de 1998 y el 30 de junio de 2001, el banco ganó 54 millones de pesos. Gracias al negocio cautivo de la provincia, al BGN sólo le llevó tres años recuperar su inversión".

Pese a la contundencia de los datos, el trabajo del legislador nunca obtuvo respuesta de las autoridades provinciales.[75]

Del mismo modo en que las sospechas sobre el BGN no evitaron que los Rohm se quedaran con el Banco de Santa Fe, las máculas judiciales tampoco impidieron que las oficinas de Esmeralda 130 recibieran la visita de la realeza europea. El 20 de septiembre de 1998, la duquesa de York, Sarah Ferguson, se mostró afligida por las deudas de su madre, Susan Barrantes, con el BGN:

—No se preocupe, duquesa, no vamos a rematar la estancia –la tranquilizó Charly, entre divertido y solemne, mientras un empleado del banco preparaba la refinanciación del crédito.

En el último año de la década –y del gobierno menemista– Puchi Rohm redobló sus actividades sociales. Se venían tiempos de cambio, y el banquero quería estar preparado. Mientras su esposa Susan exhibía en cócteles y exposiciones su colección de sacos con piedras engarzadas, Puchi reunía en su piso de Barrio Norte a las personalidades más diversas. Así, el 13 de septiembre compartió sus puros con el magnate David Rockefeller, el ex ministro Domingo Cavallo, el candidato presidencial uruguayo Jorge Battle, el economista Roberto Alemann y el gobernador de Santa Fe, Alberto "Lole" Reutemann. Pocos días más tarde Rohm asistió a la cena anual de la Fundación Emprender, una ONG de fomento a microempresas que el banquero ayudó a fundar junto a los empresarios Federico Zorraquín, Eduardo Casabal, Amalia Lacroze de Fortabat, Eduardo Costantini y Juan Peña.

---

75 Tras la caída del BGN, el banco quedó en manos de un fideicomiso administrado por el ABN Amro Bank. En noviembre de 2003, bajo la presidencia de Néstor Kirchner, el Banco Central transfirió la entidad a un consorcio liderado por el banquero Enrique Eskenazi. En sus tiempos de gobernador patagónico, Kirchner ya le había entregado a Eskenazi el control del Banco de Santa Cruz.

Junto a Zorroaquín, Rohm integraba además el Consejo Directivo de ESEADE, una de las escuelas de negocios mejor reputadas del país. En el Consejo compartían roles, entre otros, los empresarios Armando Braun –Química Estrella–, Guillermo Laura –autopistas–, Emilio Cárdenas -HSBC- y el ex viceministro de facto Guillermo Walter Klein. Como directivo del ESEADE, Rohm trabó relación con otro integrante del Consejo, el consultor y analista político Enrique Zuleta Puceiro, quien en ocasiones realizó gestiones oficiosas como intermediario del banquero. Por último, en la misma escuela, pero en el Consejo Consultivo, participaba el abogado Horacio García Belsunce, a quien Rohm ya había conocido por intermedio de un ex empleado: Carlos "el Gordo" Carrascosa.[76]

Entre tantas actividades, a Puchi apenas le quedaba tiempo para firmar las actas de la Asociación de Amigos del Museo de Bellas Artes, donde oficiaba de vocal. En términos sociales, ésta era una de las pocas actividades que el banquero compartía con su esposa Susan, quien se había hecho íntima de la presidente de la Asociación, la distinguida Nelly Arrieta de Blaquier. Según sus amigos, la pareja siempre demostró sensibilidad por el arte y el buen gusto.

Superados los temores iniciales sobre los bríos moralizadores de la Alianza –"Éstos nos van a querer comer crudos", había dicho Puchi en rueda de amigos–, Rohm no podía comenzar el siglo XXI con una mejor noticia: el 17 de marzo de 2000, la sala I de la Cámara Federal porteña –célebre por sus coincidencias con los deseos del menemismo– confirmó el sobreseimiento del banquero en el caso IBM-Banco Nación. Rohm no sólo se benefició con una de las pocas coincidencias entre la Cámara y el juez Adolfo Bagnasco, sino que además contó con la colaboración del fiscal Germán Moldes, quien desistió de apelar la medida ante la

---

76 Carrascosa trabajó para el BGN como corredor de Bolsa. En 2002 fue imputado por la muerte de su esposa, María Marta García Belsunce, hija del prestigioso abogado y consultor del ESEADE, y hermana del conductor televisivo Horacio (Jr).

Cámara de Casación. El blanqueo judicial incrementó la capacidad de *lobby* de Puchi ante el nuevo gobierno aliancista.

El 11 de octubre de 2000, la vivienda del banquero albergó una nueva cena política de alto voltaje. Los invitados: Henry Kissinger y el ministro de Economía José Luis Machinea. Los motivos del encuentro: analizar las implicaciones de la puja entre Carlos "Chacho" Álvarez y el presidente De la Rúa, y la privatización del Banco de Córdoba.

Aunque aún no había sido anunciado oficialmente, el entonces gobernador José Manuel de la Sota había informado al gobierno sus intenciones de desprenderse de la entidad provincial. Enterado del asunto, Puchi informó a sus socios y desplegó su poder de seducción para obtener preferencias en la venta. Pero la estrategia expansionista del banquero tendría que esperar: antes de realizar una oferta por el Banco de Córdoba, Rohm, Machinea, De la Sota, el gobierno y la Argentina debían superar el temblor de la renuncia del vicepresidente.[77]

Para abril de 2001 Álvarez ya era historia y Machinea había dejado su sillón en las posaderas de Domingo Felipe Cavallo. El 27 de ese mes David Mulford realizó una visita relámpago a Buenos Aires. Esta vez no lo atraía su pasión por la pesca con mosca y las cenas en Señor Tango. Era un viaje de negocios. Acompañado por Rohm, su socio local, el auto que lo transportaba estacionó frente a la explanada de la Casa Rosada, un lugar reservado para funcionarios e invitados especiales. A un piso de distancia lo aguardaba Cavallo junto al morador del despacho, Fernando de la Rúa.

La reunión fue breve pero todos se fueron de la Casa de Gobierno con la satisfacción de haber oído las palabras que querían escuchar. Cavallo y De la Rúa confirmaron el respaldo de Mulford

---

77 A mediados de 2001 De la Sota firmó con el BGN un preacuerdo de cesión del banco provincial, pero las negociaciones se empantanaron por una discusión sobre los pasivos de la entidad. En noviembre de 2001, por intermedio de una gestión de Cavallo, el Banco Mundial otorgó un crédito para sanear el banco. Pero la caída judicial de los hermanos Rohm, ocurrida poco tiempo después, impidió que el BGN se quedara con el Banco de Córdoba.

a sus gestiones, y los banqueros se llevaron la promesa de que participarían en el mayor canje de deuda realizado hasta ese momento por un país emergente. No por nada el gobierno y la prensa lo bautizaron Megacanje.

Tal y como lo había prometido Cavallo la operación fue liderada por el Crédit Suisse, secundado por el J.P. Morgan, el Citibank, el Río, el Galicia y el HSBC. Como había ocurrido nueve años antes el objetivo del canje era sencillo: aliviar a los tenedores de títulos de la deuda externa argentina. Claro que en ese lapso algunas cosas habían cambiado. Según el gobierno, el Megacanje permitiría canjear bonos de corto plazo –cuya cotización había sido muy castigada por el temor de Wall Street al *default* de la Argentina–, por otros que, según se suponía, resistirían la crisis. Pero en los hechos el Megacanje oficiaba como un nuevo seguro de cambio que protegía los activos financieros de los grupos locales, los bancos y las AFJP, tenedores del 60 por ciento de los bonos elegibles. El Megacanje se realizó en tiempo récord, con un tasa de interés usuraria del 16 por ciento anual y una comisión de 141 millones de dólares cobrada por los mismos bancos que tenían los títulos en su cartera. Dos informes posteriores elaborados por la Auditoría General de la Nación (AGN) aportaron más detalles sobre este dulce negocio financiero:

• Aumentó el valor nominal de la deuda rescatada, que pasó de 28.174 millones de dólares a 30.431 millones. Esto representaba, según números de la AGN, un incremento neto en la deuda de 2.257 millones. De esta manera, a diferencia de lo que había ocurrido con operaciones de reestructuración anteriores, el Estado no sólo no logró una disminución del capital adeudado, sino que lo incrementó el 8 por ciento.

• Se capitalizaron intereses por al menos 13 mil millones, hecho que aumentó la deuda de capital. Tres de los nuevos títulos emitidos –Pagaré 2006 y Globales 2018 y 2031– capitalizaron sus intereses, lo cual implicó una nueva emisión de capital que, para estos tres títulos, alcanzó los 13.052 millones, es decir, el 54 por ciento del valor nominal del total de bonos rescatados.

• Postergó y concentró el pago de los servicios en las futuras administraciones. Según cifras aprobadas por un informe de la AGN que llevaba la firma de Sara Zrycki –que a diferencia del preinforme del Héctor Durán Sabas contaba con el consenso de la mayoría de los siete auditores del organismo– los 11.200 millones que se "ahorraron" entre 2001 y 2005 se contrarrestaron con los 17.085 millones que deberían pagarse entre el 2006 y el 2008.

• Al contrario de difundido en los anuncios oficiales, se canjearon bonos de larga duración por nuevos papeles con vencimientos más próximos. Un ejemplo: los Bonos Brady Par, que vencían en 2023, se cambiaron por los Global 2018.

• En un contexto marcado por la baja en la tasa de interés internacional, se transformaron tasas de interés flotantes en fijas.

• Se generó un deterioro en la calidad de la deuda. El objetivo del rescate de los bonos garantizados fue el recupero de las garantías –que alcanzó a 785,38 millones– a fin de mejorar el resultado financiero del canje.

Según se desprendió de un informe de la Oficina Nacional de Crédito Público (ONCP), para recuperar estas garantías se pagaron sobretasas por encima de los precios de corte, que se tradujeron en sobreprecios por 108 millones. La calidad de la deuda, junto con la evolución de la actividad para generar su repago, eran los dos indicadores utilizados por las evaluadoras internacionales. Luego del canje, la calificadora Moody's bajó la nota de la deuda argentina de "B3" a "Caa1". Es decir de "altamente especulativa" a "riesgo sustancial", la peor calificación del país en los últimos 15 años.

En resumen, para canjear 28.174 millones de capital se aumentó la deuda –capital e intereses– en aproximadamente 53.700 millones. Para la ONCP, la deuda pública pasó de 124.358 millones a 126.606 después del canje. Según el documento consensuado en la AGN, la deuda –sin capitalización– aumentó 17.415 millones en concepto de capital y 38.860 en el rubro intereses.

El Megacanje no sólo llamó la atención de la Auditoria General de la Nación. La Justicia Federal inició un expediente para investigar el rol de los bancos en la maniobra. A poco de comenzar con la pesquisa, los investigadores del caso dieron por probado que el 0,55 por ciento acordado como comisión estuvo muy por encima de la media internacional para operaciones similares. También se corroboró que la mayor parte de los papeles canjeados estaba en poder de los propios bancos que cobraron las comisiones, y que se obligó a los bancos oficiales a canalizar sus bonos a través de los bancos organizadores, cediéndoles la mitad de la comisión. Pero eso no es todo: en la causa penal se investigó, además, la redistribución interna de las comisiones. Se sospechaba que, sobre la base de *lobby* ejercido en las distintas etapas del proceso, el Crédit Suisse y el J. P. Morgan habrían "maquillado" la distribución de los 141 millones de dólares en beneficio del BGN.

Pese a las escandalosas derivaciones del megacanje, ése no sería el último negocio financiero de la breve era delarruista. Proclive a los gestos ampulosos, Cavallo se despediría del Ministerio de Economía con una megaincautación de depósitos que los argentinos conocieron bajo el falaz mote de "corralito".

Carlos Pando estaba eufórico. Tenía noticias frescas, de las buenas, de ésas que valen oro en la City. El ejecutivo del BGN se había enterado por intermedio de sus jefes que el sistema financiero argentino se iba a transformar.

–Vos encargate de Uruguay –lo instruyó Charly Rohm–. Pero hacelo lo antes posible porque esto explota.

Pando le pidió a Rosemary, su secretaria, que lo comunicara con Montevideo:

–Ubicámelo a Paco urgente –le dijo. Paco era Francisco Estrada Maschwitz, el encargado de la Compañía General de Negocios.

–Llamalo y decile que el sistema financiero está por cambiar hoy o mañana, decile que necesito reunirme con él antes del martes.

Era el 22 de noviembre de 2001. Faltaban ocho días para que el resto de los argentinos se enterara del mayor decomiso de ahorros de la historia.

–Presidente, los bancos están quebrados. Es necesario que hablemos.

En la mañana del jueves 29 de noviembre, Domingo Cavallo caminó los doscientos metros que separaban su oficina del despacho presidencial. El ministro demoró casi dos horas en exponer su proyecto. Al final de la exposición, De la Rúa parecía abatido:

–¿No hay otra manera? –balbuceó.

–No, salvo que dejemos caer al Nación y al Provincia –repuso Cavallo.

El fantasma del derrumbe de los dos bancos públicos más importantes del país hizo estremecer a De la Rúa. Cavallo sonrió: esa excusa siempre había "rendido", incluso en los tiempos de Carlos Menem. Y esta vez tampoco le falló.

En rigor de verdad, tanto el Banco Provincia como el Nación presentaban balances delicados. La concesión indiscriminada de devoluciones y favores políticos en forma de préstamos había transformado su cartera de morosos en una carga difícil de llevar.[78] Sin embargo la salida de divisas no los había afectado

---

78 La Justicia Penal de La Plata investigó irregularidades en la concesión de préstamos del Banco de la Provincia de Buenos Aires, que generó una deuda considerada incobrable de más de 2.000 millones de pesos. La intervención judicial coincidió con la aprobación legislativa de la iniciativa del gobernador Carlos Ruckauf de comprar ese pasivo a través de la emisión de un título de deuda pública a favor del Bapro por 1.100 millones de pesos. A cambio, el banco transfirió sus créditos incobrables a los contribuyentes provinciales. La investigación se concentró en las gestiones de Ricardo Gutiérrez, Rodolfo Frigeri, Carlos Sánchez y sus directorios, en cuyos mandatos se otorgaron esos préstamos, durante la Gobernación bonaerense de Eduardo Duhalde. Como condición para aprobar la transferencias de créditos incobrables, los legisladores de la Alianza consiguieron que se formara una comisión, que investigó irregularidades en la aprobación de esos créditos. Entre los cuestionados se incluyeron los préstamos otorgados a Showcenter S.A. –113,5 millones de dólares–, Tren de la Costa S.A. –Grupo Soldati, 55,1 millones–, Gatic –29,7 millones–, y Victorio Américo Gualtieri S.A. –constructora favorecida con obras públicas por el duhaldismo, 105,8 millones–.

El informe del Parlamento bonaerense dedica un apartado especial a la deuda contraída por Yoma S.A., que indica entre otras cosas que los contactos de la familia Yoma con el Banco Provincia se realizaban a través de los gerentes Mario Portillo y Eduardo Ordóñez, y con Rodolfo Frigeri, presidente del banco en dos períodos durante la Gobernación de Eduardo Duhalde. Además señala que hasta 1989 el grupo no había obtenido créditos de la banca estatal, pero que a partir de ese año las entidades oficiales comenzaron a otorgarle préstamos hasta alcanzar la suma de 131 millones, repartidos entre los bancos Provincia, Nación y Ciudad. A principios de la gestión de la Alianza, el presidente del

tanto como a las entidades privadas. Cavallo conocía el dato, pero no lo dijo. O mejor dicho, lo falseó:

–Presidente, los bancos públicos son los más afectados por la fuga de capitales.

Abrumado, De la Rúa no quiso escuchar más y pidió que le prepararan el decreto. Los empleados de la Casa de Gobierno juran haber visto a Cavallo partir del despacho presidencial con una sonrisa.

El viernes 30 de noviembre Horacio Liendo retocó los detalles finales del Decreto de Necesidad y Urgencia 1570/01. La norma limitaba el retiro de fondos a 250 pesos por semana durante 90 días, prohibía a los bancos cobrar comisiones por la conversión de pesos a dólares, establecía que los ahorristas podían efectuar transferencias electrónicas en forma gratuita y prohibía la transferencia de divisas al exterior, excepto para operaciones comerciales.

–Ya está, que sea lo que Dios quiera –dijo De la Rúa, y estampó su firma sobre el papel membreteado. El decreto estaba fechado el 1 de diciembre de 2001, era sábado, un día que, según la religión judía, debe dedicarse a la oración. Cuando se encomendó a

---

Banco Nación, Christian Colombo, otorgó al Grupo Yoma avales por 10 millones de pesos, aunque sabía que las empresas del Grupo no reunían garantías suficientes, y a pesar de que tenía en su poder un informe de Auditoría interna que había detectado graves irregularidades en los créditos otorgados a Yoma por las administraciones que lo precedieron.

La transferencia impuesta por Ruckauf incluyó la deuda de 20 millones de Yoma S.A. En 2001 el abogado Juan Carlos Iglesias amplió la denuncia contra el Banco Provincia y reclamó la incorporación de la figura de defraudación por los créditos blandos concedidos a empresas vinculadas al poder político bonaerense. También solicitó que se investigara a Gutiérrez por incumplimiento de los deberes de funcionario público a raíz de un acuerdo entre el Bapro y el Grupo Clarín que comprendía el pago de 75 millones de pesos por el 18 por ciento de las acciones del portal Ciudad internet. En una dura reunión en el piso 23 de las oficinas porteñas del Grupo Provincia los legisladores opositores cuestionaron a Gutiérrez. Encabezados por el radical Miguel Ángel Baze, criticaron esa inversión por considerarla "onerosa y ajena a los objetivos de la entidad": "El Bapro es un banco de fomento a las inversiones provinciales, no debería realizar operaciones de riesgo", le dijeron. A manera de defensa, Gutiérrez sostuvo que el precio de las acciones fue establecido por la consultora Price Waterhouse Coopers, una de las firmas cuestionadas en el informe antilavado de Carrió. En la misma reunión, el ex funcionario cavallista confesó que el Bapro había otorgado 500 millones de pesos a 50 grandes empresas en condiciones similares a las de los créditos concedidos al Grupo Gualtieri: a sola firma y como si se tratara de un adelanto en cuenta corriente.

Dios De la Rúa podría haber ofrecido una plegaria. Aunque quizás ni siquiera eso hubiese evitado lo que vino después.

La confiscación de depósitos fue presentada por el gobierno como la única medida posible para detener la fuga de capitales que, durante 2001, había erosionado al sistema financiero en más de 20 mil millones de dólares. Como lo había hecho ante De la Rúa, Cavallo echó a rodar su versión sobre el "salvataje" a los bancos oficiales que, según el ministro, "eran las principales víctimas de la salida de depósitos". Sin embargo, bastaba con observar la nómina de entidades que durante ese año habían remitido dinero al exterior para comprobar que el foco del problema no estaba donde decía el ministro. Claro que, para evitar miradas molestas, esa nómina se mantuvo guardada bajo cuatro llaves en el Banco Central. Lo que sigue es el cuadro de un país injusto, salvaje y voraz.

Gustavo Benedetto no tendría que haber muerto. Mucho menos por esto. Y mucho menos como murió. El 20 de diciembre de 2001, Benedetto se sumó a los millares de porteños que marcharon hacia la Casa Rosada para protestar por la medida impuesta por el gobierno. La escena se repetía en todas las ciudades del país y la televisión transmitía las protestas en directo. El "corralito" había sido la gota que derramó un vaso repleto de frustraciones, traducidas en un concierto multitudinario de cacerolas. Benedetto marchaba por la Avenida de Mayo cuando sintió el ardor de un perdigón quemándole el cuerpo. El joven de 26 años murió desangrado por la balas que le dispararon desde una sucursal del HSBC, uno de los bancos que había protagonizado la fuga que propició la tragedia.[79]

El decomiso de los depósitos fue la culminación de una crisis anunciada. Entre enero y diciembre de 2001, 27.828 personas

---

[79] Las manifestaciones del 20 y 21 de diciembre registraron 33 muertos. La mayoría de ellos fue víctima de las balas policiales que protagonizaron la brutal represión que enmarcó el epílogo de la gestión delarruista.

realizaron 43.320 operaciones de transferencias al exterior por 3.784 millones de dólares. El monto promedio por transferencia fue de 87.368 dólares. Y sólo 409 ahorristas transfirieron un millón de dólares cada uno o más. De este último grupo participó el grueso de los banqueros: Martín Ruete Aguirre, Citibank, 1,6 millones; Ricardo Handley, Citibank, 1,7 millones; Luis Otero Monsegur, Francés, 2,3 millones; Eduardo Escasany, Galicia, 5,8 millones; Familia Ayerza, Galicia, 6 millones; Pablo Rojo, Hipotecario, 201 mil dólares; Roberto Ruiz, ex Roberts, 1,2 millones; Sebastián Eskenazi, Nuevo Banco de Santa Fe, 800.800 dólares; Guillermo Stanley, Citibank, 1,1 millones; Marcelo Tonini, Galicia, 2,2 millones; Silvestre Vila Moret, Galicia, 1 millón; Abel Werthein, ex Mercantil, 1,2 millones; Gilberto Zabala, Citibank, 9 millones; Guillermo Cerviño, Comafi, 2,7 millones, y Carlos Adamo, ex Boston, 1,9 millones.

Un relevamiento realizado por la comisión parlamentaria que investigó la fuga de capitales durante 2001 demostró que la mayor parte del dinero se escurrió desde la banca privada, en especial la extranjera. La banca privada nacional concentró sólo el 28,85 por ciento de los depósitos transferidos al exterior, mientras que la banca extranjera –incluyendo la banca privada local de capital extranjero y las sucursales de entidades del exterior– fugó el 52,38 por ciento. Para ponerlo en blanco sobre negro: a diferencia de lo que sostuvo Cavallo –y después repitieron los banqueros– la banca privada realizó el 81,23 por ciento de las operaciones de fuga.

El dictamen parlamentario probó, además, que la salida de capitales se concentró en unos pocos bancos de capitales extranjeros y, en menor medida, de capital nacional. En este sentido hubo bancos que actuaron como verdaderas "ventanillas" para agilizar la fuga de capitales, entre los que se destacaron el Banco Galicia –de capital nacional–, y el Citibank NA entre los de capital extranjero. Estos bancos transfirieron, en conjunto, casi el 50,17 por ciento de las operaciones realizadas por ahorristas individuales. Asimismo, seis entidades –las dos mencionadas más los bancos Río, Francés, la Banca Nazionale del Lavoro y la Financiera Forexcambio– concentraron el 75,45 por ciento de las operaciones.[80]

En los meses previos al "corralito", 7.015 empresas realizaron 53.474 operaciones de transferencia al exterior por un total de 26.128 millones de dólares. El monto promedio por operación fue de 488.620 dólares. Aproximadamente el 18 por ciento de esas empresas transfirieron un millón de dólares o más. Diez bancos concentraron casi el 70 por ciento de las operaciones que involucraron a empresas, y el 84,51 por ciento de los montos transferidos al exterior. En este caso, a la lista de entidades que encabezaron la fuga de capitales de ahorristas individuales se suman el ABN Amro Bank, BEAL, Sudameris, Bansud, Bank of America y dos bancos públicos, Nación y Bisel.

Por cierto, los bancos no sólo colaboraron con la fuga de capitales ajenos. También sacaron del país fondos propios, a través de dos mecanismos: la remisión de utilidades y la cancelación de líneas de crédito del exterior. Entre enero y septiembre remitieron a sus casas centrales utilidades por 284 millones de dólares, un 61,3 por ciento más que en igual período de 2000. Más aún: hasta septiembre las ganancias enviadas a las matrices representaban un 36,5 por ciento más que las utilidades y dividendos sacados del país durante todo 2000. Por supuesto, dichas remesas fueron realizadas en dólares *cash*.

Semejante incremento en el giro de utilidades al exterior en un contexto aún más recesivo y crítico que el del año anterior, sólo se explicaba de una manera: los bancos extranjeros preveían una devaluación y controles cambiarios que en el futuro les impedirían girar libremente dólares desde la Argentina. La profecía autocumplida se materializó con las limitaciones del "corralito", pero los bancos no tardaron en encontrar un antídoto contra la ley.

---

80 Respecto del destino de la fuga, el total de operaciones indica que el 48,09 por ciento se dirigió a los Estados Unidos, mientras que el 16,64 por ciento tuvo como destino Uruguay.

El otro mecanismo legal utilizado por los bancos para extraer sus fondos del país fue la cancelación de las llamadas "líneas de crédito del exterior". El rubro constaba en los balances, y detallaba la financiación bancaria que sus casas matrices u otras entidades otorgaban a la entidad local o sucursal extranjera. En el caso de los bancos que operaban en el país como "sucursales de entidades extranjeras" –BankBoston, Citibank, Bank of America, BNP Paribas, ING Bank, Lloyds Bank, ABN Amro– esta cuenta solía incluir, mayoritariamente, fondos de su casa matriz. En cambio, cuando se trataba de "entidades locales de capital extranjero" –HSBC, BBVA Banco Francés, Banco Río– esa cuenta asentaba el financiamiento proveniente de bancos asociados o de otros bancos extranjeros.

El *ranking* de los bancos que retiraron dólares de la Argentina mediante este mecanismo fue encabezado por el BankBoston de Manuel Sacerdote. Esa entidad opera en la Argentina con el rango de sucursal, y casi todo el financiamiento bancario que recibía del exterior era provisto por su casa matriz. En diciembre de 2000, sus líneas de crédito del exterior ascendían a 1.758 millones de dólares. Entre esa fecha y noviembre de 2001, el BankBoston canceló con su matriz 842 millones de dólares.

El *top five* de la fuga corporativa se completa de este modo:

• El HSBC fue remitiendo dólares al exterior cautelosamente, hasta que en noviembre "pagó" 110 millones de dólares a su agradecida casa matriz.

• En un período similar, el Banco Río, controlado por el español Santander Central Hispano, transfirió alrededor de 100 millones.

• El Citibank, con categoría de sucursal, retiró paulatinamente 91 millones.

• Antes de vender el Bansud al Banco Macro, la entidad mexicana Banamex se llevó 60 millones.

La cancelación de líneas de crédito con el exterior continuó incluso después del cepo a las transacciones impuesto por Cavallo, ya que esta operatoria, a diferencia de la remesas de utilidades y dividendos, no fue incluida en el control de cambios, y por lo tanto no requería autorización del Banco Central. Durante el primer mes de vigencia del "corralito", los bancos giraron al exterior 722 millones de dólares.

Según los registros del Banco Central, a través de estos mecanismos las entidades extranjeras que operaban en el país pusieron a resguardo cerca de 1.800 millones de dólares contantes y sonantes. Además de colaborar con el vaciamiento de sistema, estas maniobras financieras desmentían un argumento profusamente promocionado durante los años noventa, cuando la extranjerización de la banca fue presentada como un reaseguro para los ahorristas argentinos. Por entonces el propio Cavallo encabezaba el discurso oficial: ante la eventualidad de una crisis, las casas matrices asistirían a sus filiales con fondos frescos. Pero como se sabe, cuando la crisis llegó ocurrió exactamente lo contrario.

Durante 2001 los capitales volaron de la plaza financiera argentina ante la generosa pasividad –y en algunos casos la decidida complicidad– de banqueros y funcionarios, quienes recién detuvieron la sangría cuando el dinero de los principales grupos económicos ya estaba a salvo. En cambio la retención de depósitos afectó fuertemente a los argentinos de a pie: el 57 por ciento de los depósitos atrapados en el "corralito" correspondía a ahorristas de menos de 50.000 pesos, es decir, aquellos con menor acceso a la información financiera especializada o a los propios banqueros, que oficiaron como oráculos del desastre. La información y los buenos contactos cotizaban fuerte en aquella Argentina acorralada.

–Escuchame, Norberto, esto es un quilombo fenomenal.

Como todos los bancos, el BGN era un pandemónium. Habían pasado diez días desde la retención de los depósitos, y los clientes brotaban de la alfombra con el mismo reclamo: "Quiero mi plata ya, ayúdenme a sacarla". Norberto Etchegoyen, oficial de cuentas con 20 años junto a los hermanos Rohm, estaba desbordado. La llamada de Carlos Pando le sirvió para desahogarse:

Etchegoyen –Carlos, te juro que no doy más.

Pando –Ya sé, y encima se te fue un inversor importante.

Etchegoyen –Sí, se fue el señor Peligro [José Antonio, empresario], que tiene cuatro millones y pico de dólares. Se llevó dos y monedas al Crédit Suisse. Quiso repartir las aguas. Te digo, Carlos, esto es una locura. Ayer, Demattei [Ricardo], que es síndico del banco y tiene un palo y medio o dos, le pidió a Dichiara [Aldo, oficial de cuentas] que lo presentara con el Crédit Suisse para mandar una parte allá. Se están yendo todos.

Pando –Y... Es lógico.

Etchegoyen –Es razonable... Escuchame: Rodríguez [abogado del BGN], que tenía 300 lucas en el Comercial [de Uruguay] y después las tuvo acá, firmó una escritura como que compró algo, dejó 140, y se llevó 160 lucas al HSBC de Miami. ¡Hasta nuestro abogado se llevó guita! Y Pablo Lerman [empresario] hizo lo mismo. Se llevó una guita diciendo que era para pagar una coproducción de su hijo... Es cierto que el pibe filma, pero una parte de la guita se la llevó también al HSBC de Miami.

Pando –Bueno, Norberto. ¡Pero es humano! Oíme...

Etchegoyen –Pero claro, claro. Mirá, ayer vino un íntimo amigo mío que tiene unas 350 lucas. Me dice: "Norberto, ¿qué hago?, quiero tener la plata en Suiza". Le digo "encantado, no hay problema, ya te la mando al Crédit Suisse, que es uno de los accionistas del banco". Me dice: "Mirá que yo quiero estar seguro". Y le respondo: "Escuchame, acá estás seguro. Este sacrificio lo hace el Dresdner y la familia Rohm. ¿Vos te creés que el Crédit Suisse se va a borrar de acá? ¿Qué va a ensuciar su nombre por 300 lucas de mierda que tenés vos?...

Pando –Pienso que sí...

Etchegoyen –Escuchame, Carlos, hay psicosis. Esta mañana estuve corriendo con Cariglino [Eduardo, síndico del BGN], que tiene la plata en el Banco Galicia. Me contó que ayer estuvo en la sucursal de la calle Reconquista, donde funciona el private banking [una oficina que maneja depósitos VIP]. Me dijo que había como trescientas personas, estuvo cinco horas para que lo atiendan. Al final le dijeron que le iban a transferir [su depósito al exterior], pero que no podían asegurarle el día. Dice que la gente estaba como loca, querían romper toda la oficina.

En menos de diez minutos de conversación los ejecutivos del BGN aclararon cómo los bancos violaban la ley a través de sus firmas *offshore*. No sabían que estaban siendo grabados. Y que sus palabras explicarían mejor que cualquier aviso publicitario los privilegios de pertenecer.

El "corralito" fue violado incluso antes de su aplicación. En febrero de 2002, sobre las ruinas del gobierno delarruista, se supo que Mónica Almada, una ex secretaria de De la Rúa devenida directora del Banco Ciudad había precancelado un depósito a plazo fijo por 314.000 pesos el 30 de noviembre de 2001, dos días después de haberlo constituido y un día antes del "corralito". El presidente de la entidad, Roberto Felleti, denunció la maniobra y sugirió que la dama había utilizado información privilegiada para anticiparse a la confiscación. Claro que no fue la única.

Desde el 1 de octubre hasta el 30 de noviembre se registraron 234 precancelaciones de depósitos a plazo fijo de más de 50 mil pesos. El mismo día que Almada, otros dieciséis ahorristas rescataron anticipadamente su dinero, entre los que se encontraban CMF Smart –fondo de inversión del banco CMF, 206.904 dólares– y la Unidad Ejecutora Provincial de la provincia de Chubut, que retiró 1.784.250 dólares. Sin embargo la vigencia del "corralito" –que restringió al mínimo la circulación de billetes– no detuvo la sangría de precancelaciones. Entre el 1 y el 30 de diciembre los bancos otorgaron 144 cancelaciones adelantadas por un total de 83.631.337 pesos –o dólares– a depósitos de más de 50 mil pesos. Por gentileza del banco CMF, propiedad de la familia Benegas Lynch, Jorge Oscar Ferioli –presidente de la petrolera San Jorge– pudo cancelar el 5 de diciembre un depósito de 1.066.665 de pesos que vencía el 30 de abril de 2002. Algo similar ocurrió con su esposa, Silvia Beatriz Ostry, y sus cuñadas Patricia, Emilse y Raquel: todas pudieron adelantar cancelaciones por 4,2 millones. El financista Carlos Luis Bravo, de Misiones, obtuvo la dispensa del Banco Macro para precancelar el 7 de diciembre de 2001 un plazo fijo de 1,2 millón de pesos que vencía en abril de 2002. Como era natural, el Macro también prestó atención a sus propios fondos: el 31 de diciembre, cuando la City ya daba como un hecho la muerte de la Convertibilidad, la entidad aceptó la precancelación de los 3,7 millones depositados por su vinculada Macroavales S.G.R. De todos modos, Macro estuvo lejos de igualar la generosidad del Banco Edificadora de Olavarría, la entidad que otorgó más precancelaciones. Esa entidad –que sería liquidada a principios de 2002– aprobó 126 cancelaciones por 56 millones de pesos. El Bansud –adquirido a fines de 2001 por el Banco Macro– lo siguió de cerca con 86 precancelaciones que, en conjunto, sumaron 35 millones. De los 11,7 millones de pesos precancelados en el Banco Hipotecario, 5,6 pertenecían a SB Prime, un fondo gerenciado por el Citicorp, cuyos plazos fijos vencían entre septiembre y octubre de 2002. Los bancos oficiales también hicieron su aporte: el Banco Nación concedió 62 operaciones por 31,4 millones de pesos; el Provincia 15 que sumaban 6,7 millones; y el Ciudad –contando el de la directora Almada– permitió 7, por un total de 8 millones. El Banco de La Pampa, 5,3 millones en 5 precancelaciones, y el Banco de Chubut, con 11 rescates por 2,5 millones, completaron la nómina de bancos que admitieron precancelaciones en los días previos y posteriores a la instauración del "corralito". Como sugirió Felleti en el caso Almada, la profusión de precancelaciones se asemejó a la versión privatizada del tráfico de influencias.[81]

–¿Hola, con el señor Carlos Pando? Quería avisarle que ya tiene un Alfa Romeo gris esperándolo en la esquina de Billinghurst y Libertador.

En la mañana del 23 de enero de 2002, el ejecutivo del BGN decidió que ir al trabajo en un Alfa era una buena forma de empezar el día.

---

81 La comisión parlamentaria que investigó la fuga de capitales entregó esta lista, en noviembre de 2003, al fiscal federal Guillermo Marijuán. Los legisladores sugirieron además indagar el origen de la información privilegiada que habría permitido a algunos ahorristas anticipar el "corralito".

–Hola ¿Rosemary? Estoy yendo para allá. ¿Alguna novedad?

–Sí, señor, Enrique quería comunicarse con usted, pero en este momento está ocupado –resumió la secretaria.

–Bueno, decile que tengo el celular abierto. Hago unas cositas y voy para el banco –se despidió Pando, y se recostó sobre el cuero lustrado del asiento trasero del Alfa.

El descanso no duró mucho. Minutos más tarde el celular del ejecutivo volvió a vibrar.

–¿Enrique? –consultó.

–No, Claudio, tu hermano. Escuchame, la policía cayó con una orden de allanamiento en mi casa. La mucama está desesperada. Me voy corriendo para allá. Me dicen que es una orden de Servini.

Claudio Pando hablaba a borbotones. Carlos apenas tuvo tiempo para reaccionar:

–Llamalo ya a Ricky Munilla.

Enrique Munilla formaba parte del grupo de abogados penalistas del BGN. Durante el caso IBM-Banco Nación Munilla había participado de la defensa de Puchi Rohm bajo las órdenes de Alfredo Iribarren, socio de uno de los *buffetes* de abogados más prestigiosos de la Argentina. En Tribunales se sospechaba que el estudio Munilla era un satélite del estudio Iribarren.

–Carlos, no tengo el teléfono de nadie, salí cagando del banco, por favor llamalo vos –imploró Claudio. La primera conversación entre Carlos Pando y el abogado quedó registrada en la vuelta 1.507 del casete 09bis.

Pando –Ricky, le mandaron un allanamiento a la casa de mi hermano... No sé, él dice que el allanamiento era para mí, pero parece que se confundieron.

Munilla –¿Me estás cargando?

Pando –Por supuesto que no, boludo. Rajate para allá, que Claudio está desesperado.

A esa altura, el chofer del alfa tenía el rabillo de su ojo al borde del calambre. Pero Pando estaba demasiado concentrado en sus problemas como para preocuparse por las indiscreciones de un chofer. La vida, la suya y la del BGN, se estaban desmoronando.

Ese día la jueza Servini de Cubría ordenó una decena de allanamientos que incluían oficinas, propiedades particulares, sótanos de edificios, "cuevas" y hasta la propia sede de la entidad. Enrique Munilla no daba abasto.

–Carlos ¿Dónde estás? –le preguntó el abogado a Pando un par de horas más tarde. Y sin esperar respuesta continuó–. Escuchame, no te muevas de donde estés. Acaba de llamarme un junior del estudio que mandé temprano al banco. Me dice que andaban buscando a los Rohm para detenerlos, pero que no los encontraron. Tengo entendido que a Carlos lo pararon en Ezeiza... No sé si lo metieron preso o no.

Cuando se producía esta conversación, Carlos Alberto Rohm, alias Charly, ya estaba detenido en el Departamento Central de Policía. Lo habían apresado justo en el momento en que se disponía a subir al avión que lo llevaría a Suiza. Su hermano mayor, Puchi, tuvo mejor suerte. Su vuelo despegó antes de que la sala de preembarque se infestara de policías.

Mientras el mundo se caía a sus pies, Carlos Pando estaba paralizado en un bar, tal como se lo había indicado su abogado. La llamada de Munilla lo devolvió de las nubes.

–Carlos, escuchame, estoy yendo al banco porque hay un quilombo fenomenal.

–Está bien Ricky, pero trabajemos en equipo.

–Sí, claro, claro. Escuchame, recién anduve por la casa de tu viejo (Carlos Félix Pando, socio de sus hijos en varias firmas fantasmas). Por suerte pude sustraer un papel que me parecía importante, porque vinculaba al Banco General de Negocios con la CGN del Uruguay...

El derecho penal argentino contempla al menos dos delitos vinculados con la sustracción de pruebas: obstruir el accionar de la Justicia, y ocultar o destruir documentos vitales para una investigación. Munilla nunca fue indagado por ninguno de los dos. La escucha que sigue también consta en el expediente.

–Ricky, escuchame, necesito que tu junior vaya a una oficina para que me saque el broshure de un banco.

–Imposible. La cosa está difícil para sustraer cosas.

–¿Qué, se pueden llevar todo?

–Y... Depende de la personalidad del que dirija el allanamiento. ¿Es importante ese broshure?

–Sí, es de un banco suizo de Ginebra. En la misma caja hay un extracto de hace cuatro años y un block escrito con 34 números y unos relojes. No se pueden llevar todo. ¿Y si va tu junior? ¿Qué tal es?

–Es un tipo muy hábil. Yo le voy a dar instrucciones. Decile al portero que le dé la llave de la oficina a Ezequiel Altinier.

Luego de detallar los intentos de destrucción de pruebas, el abogado dejó el cierre para su colega de mayor renombre:

–Escuchame Carlos, no cortes que te quiere hablar Iribarren.

–Hola, doctor.

–Carlos, le aconsejo que se cuide un poquito. Lo vienen siguiendo desde hace mucho. Hay una cosa muy bien armada a través de la SIDE. Escúcheme: éste es un tema 90 por ciento político. Esto está confirmado y recontra confirmado. Y una última cosita: deje ya mismo de usar ese teléfono.

Iribarren, hombre entrenado en el tráfico de información, había pintado en pocos segundos un cuadro preciso del caso. Y le sobraban elementos para fundamentar su hipótesis. Por intermedio de un amigo de la Justicia Federal, Iribarren supo que una semana antes de la detención de Rohm un grupo de jueces federales había sido convocado por el entonces titular de la SIDE, Carlos Soria, quien les había hecho un pedido concreto:

–El Ejecutivo –a manos entonces de Eduardo Duhalde– quiere que vayan presos Rohm, Escasany y Cavallo.

Según testimonios recogidos en la causa que investiga los detalles de aquella reunión, el pedido provocó bullicio entre los jueces invitados: Rodolfo Canicoba Corral, Jorge Urso, Jorge Ballestero, Juan José Galeano, Sergio Torres y Claudio Bonadío no se pusieron de acuerdo y, en apariencia, el cónclave fracasó. Apenas una semana más tarde, los magistrados se enterarían de que María Romilda Servini de Cubría, uno de los dos jueces federales que no había asistido a la cita, estaba cumpliendo los deseos del nuevo poder.

–La Chuchi siempre sabe por dónde calienta el sol –comentó en esos días un magistrado que había participado del encuentro, mientras apoyaba el diario sobre su escritorio. En la primera plana se veía la foto de Charly esposado. La imagen que ilustró el final de los hermanos Rohm.

Epílogo
Argentina, corralón y después

"El corralito fue un privilegio", disparó Roberto Lavagna, midiendo el efecto de sus palabras en el auditorio.

Los asistentes, tahúres de profesión reunidos en la sede de los ultraortodoxos claustros del CEMA, ni siquiera fruncieron el ceño. El ministro de Economía del presidente Néstor Kirchner continuó: "Muchos se subieron a la burbuja de los excedentes financieros internacionales de los noventa para crear expectativas positivas y obtener ganancias desmesuradas. El acto final fue, durante todo el 2001, dar tiempo a algunos inversores para que salieran del mercado argentino antes del colapso. Esto se hizo en buena medida por un trabajo conjunto de las autoridades de aquel momento y los bancos intermediarios. El corralito fue un intento de prolongar este período de preferencias para quienes gozaban de información privilegiada para acelerar la salida".

Lavagna dijo lo suyo el 19 de noviembre de 2003, protegido por el aura de una gestión presidencial con el 70 por ciento de imagen positiva. Cosas del país desmemoriado: antes de asumir como ministro en el último tramo del gobierno de Eduardo Duhalde, Lavagna había trabajado como consultor de buena parte de los bancos que participaron del "privilegio" especulador de los años noventa. Hasta la asunción de Lavagna, ocurrida el 27 de abril de 2002, su consultora, Ecolatina, se promocionaba incluyendo entre sus clientes al Banco del Oeste –investigado por fraude–, Banco del Iguazú –se liquidó por administración fraudulenta–, Banco Macro –acusado por la comisión antilavado de triangular dinero negro–, y el Banco General de Negocios, cuyos directivos eran investigados, entre otros delitos, por subversión económica y estafas. Eso sí, el ministro asumió dando pruebas de su obsesión por los detalles: a los pocos días de llegar al Palacio de Hacienda, el incómodo banco de los hermanos Rohm desapareció de la lista de antiguos clientes de Ecolatina. A esa altura, para el sistema financiero y sus consultores, el BGN representaba el veneno de una "mancha venenosa".[82]

Claro que el ministro no fue el único que jugó a la mancha con los Rohm. El 28 de enero de 2002, a cinco días del arresto de Charly, el representante argentino del J.P. Morgan en la Argentina, Marcelo Podestá, denunció por escrito ante el Banco Central que su entidad "había sido estafada en su buena fe" por las maniobras de los hermanos. Con una fina combinación de ironía y desparpajo, Podestá aseguró que sus jefes –integrantes del directorio del BGN– no tenían idea de las operaciones aparentemente ilegales de los Rohm. Dijo, finalmente, que Puchi había "confesado en su reciente visita a Zurich", durante una escala en su viaje a Nueva York. El detalle: en el momento de la supuesta "confesión" ante los accionistas extranjeros –Podestá afirmó que se había realizado una reunión de Directorio mediante teleconferencia– Puchi Rohm ya era considerado un prófugo de la justicia argentina, con orden de captura internacional girada a Interpol. Esto no evitó que Lukas Mühlemann, presidente del Crédit Suisse, lo recibiera en Suiza con honores y lo hospedara en su propia mansión. Después de todo, una cosa era "sentirse traicionado" –como aseguraba Podestá en su escrito– y otra dar la espalda a un socio caído en desgracia. La oportuna presentación del J.P. Morgan ante el Banco Central –que al rubricarla avaló sus dichos– alcanzó para que Servini de Cubría no formulara cargos contra los accionistas extranjeros del BGN. Más aún, poco después los incorporaría a la

---

82 La "mancha venenosa" es un juego infantil muy popular en la Argentina: un niño "infectado" transmite su "veneno" con sólo tocar a cada uno de sus compañeros. Gana el juego quien logre ser el último "infectado".

causa, pero como querellantes. Sin embargo ésta no sería la única deferencia de la autoridad monetaria hacia los accionistas extranjeros del BGN: a pesar de que su presidente estaba prófugo y su vice preso, entre enero y febrero de 2002, el BCRA otorgó a ese banco redescuentos por 20 millones de dólares para mitigar los costos financieros de una caída irremediable.[83]

Con los ahorristas gritando su furia por las calles de la City encabezados por el actor cómico Nito Artaza, 2002 se transformó en un año de acusaciones, sospechas y operaciones cruzadas entre banqueros y ex banqueros convertidos en funcionarios. Lo que sigue son algunas postales de la Argentina devastada.

Por mandato de la Asamblea Legislativa, el 1 de enero asumió la Presidencia de la Nación el senador Eduardo Duhalde, quien designó al ex Banco Provincia Jorge Remes Lenicov al frente del equipo económico. El domingo 6 de enero se decretó el fin de la Convertibilidad, se devaluó la moneda, se estableció un cronograma de devolución de depósitos a plazo fijo y se aprobó un nuevo régimen cambiario dual, con un tipo de cambio oficial –a 1,40 pesos– y otro libre. Además se pesificaron los créditos con una paridad 1 a 1 –quien debía un dólar pasaba a deber un peso– y los depósitos a 1,40, más un coeficiente de indexación (CER). El gobierno prometió compensar a los bancos con títulos públicos garantizados con un gravamen a la exportación de hidrocarburos por el término de 5 años. La Asociación de Bancos Argentinos rechazó la propuesta y denunció que la pesificación asimétrica ponía en riesgo sus balances.

---

83 La concesión de redescuentos a firmas bajo sospecha fue una práctica habitual durante la gestión de Mario Blejer –ex funcionario del FMI– al frente del BCRA. Hacia febrero de 2002 el Banco Galicia se había convertido en el principal beneficiario de la asistencia pública –le otorgaron redescuentos por 2.376,7 millones de dólares– y la nómina incluye, entre otros, a los bancos CFM –21,8 millones–, Piano –8,8 millones– y Edificadora de Olavarría –3,1 millones–. El Sudameris, que había recibido 98,2 millones, encabezaba la lista de entidades extranjeras asistidas, seguido por el Scotiabank Quilmes –76 millones–, el Creditanstalt –34,9 millones– y el Bisel –11 millones–.

Un mes después, la Corte Suprema de Justicia confirmaba el fallo de primera instancia por el reclamo del ahorrista Carlos Antonio Smith contra la sucursal correntina del Banco Galicia. La resolución sostuvo que la reprogramación de depósitos violaba el derecho constitucional de todo ciudadano de disponer razonablemente de su patrimonio. Como respuesta, el gobierno amenazó con iniciar juicio político a cada uno de los integrantes de la Corte.

Durante una conferencia de prensa dominical, Remes Lenicov anunció la pesificación total de depósitos y créditos, y la unificación del sistema cambiario. De este modo, buena parte de los grupos que ya habían fugado su dinero al exterior se beneficiaba con una gigantesca licuación de sus pasivos financieros. Los bancos aumentaron la presión por la pesificación asimétrica, al tiempo que se creaba un bono para que los ahorristas recuperasen sus depósitos confiscados.

El sábado 27 de abril Remes Lenicov cedió su sillón a Roberto Lavagna, quien se hizo cargo del Ministerio de Economía en medio de una fuerte disputa entre las entidades de capital nacional representados por la Asociación de Bancos Privados de la República Argentina (ABAPRA), y los de capital extranjero, nucleados en la Asociación de Bancos Argentinos (ABA). En una dura solicitada, los nacionales acusaron a los extranjeros de promover la "offshorización" del sistema financiero.[84]

Mientras la tele se entretenía comparando a Anoop Singh con Peter Sellers –un cómico de rasgos indios–, el enviado del FMI planteaba las exigencias del organismo en Casa de Gobierno. Entre ellas figuraban la derogación de la Ley de Subversión Económica, otro ajuste fiscal, una vez más la extranjerización de la banca pública y la liberación de precios "aunque se corra riesgo de hiperinflación". En fina coincidencia, el ex asesor de Cavallo y del FMI,

---

84 Curiosidades de la historia: Lavagna asumió casi al mismo tiempo en que Mario Vicens –ex funcionario del equipo de Machinea– era nombrado al frente de ABA. En los años ochenta Lavagna había renunciado al gobierno de Alfonsín, disgustado por el festival de bonos propuesto por Vicens, con quien compartía el gabinete económico.

Steve Hanke, presentaba un informe sobre la Argentina, donde proponía la aplicación de un plan ortodoxo basado en el respeto por la propiedad privada, un sistema financiero sólido, un gobierno limitado en sus funciones, y, además, la dolarización de la economía. El economista estadounidense instó a resolver los problemas del sistema financiero con inflación, a permitir que los bancos emitieran moneda, y pugnó por una reforma impositiva que excluyese un gravamen a la renta financiera.

El 9 de mayo, tras una sesión de diez horas cargadas de acusaciones cruzadas, el justicialismo impuso su mayoría para derogar la Ley de Subversión Económica. La norma –creada durante la dictadura– penaba, entre otros delitos, el vaciamiento fraudulento de instituciones financieras. Emilio Cárdenas, por entonces al frente del HSBC, actuaba como cabeza del *lobby* del sector financiero, aunque el FMI asumió el peso mayor de la presión sobre el gobierno al reclamar la derogación de esa ley como condición necesaria para discutir futuras líneas de financiamiento. Poco tiempo después, el *Financial Times* sugería que un grupo de senadores habría cobrado sobornos para revocar la norma. La denuncia no se probó, pero la causa abierta para investigar ese posible delito constató la contratación irregular de un *lobbysta* llamado Carlos Bercún –tenía un contrato por consultoría con el Ministerio de Economía–, quien había realizado gestiones para reunir a banqueros y senadores.

El fin de la Ley de Subversión Económica reactivó las "negociaciones" con el FMI. A través de un documento reservado, el organismo presentó un plan para minimizar las pérdidas de la banca extranjera, y contemplaba además el cierre de otras entidades. La reestructuración financiera propuesta por el Fondo se ocupaba del otorgamiento de licencias B y la reglamentación de los bancos públicos, pedía que se fijaran topes a los redescuentos, y exigía inmunidad para los funcionarios del BCRA. La inmunidad reclamada por el FMI regía en 80 países, pero no en los Estados Unidos, el país que más bregaba por la aprobación de la exigencia.

El Fondo envió en julio una misión que, además de insistir con la reestructuración del sistema, puso sobre la mesa un nuevo reclamo: retocar las tarifas de servicios públicos, un sector fuertemente endeudado con la entidades financieras. Los miembros de la misión protestaron, además, por la profusión de amparos judiciales que permitían a los ahorristas recuperar sus fondos acorralados. Como resultado de esta misión, el gobierno se comprometió ante el Fondo a financiar uno de cada dos pesos restituidos a los depositantes a través de un bono que compensara la sangría de los bancos. El proyecto oficial se conoció como Plan Bonex 2, y comprendía una emisión equivalente a 7 mil millones de pesos.

El Congreso, presionado por marchas diarias de repudio, rechazó la propuesta oficial. Para sostener su proyecto, el presidente Duhalde recurrió al apocalipsis: "Si no sale el plan Bonex, que sea lo que Dios quiera". Aunque estaban lejos de ser arcángeles divinos, los banqueros Manuel Sacerdote y Eduardo Escasany, entre otros, realizaron gestiones personales para que el Parlamento modificara su actitud.

Disgustado por la demora en la imposición del bono impulsado por los bancos, Mario Blejer renunció a la Presidencia del BCRA. En su lugar asumió Aldo Pignanelli, ex gerente de Ferretería Francesa, la tienda que había estado asociada al banco de los hermanos Rohm. Pignanelli debutó en el cargo enfrentándose a Lavagna, redoblando el reclamo por la aplicación de un bono compensador.

Para distender tensiones, Lavagna mantuvo frugales reuniones con los representantes de la banca extranjera, quienes le reclamaron que devolviera los depósitos de los ahorristas retenidos en el "corralito" con bonos públicos. El gobierno se mostró interesado, pero les propuso a su vez que los bancos garantizaran los bonos con sus activos. Los banqueros se negaron y cambiaron de estrategia. Para forzar a Economía dificultaron el canje de ahorros acorralados por BODEN –el bono optativo dispuesto por el Estado–. Gerentes y empleados bancarios desaconsejaron a sus clientes esa transacción, provocando que la primera entrega de bonos terminara en fracaso. La estrategia desplegada por los bancos extranjeros –que podían fondearse con dinero fugado en los meses previos al "corralito"– puso en riesgo a los bancos locales, ya que los damnificados optaron por continuar con el reclamo judicial en lugar de aceptar los títulos del gobierno. Para las entidades de capital nacional, la recuperación de depósitos vía amparos significaba una fuerte pérdida de divisas difíciles de recuperar. Carlos Heller, titular del Banco Credicoop, educado en un hogar de ideas socialistas –y que en su infancia soñaba con ser mecánico de automóviles– se constituyó en líder de los banqueros locales. En ese rol sostuvo que mientras continuara vigente la posibilidad de reclamar a través de amparos, los ahorristas no suscribirían bonos.

En sintonía con la estrategia de la banca extranjera, el nuevo jefe de la delegación del FMI ante la Argentina, John Thorton, machacó sobre el asunto durante una videoconferencia con los funcionarios de Economía: "Teniendo en cuenta que la suscripción de bonos no funcionó, ¿qué piensan hacer ahora con los amparos?". En un fino operativo conjunto, la ABA distribuyó un informe que daba cuenta del "fracaso del canje voluntario" de depósitos por bonos. El trabajo indicaba que las entidades extranjeras habían canjeado apenas el 1 por ciento de su cartera. Los nacionales y españoles, en cambio, llegaron a colocar bonos por el 25 por ciento de su cartera. El documento concluía informando que el gobierno compensaría a los bancos –por la recuperación de depósitos a través de sentencias favorables a los amparos– con bonos que podrían ser incluidos en los balances.

Una vez más, los extranjeros vieron en la crisis la oportunidad de aumentar su porción en el mercado. Al término de una nueva reunión con el ministro Lavagna, Manuel Sacerdote, del BankBoston, reclamó públicamente que el gobierno "abriese ya" el "corralito" para cajas de ahorro y cuentas corrientes, una medida que provocaría la caída en cadena de los bancos nacionales con menor respaldo. El plan fue avalado incluso por Pignanelli, quien aseguró que los bancos debían devolver el 70 por ciento de los fondos retenidos.

Como era habitual, el avance contó con el apoyo estratégico de economistas y consultores. Por esos días, un informe de Fundación Capital, dirigida por Martín Redrado, pidió que el Estado capitalizara a los bancos "buenos y dejara caer a los malos". Por su parte, el economista Ricardo López Murphy –referente de FIEL– aseguró que, tras la crisis, "sólo quedarán en pie uno de cada tres bancos". Y traduciendo en público los deseos privados de ABA, el futuro candidato a presidente pronosticó la creación de una banca *offshore*, el fin de los créditos y la consolidación de un sistema financiero reducido.[85]

Los ex titulares del BCRA Pedro Pou y Javier González Fraga, el economista Pablo Guidoti y el banquero Benegas Lynch, del CMF, se sumaron a la estrategia "extranjera" durante una encendida conferencia ofrecida en el Malba, el Museo de Arte Latinoamericano de Buenos Aires, construido por el financista Eduardo Costantini. Pou pidió en el cónclave una "mayor flexibilización laboral", Benegas propuso el "cierre del Banco Central", y González Fraga apoyó a la banca *offshore*, al tiempo que reclamó "que se deje de perseguir a los banqueros". Las palabras del ex asesor de Ghaith Pharaon parecían una respuesta al procesamiento de Manuel Sacerdote, decretado por la justicia penal porteña horas antes de la conferencia. El fallo acusaba al titular del Boston de administración fraudulenta en perjuicio de un grupo de ahorristas a los que la entidad les había impedido retirar los fondos de sus cuentas en los días previos al corralito. El dictamen judicial incluía un embargo de 500 mil pesos contra el banquero.

El 25 de mayo de 2003, Néstor Kirchner asumió la primera magistratura de la Argentina luego de que el ex presidente Carlos Menem renunciara a disputarle el cargo en segunda vuelta. Con la

---

85 El 9 de noviembre de 2003, un tribunal de Francfort –Alemania– sostuvo que la banca era corresponsable por los perjuicios que el *default* argentino había causado a los tenedores de bonos. En los fundamentos de un fallo a favor de un inversor, la justicia alemana puntualizó que la banca SEB debería indemnizar al ahorrista por no haberlo asesorado correctamente sobre los riesgos que involucraban los papeles de deuda externa argentina. "La entidad financiera relativizó esos riesgos cuando ya había señales alarmantes en la economía del país emisor" dijo el fallo que, quebrando una costumbre local, agregó responsables con nombres y apellidos: los analistas Miguel Ángel Broda –quien anunció un dólar a cinco o diez pesos para fin de 2002–, Daniel Artana, Jorge Ávila, Pablo Guidotti y Juan Luis Bour.

normalización del ritmo institucional, quebrado con la renuncia de De la Rúa a fines de 2001, las negociaciones de la deuda externa volvieron a marcar la agenda de la economía argentina. Tras cuatro meses de tratativas, Roberto Lavagna –reelecto al frente de la cartera de Hacienda– acordó con los organismos financieros internacionales la refinanciación de 21 mil millones de dólares de deuda. Según las obligaciones escritas del acuerdo el gobierno se comprometía a pagar deuda externa con un superávit fiscal del 3 por ciento del PBI –estimado en 4.250 millones de dólares–. El pacto fue presentado por la flamante "Administración K" como un logro histórico, pues no contemplaba, a diferencia de convenios anteriores, subas de impuestos ni ajustes en las tarifas. La letra no escrita del acuerdo, en cambio, sí incluía compensaciones a los bancos: al cumplirse un mes de la conciliación con el Fondo, el Senado argentino aprobó resarcir a las entidades financieras con 2.800 millones de pesos por la pesificación asimétrica aplicada tras la devaluación. Los costos derivados de la voracidad financiera serían absorbidos, claro, por el Estado argentino. Pero eso no era todo: si bien Lavagna había anunciado que el trato con el FMI contemplaba pagos calzados –el dinero aportado sería devuelto en forma de nuevos préstamos para no debilitar aún más las anémicas reservas del Estado–, entre enero y octubre de 2003, el gobierno depositó en las cuentas de los organismos internacionales 2.328 millones de dólares por encima de lo que recibió. De este modo, fondos frescos equivalentes a un año de pensiones y jubilaciones fueron destinados al pago de una deuda de legitimidad dudosa.

Con la colaboración de analistas y encuestadores, Kirchner presentó como otra demostración de fortaleza la propuesta oficial de una quita del 75 por ciento sobre el valor nominal de los títulos en *default*. Sin embargo no todos los bonos entraron en el recorte kirchnerista: los BODEN, títulos creados para devolver depósitos y compensar a los bancos, serían reconocidos al cien por cien de su valor.

El reconocimiento era mérito de la hábil muñeca política del flamante titular del Banco Central, Alfonso Prat Gay, un joven con aspiraciones que había recorrido el último tramo de su carrera en el J.P. Morgan. Antes, el hombre había cultivado su admiración por González Fraga como director de la consultora Alpha, fundada por el ex titular del BCRA. Alpha solía exponer públicamente, con orgullo, su intervención en los proyectos argentinos de Ghaith Pharaon. Oráculo del joven presidente del Central, González Fraga también encontró un espacio en el desconfiado núcleo K: para disgusto de Lavagna, el Jefe de Gabinete, Alberto Fernández —un ex soldado de Cavallo—, tenía al economista entre sus consultores de cabecera.

A poco menos de dos años de los cacerolazos y la furia contra la clase política y el sistema financiero, el país del "no me acuerdo" volvía a la normalidad.

Luego de pasar la crisis criando ganado en su estancia de General Madariaga, en junio de 2003 Richard "el Gato" Handley anunció su regreso a los negocios al frente de un fondo de inversión. "Es un buen momento para comprar barato", se entusiasmó. Su primer objetivo fue Havanna, la marca de alfajores que su ex enemigo íntimo del Citibank, Juan Navarro, no pudo sostener. El regreso no ocurrió como lo esperaba, pero el rugbier se alegró al saber que el negocio había quedado en manos casi familiares: en noviembre, el Exxel transfirió la fábrica de bizcochos y dulce de leche a DyG, un fondo de inversión capitaneado por dos ex Citibank —Guillermo Stanley y Martín Ruete— y el ex jefe de gabinete de Fernando de la Rúa, Christian Colombo. Poco tiempo antes, en octubre, el líder comercial y espiritual del Citi, John Reed, había asumido la jefatura de la Bolsa de valores de Nueva York.

Para la misma época el BankBoston se fusionó con el Fleet Boston Bank, conformando el segundo banco comercial más importante del planeta. Manuel Sacerdote tuvo motivos personales para festejar: cerca de cumplir 30 años al frente de la sucursal local de la entidad, el nuevo directorio lo ratificó como cacique regional del flamante emporio financiero.

Tras comprar el Bansud, el ex mesadinerista Jorge Brito, titular del polémico Banco Macro, se convirtió en el abanderado de la resurrección de la "burguesía nacional", un concepto que caló hondo en el gobierno kirchnerista. Superados algunos escarceos iniciales –el presidente Kirchner había acusado a Brito de "desestabilizador"–, el banquero consolidó su influencia liderando la resurrección de la Asociación de Bancos de la Argentina (ADEBA). En octubre, Brito y Kirchner hicieron las paces en público durante un acto oficial en la Casa de Gobierno, con beso y abrazo incluidos.

El martes 30 de septiembre, el juez federal Jorge Ballesteros ordenó el allanamiento de la sucursal porteña del Banco Provincial de Tierra del Fuego. La diligencia se encuadró en la causa 3028/03, caratulada "BTF Banco Provincia de Tierra del Fuego suc. Cap. Fed. sobre Lavado de activos de origen delictivo", que investigaba operaciones fraguadas de compra y venta de dólares. Los detalles de la maniobra, que habría enjuagado cerca de 114 millones de pesos en cinco meses –desde diciembre de 2002 hasta abril de 2003–, habían sido denunciados por los diputados provinciales del ARI Manuel Raimbault, José Martínez y Fabiana Ríos, e involucraban a dos conocidas financieras porteñas: Divisar S.A. y Transcambio S.A.

Según la denuncia, la presunta operación de lavado se llevaba a cabo a través de la compra mayorista de entre 400 mil y un millón de dólares diarios que el banco fueguino fingía adquirir en casas de cambio, y que luego simulaba vender en operaciones minoristas de unos tres mil dólares cada una, para no superar el límite de diez mil pesos que, según establece la ley antilavado, obliga a informar la operación, y los datos del comprador, al Banco Central. La Justicia probó que el dinero no entraba ni salía del banco, sino que sólo se movían comprobantes fraguados, hecho que incrementó las sospechas sobre lavado de "dólares negros" retirados de las casas de cambio, sin intervención del fisco.

En la lista apócrifa de compradores figuraban residentes de Villa San Martín, Santiago del Estero, y de Río Tercero, Córdoba. Algunos supuestos compradores aparecían en listados oficiales de la AFIP con DNI y CUIL correlativos, con 102 años de edad, y "cobraban" planes sociales. El gerente de la sucursal Buenos Aires del BTF, Luis Fiszbein, hacía palotes en un papelito con su firma y fecha, como control de las operaciones minoristas que necesitaba realizar cada día para compensar el monto de la compra mayorista que el banco efectuaba en las financieras Transcambio y Divisar. La denuncia sobre Divisar estimuló la curiosidad de la diputada Graciela Ocaña, quien entre sus papeles atesoraba un documento perturbador: la gerente general de Divisar era Susana Beatriz Hoffman, ex secretaria privada de Emir Yoma.

La relación entre el ex cuñado de Carlos Menem y Divisar también constaba en la agenda de Lourdes Di Natale, vinculando el nombre de la financiera con Ricardo Klass, el ex abogado personal de Menem, quien además había sido secretario legal y técnico de la Nación. Cuando se produjo la denuncia por lavado, Klass se desempeñaba como presidente del Superior Tribunal de Tierra del Fuego. En medio de las revelaciones aportadas por las pesquisas, Gustavo Loffiego, presidente de la entidad fueguina, avivó el revuelo: "Este escándalo nos está haciendo un gran daño. Y no sólo a nuestra imagen, sino también a nuestras finanzas. Si hasta el presidente acaba de retirar sus ahorros de nuestro banco". Las palabras del banquero, volcadas al término de una caldeada sesión en el Parlamento fueguino, confirmaba un rumor que desde hacía días era la comidilla de los empleados del banco. A poco de iniciarse las investigaciones por lavado, Máximo Kirchner, el hijo mayor del presidente, retiró depósitos familiares por 1,6 millón de pesos de la entidad. La revelación, que pasó desapercibida en medio de la mediática ola K, volvía a poner el foco sobre uno de los secretos inexpugnables de Néstor Kirchner: los sigilosos manejos de su fortuna personal.

En la declaración jurada de ley, el presidente manifestó poseer bienes y valores por 6.666.137 pesos. Sobre el primer rubro, el mandatario detalló la ubicación geográfica de sus veinte propiedades inmuebles –17 casas y departamentos en Río Gallegos, dos en El Calafate y un piso en Buenos Aires–. La suma del valor fiscal de las propiedades orillaba los 600 mil pesos. El resto del patrimonio declarado, es decir 6.046.042 pesos, correspondía a depósitos a plazo fijo. En ambos casos, Kirchner completó el ítem "Origen de los Fondos" con dos palabras legales y bucólicas: "Ingresos propios". ¿De dónde provenían esos ingresos? La pregunta rodeó a Kirchner durante sus días de campaña. Los vecinos de Santa Cruz recuerdan que "Lupín" –apodo patagónico del presidente– había "hecho fortuna" a comienzos de los años 1980, época en que oficiaba como abogado de la financiera Finsud. En pleno apogeo de la circular 1.050, y en su condición de patrocinante y agente de cobro de la financiera, al joven abogado le resultaba sencillo anticipar qué propiedades irían a remate por incumplimiento en los pago de las hipotecas. Según los relatos de la zona, con esa información en la mano y pocos pesos en los bolsillos, Lupín fue forjando su patrimonio.

Kirchner nunca reconoció ni desmintió la versión. Confirmó apenas que adquirió sus bienes con los ingresos que le aportaba "su actividad como abogado". Parte de esa fortuna –un millón y medio de pesos– estaba depositada en el Banco de Tierra del Fuego. En cambio la declaración jurada casi no añadía precisiones sobre los cuatro millones restantes. Apenas consignaba que se trataba de ahorros en dólares americanos, pero no definía el destino de los fondos: una cuenta bancaria en el país o en el extranjero, una caja de seguridad o un hueco en el colchón.

El sigilo que el presidente le imprimió a los manejos de su fortuna personal siguió el patrón que había patentado en sus tiempos de gobernador santacruceño. En aquellos días, Kirchner solía promocionar su fama de buen administrador financiero aportando como prueba que su provincia había depositado en una cuenta del exterior los suculentos ingresos por regalías petroleras. El monto y el destino de los fondos, en cambio, eran un misterio.

La ruta del dinero santacruceño –unos 680 millones de dólares obtenidos a principios de los años noventa como consecuencia de un juicio que Santa Cruz le ganó al Estado nacional por regalías mal liquidadas–, fue uno de los costados vulnerables de Kirchner durante la campaña presidencial. Poco antes de las elecciones, un confuso episodio involucró a colaboradores del candidato y a un equipo enviado por el conductor televisivo Mariano Grondona para investigar las finanzas de la provincia patagónica. Grondona aseguró ante su audiencia que su equipo había sido maltratado física y verbalmente por personas cercanas al gobernador. El kirchnerismo desmintió el hecho y aseguró que se trataba de una operación del menemismo para contaminar la campaña. En medio del revuelo, el Ministerio de Finanzas de la provincia emitió un comunicado donde confirmaba que Santa Cruz mantenía reservas depositadas en el extranjero, aunque no precisaba dónde ni en qué entidades. El candidato Kirchner aseguró ante la prensa que esa estrategia le había permitido resguardar los fondos provinciales de la confiscación de depósitos impuesta por el "corralito" y el "corralón". Recién en octubre de 2003, con Kirchner consolidado en el sillón de Rivadavia, el Ejecutivo santacruceño decidió revelar el destino y el monto de las reservas de la provincia. Se trataba de dos plazos fijos, uno por 270.392.598 dólares abierto en la sucursal de Ginebra del UBS AG –ex Unión de Bancos Suizos–, donde rige el secreto bancario. El otro, por 259.341.287,48 dólares, en el Banco Morgan Stanley de Luxemburgo, un paraíso fiscal. El total de las reservas declaradas era de 529.670.885,48 dólares. Pese a que el discurso oficial instaba a los ahorristas a repatriar sus depósitos como gesto de "confianza" hacia la gestión económica, a comienzo de 2004 los fondos de Santa Cruz, la provincia de Kirchner, seguían depositados en el extranjero.

Superado el sofocón inicial de las denuncias y el descrédito que lo alejaron de la Presidencia de su banco, Eduardo Escasany fue abandonando progresivamente los bucólicos atardeceres del Argentino Country Club para dedicarse a asesorar a su sobrino y heredero en la jefatura del Banco Galicia, Silvestre Vila Moret. Claro que el regreso no estuvo exento de disgustos judiciales. En agosto Escasany tuvo que prestar declaración indagatoria ante el juez penal Mariano Bergés, acusado de defraudación por un centenar de ahorristas acorralados. Uno de los querellantes era su hermana Marisa, con quien el patriarca de la familia mantenía una antigua disputa familiar por el reparto de las acciones de la entidad. Arquitecta de profesión, Marisa –que asegura haber sido despojada de sus acciones mediante un ardid societario–, entabló tres demandas contra su hermano por presunto vaciamiento, balance falso y administración infiel.

Mientras los Escasany libraban una nueva batalla en su guerra familiar, otra familia tradicional de las finanzas argentinas volvió a ocupar espacio en la tapa de los diarios. En septiembre de 2003 se anunció que el Grupo Werthein había pagado a France Telecom 128 millones de dólares por el 48 por ciento de las acciones de Telecom. La "Administración K" aprobó el pase de acciones el anteúltimo día hábil de 2003.

Por esas mismas horas la justicia uruguaya analizaba procesar a los hermanos José y Carlos Rohm por la concesión de préstamos irregulares a través del Banco Comercial. Dos de los préstamos cuestionados –uno por 2.782.950 dólares, el otro de 4.590.000– habían sido otorgados a sola firma, entre el 11 y el 18 de diciembre de 2001 –pocos días antes del incendio financiero que devoró al gobierno de Fernando de la Rúa–, a la firma Los W, la sociedad mediante la cual los Werthein negociaron su ingreso a Telecom.[86]

El 29 de diciembre, un día antes de que la Comisión Nacional de Comunicaciones confirmara el retorno de los Werthein al mundo de los grandes negocios, otro referente financiero de la comunidad judía argentina conocía la prisión. Rubén Beraja, ex titular del liquidado Banco Mayo y ex presidente de la Delegación de Asociaciones Israelitas Argentinas (DAIA), se entregó ante el juez Norberto Oyarbide, acusado de liderar una asociación ilícita que habría realizado maniobras ilegales por 500 millones de dólares.

---

[86] La llegada de la familia Werthein a Telecom aceleró el proceso de reestructuración del pasivo de la empresa. Esa tarea estuvo a cargo de Amadeo Vázquez, el ex segundo de Roque Maccarone en el Banco Río.

Habían pasado poco más de cinco años desde la caída que marcó su destino. A mediados de 1998 Beraja vivía su plenitud: encabezaba uno de los bancos más fuertes del sistema –el Mayo ocupaba el duodécimo lugar del *ranking* de depósitos entre las entidades financieras privadas–, acababa de absorber al quebrado Banco Patricios de la familia Spolski y planeaba expandir su negocio en la Capital y el Gran Buenos Aires con la apertura de nuevas sucursales. Pero el sueño del banquero duró poco. En agosto de aquel año, la renuncia de Víctor Liniado a la Vicepresidencia del Mayo despertó las sospechas de los ahorristas más importantes del banco. Interpretaron el alejamiento del directivo como un indicio de que algo andaba mal, y retiraron sus depósitos. Entonces Beraja, que había crecido económica y políticamente al amparo del menemismo, recibió ayuda oficial en medio del naufragio. Para compensar la huida de capitales, el Banco Central conducido por Pedro Pou lo socorrió con alrededor de 300 millones de dólares. El destino de esos fondos se transformó en la clave del expediente que determinó su detención.

El 9 de octubre el Central dispuso la suspensión de la entidad. Las primeras pesquisas de los veedores aportaron pistas del supuesto desfalco. Sólo durante el mes anterior al cierre, en medio de la corrida de depósitos, se contabilizaron préstamos por 27 millones de dólares a ocho compañías ligadas al grupo controlante. Los investigadores no descartan que parte de los fondos que conformaron esos autopréstamos hayan surgido de las arcas del Central.

En su resolución, Oyarbide escribió: "Por lo menos desde 1993 hasta 1998 existió una organización estable, permanente y sólidamente conformada (...) que sería constitutiva de ilícitos penales. [El banco] ofreció a la asociación una fachada de legalidad que sirvió para captar inversores, abusar de su confianza, confundiéndolos y hacerse del dinero de terceros y emplearlo para financiar proyectos o negocios de los propios imputados. [Estas maniobras] habrían ocasionado una pérdida, en apenas seis semanas, de 200 millones de pesos". Luego de notificarse de su prisión preventiva, Beraja le sugirió a Oyarbide que reviera su caso con "la ayuda de Dios".[87]

Un mes antes la "ayuda divina" ya había visitado el despacho de la jueza Marcela Garmendia. El 23 de noviembre de 2003 se presentó ante la magistrada monseñor Héctor Aguer, arzobispo de La Plata, como fiador de la libertad de Francisco Trusso, un ex banquero condenado a ocho años de prisión por la quiebra fraudulenta del Banco de Crédito Provincial. El episodio concluía con una extensa trama que combinaba estafas, influencias políticas e intereses poco espirituales.

El expediente judicial del ex BCP se había abierto en agosto de 1997 por supuestas maniobras irregulares en el otorgamiento de 20.985 créditos por un monto superior a 64 millones de pesos a personas que nunca los solicitaron ni los recibieron. Los investigadores descubrieron la falsificación de saldos de tarjetas de crédito por alrededor de 16 millones de pesos, además del desvío de depósitos al exterior por aproximadamente 100 millones. El escándalo provocó un tendal de ahorristas e involucró al entonces cardenal Antonio Quarracino. En este caso se investigaba un préstamo gestionado a fines de junio de 1997 en favor del Arzobispado de Buenos Aires, avalado por el BCP. La suma fue transferida de una

---

87 Las maniobras irregulares investigadas en la causa Mayo son cuatro:

• Mesas de dinero: Mayflower Bank y Trust Inversions funcionaban en oficinas ubicadas en San Luis y Pueyrredón. A través de ellas el banco tomó 200 millones de dólares de 3 mil ahorristas que, a cambio, recibían tasas de interés superiores a las de los plazos fijos que ofrecía la plaza: 13 por ciento anual en dólares y 15 por ciento en pesos. Como muchas de estas colocaciones no fueron declaradas, sus titulares ni siquiera reclamaron cuando quebró el Mayo. Otros tuvieron más suerte: Armando Gostanián recuperó los 8 millones de dólares que había enviado a las Bahamas.

• Asistencia del BCRA: Los fiscales sospechan que los 300 millones recibidos por el banco entre septiembre y octubre de 1998, en medio de la fuga de depósitos, fueron utilizados en provecho de los propios accionistas del Mayo.

• Autopréstamos: El juez constató una "elevada" asistencia crediticia del Mayo a favor de personas o empresas vinculadas al grupo de control. Esos autopréstamos, en total alrededor de 30, sumarían aproximadamente 123 millones de pesos.

• Tiempo compartido: Se detectaron inversiones "aparentemente irregulares" en la compra de derechos de uso de tiempo compartido a la empresa Icatur. Un hecho "incompatible" con la iliquidez del banco.

caja de ahorros en dólares de la Sociedad Militar Seguro de Vida
–suerte de mutual castrense– a una cuenta corriente del Arzobispado, abierta en el BCP. Pero el dinero se perdió en el camino. Los
documentos que acompañan la solicitud del crédito están firmados
por el fallecido cardenal Antonio Quarracino, pero la Justicia determinó que esa firma había sido falsificada y que los montos
transferidos a la cuenta del Arzobispado habrían sido objeto de
una apropiación ilícita. Los jueces apuntaron contra monseñor
Roberto Toledo, ex secretario de Quarracino, quien resultó procesado junto a Juan Miguel Trusso, hermano de Fransico, un banquero que nunca se sintió abandonado por Dios.[88]

–Tené confianza, ya falta poco. Tenés que aguantar.

La comunicación telefónica de Navidad había tomado rumbos
inesperados. Como cada vez que hablaban, al mayor de los Rohm
le partía el alma escuchar los gemidos de su hermano preso. Luego
de dos años en la cárcel, Charly estaba perdiendo las esperanzas. Ni
siquiera los pronósticos favorables sobre su pronta liberación lograban recomponer su espíritu. Inspirado por el espíritu navideño,
Puchi intentó levantarle el ánimo:

–Es una cuestión de tiempo. Alejandro [Mitchel, abogado
de Charly] dice que nadie puede estar dos años preso sin condena. Eso está firmado en el pacto de San José de Costa Rica. A
la Cámara [de apelaciones] no le va a quedar otra que dejarte en
libertad.

Si bien la frase tenía resabios de voluntarismo fraternal, el ex
presidente del BGN no mentía: a comienzos de 2004, la jueza Servini de Cubría dispuso la excarcelación de Charly, beneficiado
por el vencimiento de los plazos procesales. Aunque la resolución
se ajustaba a derecho, la decisión de Servini constituía una rara

---

88 La influencia de Quarracino fue determinante para que el menemismo nombrara
a Francisco Trusso embajador argentino ante el Vaticano. Si bien monseñor Aguer lo negó
desde su púlpito, en los ámbitos eclesiásticos se decía que la participación de la Iglesia argentina en favor de la liberación de Trusso había sido propiciada por el propio Vaticano.

muestra de pulcritud legal para un país cuyas cárceles suelen colmarse de presos sin condena firme. Una vez más, la ley parecía estar del lado de los banqueros.

A diferencia de su hermano, para Puchi la libertad nunca había sido un problema. Pese al pedido de captura internacional que pendía sobre sus hombros, la ficha con los rasgos del banquero prófugo dormía el sueño de los injustos en los cajones de Interpol. El propio Departamento de Justicia de los Estados Unidos velaba por su tranquilidad, demorando una y otra vez los pedidos argentinos de extradición. Con semejante respaldo, al mayor de los Rohm casi no le costó adaptarse a su nueva vida de banquero prófugo.

Alojado en la mansión de muros amarillos y tejas azules del 710 de South Mashta Drive, frente a las exclusivas playas de Key Biscayne, José Enrique "Puchi" Rohm difrutaba de la vida como cualquier vecino próspero. Pero de tanto en tanto la nostalgia le hacía lamentar su suerte: aunque cada mañana se obligaba a mantenerse en forma trotando bajo el sol de La Florida por la Harbor Boulevard, nada podía compararse a la adrenalina que le provocaba una buena corrida financiera en la Argentina. Ese generoso territorio en el extremo austral del mundo que convirtió a los banqueros en los dueños del poder.

Agradecimientos

A Roberto Caballero, amigo y consejero que nunca perdió la fe en mí. A Laura Litvin, por su precisa lectura y su cariñoso hartazgo. A mis padres, Elsa y Osvaldo, por enseñarme el valor del esfuerzo. A mi hermano Christian, por su cariño que acorta distancias. A mi querida abuela Celina, a Inés, Ricardo, Diego, Pablo y Carolina. A Nora y Mario, Gustavo e Isabel, Lalo, Isaac, Sarita, Adelma y los chicos, por comprender mis ausencias. A Diego, Martín, Máximo y Fernando, mi otra famila, y "que no se termine nunca". A las Irenes (G y M), por su entusiasmo. A Leonora Djament, respaldo fundamental y paciente de este proyecto. A Fernando Cittadini y Gabriela Franco, por sus sugerencias y correcciones. A Graciela y su equipo (Facundo, Laura, Mariela, Marcela, Oscar y Guillermo), por su generosa paciencia. A Alicia López y a Rosa, por ilustrarme. A Julio Villalonga, Silvio Santamarina, Guillermo Cantón y Ricardo Luza, por sus ideas y apoyo. A Marcelo Dimango, Ignacio Miri, Gustavo Cirelli, Christian Balbo, Omar Quiroga, Ximena Pascutti, Luciana Geuna, Fernando Meaños, Jorge Verri, Virginia Poblet y Carlos Stroker, por formar una redacción de lujo. A Nicolás Wiñazky, Cinthya Ottaviano, Gerardo Young, Lorena Maciel, Alejandro Sezelosky, Ariel Said y Aldo Martínez. Al profesor Gilbert, a Miguel, al doctor Espinoza Paz, y a Samuel Blixen. A Marcelo Manuele, Osvaldo Pepe, Eduardo San Pedro, Héctor D'Amico, Gustavo González, Edi Zunino, Jorge Fernández Díaz, Daniel Capalbo y los ex compañeros de *Noticias* que apuntalaron mi formación. A ellos, y a todos los que aportaron sus ganas y sus testimonios a condición de proteger su anonimato, les debo la concreción de un sueño. Muchas gracias.

Fuentes consultadas

Bibliografía

Acevedo, Manuel, Eduardo Basualdo y Miguel Khavisse, ¿*Quién es quién? Los dueños del poder económico*, Buenos Aires, Editora 12 y Pensamiento Jurídico Editora.

Arbía, Carlos, *Las seis D que sacudieron a la República Argentina*, Buenos Aires, Edivern.

Arisó, Guillermo y Gabriel Jacobo, *El golpe S.A*, Buenos Aires, Grupo Editorial Norma.

Azpiazu, Daniel, Eduardo Basualdo y Miguel Khavisse, *El nuevo poder económico en la Argentina de los 80*, Buenos Aires, Editorial Legasa.

Barcia, Hugo y Norberto Ivansich. *La carpa de Alí Babá*, Buenos Aires, Editorial Legasa.

Basualdo, Eduardo, *Deuda externa y poder económico en la Argentina*, Buenos Aires, Editorial Nueva América.

Basualdo, Eduardo, *Modelo de acumulación y sistema político en la Argentina*, Buenos Aires, Flacso, Universidad Nacional de Quilmes e Idep.

Blixen, Samuel, *Bancotráfico*, Uruguay, Ediciones de Brecha.

Borón, Atilio, Roberto Feletti, Martín Granovsky, Eduardo Grüner, Claudio Lozano, Oscar Martínez, Oscar Taffetani, y Julio Villalonga, *El menemato*, Buenos Aires, Ediciones Letra Buena.

Cacho, Jesús, *Asalto al poder*, España, Ediciones Temas de Hoy.

——————, *Duelo de titanes*, España, Ediciones Temas de Hoy.

——————, *M.C., un intruso en el laberinto de los elegidos*, España, Ediciones Temas de Hoy.

Cafiero, Mario y Javier Llorens, *La Argentina robada*, Buenos Aires, Ediciones Macchi.

Calcagno, Alfredo Eric y Eric Calcagno, *La deuda externa explicada a todos (los que tienen que pagarla)*. Buenos Aires. Catálogos.

Camarasa, Jorge, *Días de furia*, Buenos Aires, Editorial Sudamericana.

Cardoso, Oscar Raúl, Kirschbaum, Ricardo y Eduardo Van der Kooy, *Malvinas, la trama secreta*, Sudamericana-Planeta.

Cavallo, Domingo, *El peso de la verdad*, Buenos Aires, Editorial Planeta.

Cecchini, Daniel y Jorge Zicolillo, *Los nuevos conquistadores*, Buenos Aires, Foca.

Cerrutti, Gabriela, *El Jefe*, Buenos Aires, Editorial Planeta.

Cerruti, Gabriela y Sergio Ciancaglini, *El octavo círculo*, Buenos Aires, Editorial Planeta.

Ciancaglini, Sergio y Enrique Piana, *Confesiones de oro*, Buenos Aires, Editorial Sudamericana.

De Pablo, Juan Carlos, *Política económica argentina*, Buenos Aires, Ediciones Macchi.

Dietrich, Heinz, *El fin del capitalismo global*, Buenos Aires, Océano Ediciones.

Ducrot, Víctor Ego, *El color del dinero*, Buenos Aires, Grupo Editorial Norma.

Evans, Civit, *Los ladrones y cómo robaron*, Buenos Aires, El Cid editor.

Fuchs, Jaime y José Carlos Vélez, *La Argentina de rodillas*, Buenos Aires, Tribuna Latinoamericana.

Galbraith, John K., *El dinero*, Buenos Aires, Ariel.

Garfunkel, Jorge, *59 semanas y media*, Buenos Aires, Emecé.

Gazier, Bernard, *El crac del 29*, Barcelona, Globus.

Goñi, Uki, *Perón y los alemanes*, Buenos Aires, Editorial Sudamericana.

Lamberto, Oscar, *Los cien peores días*, Buenos Aires, Editorial Biblos.

Larraquy, Marcelo y Roberto Caballero, *Galimberti, de Perón a Susana, de Montoneros a la CIA*, Buenos Aires, Grupo Editorial Norma.

Lejtman, Román, *El Narcogate,* Buenos Aires, Editorial Sudamericana.

López Echagüe, Hernán, *La frontera,* Buenos Aires, Editorial Planeta.

López Echagüe, Hernán, *Palito,* Buenos Aires, Editorial Sudamericana.

Luna, Félix, *Breve historia de los argentinos*, Buenos Aires, Editorial Planeta.

Majul, Luis, *Los dueños de la Argentina,* Buenos Aires, Editorial Sudamericana.

——————, *Los dueños de la Argentina II*, Buenos Aires, Editorial Sudamericana.

——————, *Por qué cayó Alfonsín*, Buenos Aires, Editorial Sudamericana.

Molinas, Ricardo y Fernando Molinas, *Detrás del espejo*, Buenos Aires, Beas Ediciones.

Muchnik, Daniel, *Las AFJP en el ojo de la tormenta*, Buenos Aires, Grupo Editorial Norma.

Naishtat, Silvia y Pablo Maas, *El cazador. La historia secreta de los negocios de Juan Navarro y el grupo Exxel*, Buenos Aires, Editorial Planeta.

Olarra Jiménez, Rafael y Luis García Martínez, *El derrumbre argentino*, Buenos Aires, Editorial Planeta.

Palermo, Vicente y Marcos Novaro, *Política y poder en el gobierno de Menem*, Buenos Aires, Editorial Norma.

Peña, Milcíades, *El paraíso terrateniente*, Buenos Aires, Ediciones Fichas.

——————, *El peronismo*, Buenos Aires, Ediciones El Lorraine.

——————, *Masas, caudillos y elites*, Buenos Aires, Ediciones El Lorraine.

Piñero Pacheco, Raúl, *La degeneración del 80*, Buenos. Aires, El Cid editor.

Rodríguez, Jesús, *Fuera de la ley*, Buenos Aires, Editorial Planeta.

Seoane, María, *El saqueo de la Argentina*, Buenos Aires, Editorial Sudamericana.

Sevares, Julio, *Por qué cayó la Argentina*, Buenos Aires, Grupo Editorial Norma.

Soriani, Gustavo, *La corporación*, Buenos Aires, Editorial Planeta.

Suárez, Carlos O., *Globalización y mafias en América Latina*, Buenos Aires, Dirple Ediciones.

Verbitsky, Horacio, *Robo para la corona*, Buenos Aires, Editorial Planeta.

Viau, Susana, *El banquero. Raúl Moneta, un amigo del poder en la ruta del lavado*, Buenos Aires, Editorial Planeta.

Vidal, Armando, *El congreso en la trampa*, Buenos Aires, Editorial Planeta.

Villegas, Carlos, *Régimen Legal de Bancos*, 2ª actualización, Buenos Aires, Depalma.

Archivo

Diarios
Clarín
La Nación
Página/12
Ámbito Financiero
El Cronista
Infobae
El Diario de Río Negro
El Tribuno de Salta
La voz del interior.
Financial Times
The Washington Post
The New York Times

Revistas
Poder
Noticias

Veintitrés
Trespuntos
Realidad económica
Ciclos
Gente
Alzas y bajas
Apertura
Mercado
Brecha
Posdata
La fogata digital

Sitios de internet

www.lavadodinero.com
www.historiadelpais.com.ar
www.argentino.com.ar
www.diariojudicial.com

Documentos

Comisión especial investigadora sobre hechos ilícitos vinculados con el lavado de dinero. Informe parcial.

Comisión especial investigadora sobre hechos ilícitos vinculados con el lavado de dinero. Informe final minoritario.

Argentina: Inversión extranjera directa y estrategias empresariales. CEPAL.

Causa N° 18.748 "Rohm, Carlos Alberto y otros s/procesamiento".

Management's Discussion and Analysis, Financial Statements, Sustainability Review, and Investment Portfolio. CFI.

Informe sobre la fuga de capitales en la Argentina durante 2001. Comisión Especial Investigadora de fuga de divisas de la Cámara de Diputados de la Nación.

Cambios de propiedad en el sistema financiero. La banca extranjera entre el retiro y la apatía operativa mientras surge una nueva banca de capital local. Jorge Schvarzer, Hernán Finkelstein. CESPA.

La evolución del sistema financiero en los 90. Asociación de Bancos de la Argentina.

La crisis bancaria argentina 2001-2002. Martín Lagos. Asociación de Bancos de la Argentina.

La experiencia de apertura financiera en Argentina, Brasil y México. María Cristina Penido de Freitas. Revista de la CEPAL.

La patria financiera. Juicio de residencia a Martínez de Hoz. El Cid editor.

Irregularidades crediticias en el Banco Provincia. Comisión Bicameral Ley 12.729, despacho Bloques Frente Grande/ ARI.

Causa nro. 6420/2001 caratulada "Cavallo, Domingo Felipe y otros s/defraudación contra la administración pública".

Deuda externa argentina. Informe especial del Observatorio de las Transnacionales.

Dictamen de la Comisión Parlamentaria sobre irregularidades en el contrato IBM-DGI.

Dictamen de la Comisión parlamentaria en el contrato IBM-Banco Nación.

Expediente "Martínez María Elena c/ Estado Nacional sobre amparo".

Informe de la Comisión Especial Investigadora de Entidades Financieras del Senado de la Nación.

Deuda externa: Causa 14.467, Olmos sobre defraudación contra la Administración Pública.

Megacanje: Causa 8464/01, Asociación ilícita, fraude al Estado, negociaciones incompatibles con la función pública y malversación de caudales públicos.

Dictámenes del ministerio público fiscal, fallos en primera instancia, fallos de Cámara y fallos de la Corte Suprema de Justicia relacionados a recursos de amparo y a otras acciones contra el "corralito".

Índice onomástico

Este libro se terminó de imprimir
en abril de 2004 en Primera Clase Impresores